みんなが欲しかった！

2025
年度版

TAC行政書士講座
滝澤ななみ 編集協力

合格への
はじめの一歩
行政書士

JN048136

TAC出版
TAC PUBLISHING Group

本書における法令基準日および法改正情報

はしがき

　行政書士は、「街の法律家」として、非常に人気の高い国家資格です。2006年（平成18年）の試験制度の改革によって、従来に比べて、より法律専門職として色合いの濃い試験内容になりました。

　この行政書士になるためには、まず試験に合格しなければなりません。行政書士試験は、出題の中心となる法令科目の5科目に加えて、基礎知識科目として一般知識、業務関連法令、情報通信・個人情報保護、そして文章理解からも出題があり、出題範囲の広い国家試験といえます。そこで、効率的・戦略的に学習を進めていくために必要となるのは、合格後のイメージを持つことと、試験内容や各科目の全体像を把握することです。

　そのための第一歩となるのが本書です。本書は、タイトルに「合格へのはじめの一歩」とあるように、はじめて行政書士試験の学習に取り組もうとされる方に向けた1冊です。

　「オリエンテーション編」で資格や試験の概要、学習方法などを紹介することにより合格への道筋と合格後のイメージを持てるようにするとともに、「入門講義編」で各科目の全体像から基本的事項を学習できるように構成しています。フルカラーでイラストや板書を豊富に収録しているので、わかりやすく、スムーズに学習を進めることができるでしょう。

　必ずや、本書が合格への第一歩を踏み出す皆さんの道標になることと確信していますので、頑張っていきましょう。

2024年10月

TAC行政書士講座

CONTENTS

本書の効果的な学習法

1　オリエンテーション編で試験、資格について知りましょう！

　まずは**スタートアップ講座**からはじめましょう！　行政書士の仕事内容、試験の実施日程や試験問題の形式、さらに合格までにどのような勉強をしていくのかが、イラストとともにわかりやすく掲載されています。

2　入門講義編で行政書士試験の学習内容の概要を学びましょう！

　次に、行政書士試験で学ぶ全科目の入門講義に進みます。主要なテーマで、かつ、知識理解のための土台となるものを、わかりやすくまとめています。図解も満載で、楽しく読み進めていくことができます。また、本文中の色の付いているところを追っていくことで、最重要の用語や定義などをおさえることができます。1つのCHAPTERを読み終えたら、知識確認として、「**過去問チェック！**」を解き、実際の試験問題も体感してみましょう。

●テーマ●はざっくりこんな話
まずは概要をイラストとともに確認してから学習をスタートします！

●板書
重要ポイントが一目瞭然です！

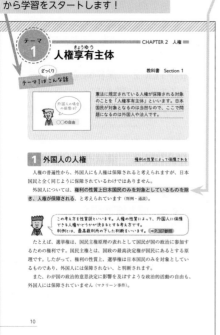

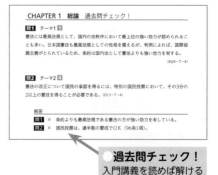

●過去問チェック！
入門講義を読めば解ける問題を厳選しています！

合格へのはじめの一歩

スタートアップ講座

1 行政書士になるまで

行政書士は、国家資格です。
本試験に合格して、各都道府県の行政書士会を経由して、
日本行政書士会連合会の登録を受ければ、「行政書士」
として仕事ができるようになります。ここでは、そのフローを簡単にご紹介します。

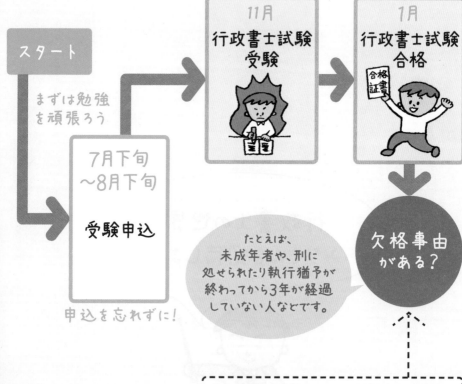

スタート

まずは勉強
を頑張ろう

**7月下旬
〜8月下旬**

受験申込

申込を忘れずに!

11月

**行政書士試験
受験**

1月

**行政書士試験
合格**

合格証書

たとえば、
未成年者や、刑に
処せられたり執行猶予が
終わってから3年が経過
していない人などです。

**欠格事由
がある?**

① 弁護士、弁理士、公認会計士、税理士
となる資格を有する者
② 国や地方公共団体の公務員として行政
事務を担当した期間、特定独立行政法人
や特定地方独立行政法人の役員または
職員として行政事務に相当する事務を担
当した期間が、通算して一定期間になる者

日本行政書士会連合会に名簿登録・
都道府県行政書士会に入会

ない

行政書士登録

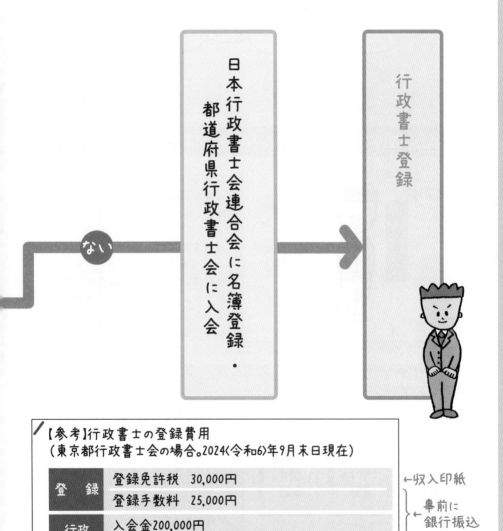

【参考】行政書士の登録費用
（東京都行政書士会の場合。2024〈令和6〉年9月末日現在）

登　録	登録免許税　30,000円	←収入印紙
	登録手数料　25,000円	事前に ←銀行振込
行政 書士会 入会	入会金200,000円	
	行政書士会会費3ヶ月分18,000円 行政書士政治連盟会費3ヶ月分3,000円 ｝21,000円	←現金を窓口 へ持参

2 行政書士とはどんな資格？

「行政書士」ってどんな資格なんだろう？
資格をとるとどんなメリットがあるの？
…こんな数々のギモン点にお答えします。

行政書士＝国民にもっとも身近な「街の法律家」

国家資格

行政書士

書類作成業務

許認可申請の代理

相談業務

行政書士は、1951年（昭和26年）に成立した「行政書士法」により誕生した「国家資格」です。

行政書士の仕事は、大きく分けて、「書類作成業務」「許認可申請の代理」「相談業務」の3つに分類されます。これらは、行政書士法1条の2と1条の3に記載された法定業務です。

書類作成業務とは？

国や地方公共団体など

官公署に提出する書類	事実証明に関する書類	権利義務に関する書類
・建設業許可 ・会社設立 ・帰化申請 など	・内容証明郵便 ・財務諸表 ・会計帳簿 など	・遺言書 ・遺産分割協議書 ・示談書 など

行政書士は書類の作成代理人として、法的な問題が起こらないように、事前予防の観点から契約書等の作成をしていきます。

作成できる書類は、大きく3つに分類できます。

許認可申請の代理とは？

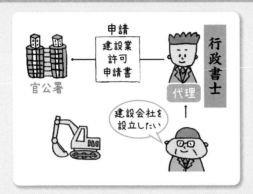

そして、行政書士は作成した書類を、依頼主に代理して、官公署に提出することが認められています。

そのため、国民（依頼主）と官公署を結ぶパイプ役として、交渉（折衝）能力が求められます。

相談業務とは？

また、顧客から依頼された書類作成について、相談に応じることが業務として認められています。

相続手続に関する相談といった個人レベルの内容から、企業の経営・法務相談といったコンサルティング業務まで、内容はさまざまです。

最近では、書類作成に伴う相談業務を通じて、顧客が抱える問題にアドバイスしたり、新規ビジネスの提案をしたりなど、コンサルティング業をメインとする人も多くなっています。

現在では、書類を作成しなくても、依頼者に相談料を請求することができます。

行政書士の業務種類（範囲）は？

行政書士の業務種類（範囲）は、一説には7,000〜10,000種類といわれています。

ただ、業務の需要と供給のバランスから、主に行われている業務はわりと固定化されています。
主な具体的な業務をいくつか見てみましょう。

行政書士の業務① 会社設立

会社設立のためには、定款の作成のほか、さまざまな書類の作成・申請が必要になります。行政書士は、この準備段階から相談を受けて、一連の作業にかかわることができます。

行政書士の業務② 許認可申請

建設業、運輸業、旅館や飲食店などの開業・変更に必要な許認可申請書類の作成、手続の代理などを行えます。
もちろん、これらの開業に伴う相談も受けることができます。

行政書士の業務③　国際関連

日本国籍の取得を希望する人の帰化申請について、申請に必要な書類一式の作成などを行うことができます。また、出入国管理についての一定の研修を受けた「申請取次行政書士」は、申請人本人に代わって、出入国在留管理庁へ申請書などの提出を行うことができます。

行政書士の業務④　運輸関連

自動車の新規登録や移転登録、車庫証明などの運輸に関するさまざまな手続・許可申請などを行うことができます。
ディーラー（販売店）からだけでなく、個人からの依頼も多い分野です。

遺産分割
協議書

行政書士の業務⑤　遺言・相続

「権利義務に関する書類」の一環として、遺言書や遺産分割協議書を作成することができます。
また、その際に、作成する書類に問題がないかについて法的なアドバイスをすることもできます。

成年後見

著作権

時代のニーズに応じた新たな分野

認知症など判断能力が十分でない人のサポートを行う成年後見制度、会社の知的財産権を保護するための著作権登録申請業務など、時代のニーズに応じた新たな分野についても、行政書士はかかわっていくことができます。

行政書士が活躍する場面

開業

企業・事務所勤務

さて、ここまでは行政書士の業務について見てきましたが、今度は行政書士が活躍する場面について見てみましょう。

行政書士で活躍するには、「開業」と「企業・事務所等勤務」があります。

行政書士が活躍する場面①　登録すれば、すぐに開業可能

「実務経験」や「実務修習」は必要ないんだ

電話やパソコンがあれば自宅で開業できるよ!

行政書士

行政書士は、独立開業するにあたって「実務経験」や「実務修習」のようなものが必要でなく、合格・登録すればすぐに独立開業できるところが魅力です。

電話やパソコンなど最低限の設備があればすぐにでも開業できるので、わざわざ事務所を借りなくても、自宅ですぐに開業できます。

さらに、行政書士法人を設立して、複数の行政書士が、それぞれの得意・専門分野をもって業務遂行することにより、さまざまな分野に対応していくこともできます。

行政書士が活躍する場面② 企業や事務所で資格を活かす

会社の法務部か法律事務所で働きたいな

行政書士

行政書士試験では、憲法・民法・商法など法律の基礎となる科目が出題されますので、周りからは「法律の最低限の知識がある」との評価を受けることができます。

企業では、主に法務部などで活躍することができます。

行政書士

また、法律知識を必要とされる「パラリーガル」として法律事務所で勤務することや、行政書士事務所（行政書士法人）の補助者として勤務する人もいます。

さらなるステップアップ＝ダブルライセンスの取得

行政書士の試験ではさまざまな法律科目を学びます。また、業務の内容も多岐にわたります。そのため、試験科目の重なりや業務の関連性から、宅地建物取引士・司法書士・社会保険労務士など、いろいろな資格にチャレンジしやすく、かつ、発展を見込めるのも行政書士の魅力の1つです。

公務員を目指す大学生にも魅力的

公務員試験と行政書士試験は試験科目が類似しているので、行政書士の試験勉強は、そのまま公務員試験対策にもなります。
また、公務員になった後も行政事務のスペシャリストとして活躍できます。

行政書士は、チャンスがたくさんあり、挑戦しがいのある素晴らしい資格です。
みなさんも将来の目標を実現するために、これから頑張って勉強していきましょう！

3 行政書士の試験ってどんな試験?

行政書士試験とはどんな試験なのか、
受験データや試験制度の概要を見ていきましょう。

以下は、2024年10月現在の情報に基づいています。試験の詳細などについて
は、一般財団法人 行政書士試験研究センター（以下「センター」という）の
ホームページなどで、必ずご自身でご確認ください。

I 受験データを見てみよう

受験データ① 受験者数、合格者数等の推移

行政書士試験の過去10年の受験者数、合格者数等は、以下のとおりです。

年度	H26年度 (2014年)	H27年度 (2015年)	H28年度 (2016年)	H29年度 (2017年)	H30年度 (2018年)
受験申込者数(人)	62,172	56,965	53,456	52,214	50,926
受験者数　(人)	48,869	44,366	41,053	40,449	39,105
合格者数　(人)	4,043	5,820	4,084	6,360	4,968
合格率	8.3%	13.1%	10.0%	15.7%	12.7%

年度	R元年度 (2019年)	R２年度 (2020年)	R３年度 (2021年)	R４年度 (2022年)	R５年度 (2023年)
受験申込者数(人)	52,386	54,847	61,869	60,479	59,460
受験者数　(人)	39,821	41,681	47,870	47,850	46,991
合格者数　(人)	4,571	4,470	5,353	5,802	6,571
合格率	11.5%	10.7%	11.2%	12.1%	13.98%

気になる合格率は、低い年で8.3%、高い年で15.7%となっていて、10年間の平均は
11.5%くらいです。ここ9年は、10%を超えるような高い合格率が続いていますが、
今後どのように推移していくかは注目が必要です。
受験申込者数は減少傾向が続いていましたが、平成30年度（2018年）に底を打ち、
その後はおおむね増加傾向となっています。
なお、平成26年度（2014年）は、現在の試験制度が平成18年度（2006年）に導入されて以
来はじめて、補正的措置が実施され、法令科目の合格基準が引き下げられました。

受験データ② 令和5年度 合格者の年齢別割合

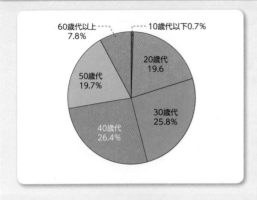

つづいて、令和5年度（2023年）試験の合格者について、いろいろな角度から見てみましょう。

まずは、合格者の年齢構成です。

40歳代が1位、30歳代が2位で、次に多い50・20歳代も含めると、合格者全体の90％以上を占めています。幅広い年齢層に受け入れられている試験といえるのではないでしょうか!?

ちなみに、最年少合格者は13歳（1名）、最年長合格者は81歳（1名）でした。

受験データ③ 令和5年度 合格者の男女別割合

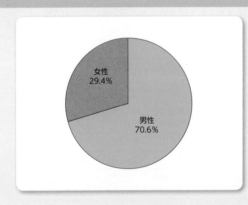

次に、合格者の男女別割合を見てみましょう。

男性が多くなっていますが、合格者の10人に3人近くは女性ですので、「圧倒的に」とまではいえないでしょう。

ちなみに、男女別の年齢構成は、男性は全体の年齢構成とほぼ同じような割合ですが、女性は30歳代が1位と、合格者の年齢構成がやや低くなっています。

※以上、各データは行政書士試験研究センターから公表されている資料に基づいて作成

本試験の実施日程〈令和6年度（2024年）例〉

行政書士試験は、年1回、11月の第2日曜日に、全国47都道府県で実施されます。
令和6年度（2024年）の本試験は下記のようなスケジュールです。

〈受験申込みから合格発表までの流れ〉

次のどちらかの方法により、受験申込みをします。

郵送による受験申込み	インターネットによる受験申込み
7月29日(月)～8月30日(金)消印有効	7月29日(月)～8月27日(火)午後5時

1 受験願書の記入と顔写真の貼付
※受験願書に記入
※顔写真サイズ（縦4cm×横3cm／カラー写真）

1 インターネット申込条件に「同意」、受験願書と顔写真画像を登録
※受験申込画面で必要事項を入力
※顔写真画像（JPEG形式／高さ320・幅240ピクセル）

2 受験手数料の払込み
※専用の振替払込用紙で郵便局（ゆうちょ銀行）の窓口で受験手数料10,400円を払込【ATM使用不可】

2 受験手数料の払込み
※本人名義のクレジットカードまたはコンビニエンスストアで受験手数料10,400円を払込み

3 振替払込受付証明書を貼り郵送

3 登録完了メールが届いたら申込完了

4 受験票（圧着した郵便はがき）の送付（10月21日(月)予定）

5 試験 11月10日(日)午後1時から午後4時（180分）

6 合格発表 令和7年（2025年）1月29日(水)午前9時
※合格者の受験番号がセンター事務所の掲示板とホームページに公表されます

受験願書・試験案内は、「窓口で受け取る」方法と、「センターに郵便で請求して郵送してもらう」方法の2通りがあります。
利用できるクレジットカードやコンビニエンスストアは、指定されています。

受験資格

年齢、学歴、国籍等に関係なく、どなたでも受験できます。

科目と形式の概要

試験科目	内容等	出題形式
行政書士の業務に関し必要な法令等（出題数46題）	❶憲法、❷行政法（行政法の一般的な法理論、行政手続法、行政不服審査法、行政事件訴訟法、国家賠償法及び地方自治法を中心とする。）、❸民法、❹商法及び❺基礎法学	5肢択一式（40問）多肢選択式（3問）記述式（3問）
行政書士の業務に関し必要な基礎知識（出題数14題）	❶一般知識、❷業務関連法令、❸情報通信・個人情報保護、❹文章理解	5肢択一式（14問）

※ 法令については、令和7年4月1日現在施行されている法令に関して出題される予定です。

試験科目は、大きく「法令（等）」と「基礎知識」の2つに分かれます。法令はさらに5つに分けることができ、基礎知識は4つに分けることができます。

形式は、「5肢択一式」「多肢選択式」「(40字)記述式」の3種類です。

5肢択一式（単純型）：1問につき4点

「5肢択一式」は、5つの選択肢の中から正しいもの（または誤っているもの）を1つ選んで解答します。

問題32 債権者代位権に関する次の記述のうち、民法の規定に照らし、正しいものはどれか。

1 債権者は、債務者に属する権利（以下「被代位権利」という。）のうち、債務者の取消権については、債権者に代位して行使することはできない。
2 債権者は、債務者の相手方に対する債権の期限が到来していれば、自己の債務者に対する債権の期限が到来していなくても、被代位権利を行使することができる。
3 債権者は、被代位権利を行使する場合において、被代位権利が動産の引渡しを目的とするものであっても、債務者の相手方に対し、その引渡しを自己に対してすることを求めることはできない。
4 債権者が、被代位権利の行使に係る訴えを提起し、遅滞なく債務者に対し訴訟告知をした場合には、債務者は、被代位権利について、自ら取立てその他の処分をすることはできない。
5 債権者が被代位権利を行使した場合であっても、債務者の相手方は、被代位権利について、債務者に対して履行をすることを妨げられない。

（令和3年度 本試験問題より）

選択肢は5つ

問題を読んで、間違えている箇所や、アヤシイ箇所に印をつけておくといいでしょう。また、冒頭の「正しいものはどれか」「誤っているものはどれか」についても、絶対に見落とさないようにしましょう。

「５肢択一式」の派生型で、まずア〜オなどの５つの選択肢の中から正しいもの（または誤っているもの）を複数個探し、それを正しく組み合わせているものを１つ選んで解答します。

問題 21　規制権限の不行使（不作為）を理由とする国家賠償請求に関する次のア〜エの記述のうち、最高裁判所の判例に照らし、妥当なものの組合せはどれか。

　ア　石綿製品の製造等を行う工場または作業場の労働者が石綿の粉じんにばく露したことにつき、一定の時点以降、労働大臣（当時）が労働基準法に基づき省令制定権限を行使して罰則をもって上記の工場等に局所排気装置を設置することを義務付けなかったことは、国家賠償法１条１項の適用上違法である。

　イ　鉱山労働者が石炭等の粉じんを吸い込んでじん肺による健康被害を受けたことにつき、一定の時点以降、通商産業大臣（当時）が鉱山保安法に基づき粉じん発生防止策の権限を行使しなかったことは、国家賠償法１条１項の適用上違法である。

　ウ　宅地建物取引業法に基づく免許を更新された業者が不正行為により個々の取引〜〜

1　ア・イ
2　ア・ウ
3　ア・エ
4　イ・エ
5　ウ・エ

（令和３年度　本試験問題より）

組合せ型は、５つすべての選択肢の知識を確実に知っていなくても、確実な知識をもとにした正誤判断と組合せの候補により、正解を出すこともできるので、単純型よりも解きやすいと思われます。

「多肢選択式」は、４つの空欄に入る適切な語句を、与えられた20の選択肢の中から選んで解答します。

問題 42　次の文章の空欄　ア　〜　エ　に当てはまる語句を、枠内の選択肢（1〜20）から選びなさい。

　行政指導とは、相手方の任意ないし合意を前提として行政目的を達成しようとする行政活動の一形式である。

　行政手続法は、行政指導につき、「行政機関がその任務又は　ア　の範囲内において一定の行政目的を実現するために特定の者に一定の作為又は不作為を求める指導、　イ　、助言その他の行為であって処分に該当しないもの」と定義し、行政指導に関する幾つかの条文を規定している。例えば、行政手続法は、行政指導　ウ　つき、「同一の行政目的を実現するため一定の条件に該当する複数の者に対し行政指導をしようとするときにこれらの行政指導に共通してその内容となるべき事項」と定義し、これが、　エ　手続の対象となることを定める規定がある。

　行政指導は、一般的には、法的効果をもたないものとして処分性は認められず抗告訴訟の対象とすることはできないと解されているが、行政指導と位置づけられてい〜〜

（令和２年度　本試験問題より）

空欄の数は１問に４つ。単語はもちろん、数字も空欄になることがあります。

①空欄に入る用語を…

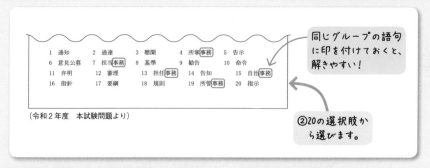

行政書士試験の「多肢選択式」は、空欄に対して選択肢が与えられているとはいえ、かなり語群の数が多いのも特徴です。それぞれの空欄ごとに、入りそうな選択肢を絞り込むために、同じグループの語句に印を付けて解くという方法が有効です。

（40字）記述式：1問につき20点

行政書士試験の最大の特徴でもある「（40字）記述式」は、問題文の問いに対する解答を40字程度（最大は45字）で、与えられた枠内に書きます。

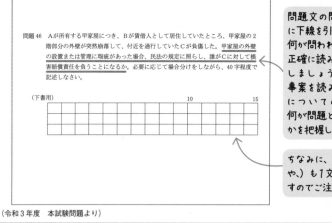

令和5年度（2023年）は、次のような問題数、配点で出題されました。

科目		令和5年度（2023年）			配点	科目合計
		5肢択一式 （1問4点）	多肢選択式 （1問8点）	40字記述式 （1問20点）		
基礎法学		2			8点	46問 [244点]
憲法		5	1		28点	
法令等	行政法 一般的な法理論	3	1		112点	
	行政手続法	3				
	行政不服審査法	3				
	行政事件訴訟法	3	1	1		
	国家賠償法（損失補償含む）	2				
	地方自治法	3				
	行政法総合	2				
	民法	9		2	76点	
	商法（会社法を含む）	5			20点	
一般知識等	政治・経済・社会	7			28点	14問 [56点]
	情報通信・個人情報保護	4			16点	
	文章理解	3			12点	
合計		54問 [216点]	3問 [24点]	3問 [60点]	300点	60問

問題数が多く多肢選択式も記述式もある行政法と記述式が2問ある民法とで、法令の8割近くを占めています。この2科目および記述式の攻略が、行政書士試験攻略のキモです。

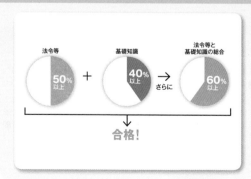

行政書士試験の合格基準は、非常に明確です。

法令等で50％以上、基礎知識で40％以上、試験全体で満点、（300点）の60％以上で、合格です。

法令等だけで試験全体の60％以上を取れていたとしても、基礎知識で40％以上を取れていない場合は、不合格となります。

4 学習プランの紹介

ここでは、TAC出版書籍（みんなが欲しかった！行政書士シリーズ）のご紹介と、その書籍を使った効果的な学習法・学習スケジュールについて説明します。

入門書

1 行政書士 合格へのはじめの一歩　本書

- 「オリエンテーション編」で、行政書士という資格と行政書士試験について、さらっと確認してイメージをつかみましょう。
- 「入門講義編」で、各科目の内容をざっと読んで全体像をつかむとともに、法律学習になれましょう。

実力養成

2 行政書士の教科書

- まずは1回、ざっと読んで全体像をつかみましょう。わからないところがあっても、どんどん読み飛ばします。
- 本文をじっくり、力を入れて読み込みましょう。
- 「例題」は必ず解きましょう。できないときは、すぐに本文に戻って知識を確認しましょう。

リンク

3 行政書士の問題集

- 『行政書士の教科書』の1回目を読む段階から、できればSectionごと、少なくともCHAPTERごとに、『行政書士の問題集』の問題を解きましょう。
- できなかった問題は、解説に記載されているリンクをもとに『行政書士の教科書』に戻って確認しましょう。

リンク

4 行政書士の最重要論点150

- 『行政書士の教科書』の重要な150の論点をピックアップして、見開き2ページ1論点、（項目）の構成、図表中心でまとめています。

5 行政書士の判例集

- 最重要判例を中心に、重要度に応じてメリハリをつけながら、憲法・民法・行政法・商法の数多くの判例を掲載しています。

過去問演習

6 行政書士の5年過去問題集

- 5年分の本試験問題を、詳細な解説と問題ごとの正答率とともに、新しい順に年別別に収録しています。
- 出来具合に一喜一憂することなく、また解きっぱなしにせずに、できなかった問題は、『行政書士の教科書』に戻って復習しましょう。

7 行政書士の肢別問題集

- 実際の本試験問題を素材にしながら、法令（等）科目の重要論点を、選択肢ごとに分解し、1問1答形式で、知識を確認できる1冊です。
- 選択肢（問題）ごとに、重要度ランク・肢を切るポイントを明示しているので、メリハリをつけた学習が可能です。

記述対策

8 行政書士の40字記述式問題集

- 過去問題を題材にした解法マニュアルと、過去問題＆オリジナル予想問題が1冊に集約されています。
- 一通りの学習が終わって、直前期に40字記述式対策を行われる受験生が多いようですが、実力養成の学習と同時並行することで、より知識定着を図ることも可能です。

直前対策

9 本試験をあてる TAC直前予想模試 行政書士

- 出題傾向を徹底分析した予想問題を3回分収録しています。
- 問題部分は回数ごとに取り外せるようになっているので、実際の本試験を意識したシミュレーションを行うことができます。是非とも時間(180分)を計りながらチャレンジしてみましょう。

合 格 !

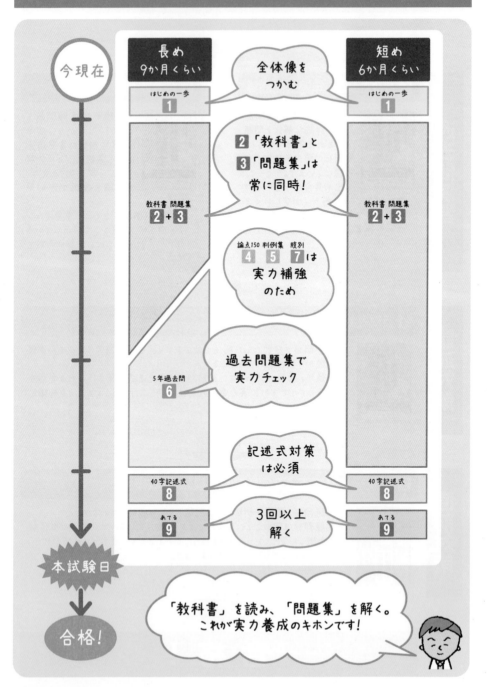

5 科目ごとの特徴をざっくり知ろう

> ここでは、各科目の特徴を説明します。

①憲 法

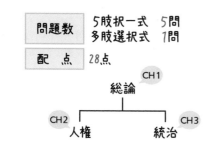

問題数	5肢択一式　5問 多肢選択式　1問
配　点	28点

総論　CH1
人権　CH2　統治　CH3

実際の本試験問題の冒頭は「基礎法学」ですが、法律の基礎を効果的に学ぶために、本書を含めた行政書士試験対策書籍の冒頭は「憲法」ということが多いです。

総論：憲法に共通する基本原理
人権：国民の権利など
統治：国の統治の仕組み

特徴
◆「人権」は判例、「統治」は条文をもとにした出題が多い

攻略法
◆「人権」は判例知識の蓄積！ ◆「統治」は条文知識の暗記！

「総論」からの出題はあまりなく、「人権」「統治」からの出題がほとんどです。

「人権」では裁判所が出した判断である判例の知識を得ること、「統治」では日本国憲法に書かれている条文の知識を覚えることが学習の中心になります。

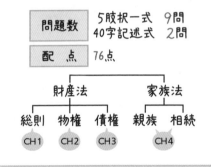

問題数　5肢択一式　9問
　　　　　40字記述式　2問

配　点　76点

財産法　　　　家族法

総則　物権　債権　親族　相続
CH1　CH2　CH3　　　CH4

40字記述式（1問20点）が2問出題され、5肢択一式も9問出題されるので、配点が76点と多くなっています。
例年、難しい問題が出題されることもあり、取捨選択が重要となります。
総則：民法全体に共通する事項
物権：土地などの物に対する権利
債権：契約の当事者など人に対する権利　義務や契約の内容など
親族：婚姻や親子などの親族関係
相続：遺産相続や遺言などの財産の承継

特徴
◆単純知識問題+事例問題

攻略法
◆事例問題は、登場人物や権利関係を図にして書いてみよう！

まずは、条文と判例（判例の結論）の知識を正確に身につけましょう。ただ、範囲が膨大ですので、『行政書士の教科書』などに記載してある「重要度」などを参考にして、メリハリをつけた学習を行うことが大切です。
事例問題は、登場人物や権利関係を図にして書くことで、問題の読み間違いを防ぐことができ、正しい解答を導きやすくなります。

③行政法

問題数　5肢択一式　19問
　　　　　多肢選択式　2問
　　　　　40字記述式　1問

配　点　112点

3つの出題形式すべてからの出題があり、かつ、問題数・配点も多く、法令（等）科目に限らず、行政書士試験全体の「メイン科目」といっても過言ではありません。

一般的な法理論：行政法全体にわたって共通する基本ルール、行政機関・公務員といった行政組織の仕組み
行政手続法：行政機関からさまざまな処分を行う際の事前ルール

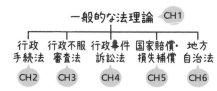

一般的な法理論 CH1

行政手続法 CH2 ／ 行政不服審査法 CH3 ／ 行政事件訴訟法 CH4 ／ 国家賠償・損失補償 CH5 ／ 地方自治法 CH6

行政不服審査法：国民から行政機関に対して事後の救済を求める際のルール

行政事件訴訟法：国民から裁判所に対して事後の救済を求める際のルール

国家賠償・損失補償：行政活動による損害に対する金銭等での救済

地方自治法：都道府県・市町村など地方公共団体についてのルール

特徴

◆基本的には条文知識が問われる
◆行政事件訴訟法と国家賠償・損失補償では、判例知識も問われることが多い

攻略法

◆重要論点から繰り返し出題されることも多く、知識の積み重ねを！

短文の単純正誤タイプの問題が多いので、法律用語と条文知識の暗記の精度を高めていくことが得点につながります。

行政事件訴訟法と国家賠償・損失補償では判例問題が出題されることも多いので、判例知識を身につけることも必要になります。

④商　法

| 問題数 | 5肢択一式　5問 |
| 配　点 | 20点 |

商法 CH1 ／ 会社法 CH2

会社法という法律は非常に条文数が多く、かつ、細かいことが特徴です。商法も含めて、すべてを網羅していくことは非常に困難なので、よく出題される論点を中心に学習していくことが重要です。

商　法：商法全体に共通するルールと主に個人事業主が中心の規定

会社法：株式会社を中心とした会社組織などの規定

特徴

◆単純に条文知識を問う問題が多い

攻略法

◆深入りせず、頻出（重要）論点を中心に
学習しよう！

民法・行政法といった他の科目がキチンとできていれば、合否に直接的に影響する科目ではないともいえます。そこで、深入りすることなく、いかに情報をスリム化し、インプット量を圧縮できるかが学習のポイント、かつ、攻略法です。

⑤基礎法学

問題数	5肢択一式　2問
配　点	8点

法学 裁判制度
CH1　　　　CH2

本試験問題の冒頭2問（問題1、問題2）が基礎法学からの出題です。
法律用語や裁判制度からの出題が多いですが、それ以外の範囲からの出題もあり、内容は多岐にわたります。

法学：法律用語、法の名称（分類）
　　　など
裁判制度：裁判所および裁判の仕組み、裁判外での紛争処理手続など

特徴

◆対象となる範囲が広く、多岐にわたる

攻略法

◆過去問題を見て、出題傾向を把握！
◆まずは「教科書」を読み、基本的な知識
を身に付ければ十分！

配点（問題数）からも合否を分けるとはいえず、かつ、出題範囲も絞りこめないので、商法と同じく深入りすべき科目ではありません。また、過去問題を繰り返し解くというアプローチも有効ではありません。

なお、実力養成学習段階において、法律用語の基本概念を知っておくことは、今後の学習のためには有効です。

問 題 数	5肢択一式　14問
配　点	56点

個人情報保護は出題範囲を絞り込むことも可能で、文章理解も解き方の対策を立てることもできますが、全体としては、一般知識（政治・経済・社会）を中心に、とにかく範囲が膨大で、かつ、時事的な問題が出題されることもあり、出題予想や具体的な対策が困難な分野といえます。

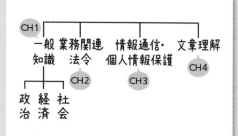

一般知識：政治や経済、社会に関する知識

業務関連法令：行政書士法等の行政書士の実務に関わる法律

情報通信・個人情報保護：情報通信についての法律や用語、個人情報保護制度

文章理解：国語（現代文）のような文章読解を行う

基礎知識科目単独で合格基準40％以上が設けられているので、注意が必要です。14問中6問以上（56点中24点以上）を取らなくてはいけません。

特徴

◆出題範囲が膨大で、何が出るか予想できない
◆基礎知識単独で合格基準がある

攻略法

◆得点戦略を立てて、確実に正解できる科目（問題）を決めよう！

情報通信・個人情報保護、業務関連法令と文章理解で6問以上の正解を目指しつつ、一般知識で加点していくという対策を立てるのがポピュラーな得点戦略です。

学習マップ

行政書士試験の
全科目関係を
一覧にすると
こんな感じ！

第1編 憲法

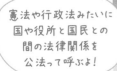

憲法や行政法みたいに
国や役所と国民との
間の法律関係を
公法って呼ぶよ！

総論

法の下の平等
自由権
受益権
参政権
社会権
⋮

人権

国　会
内　閣
裁判所

統治

関連
あり

関連
あり

第3編 行政法

行政組織や
行政法の
基本ルール

行政法の一般的な法理論

関連
あり

行政手続法　　行政不服審査法

行政事件訴訟法

国家賠償・損失補償

地方自治法

第2編 民法

財産
- 総則
- 物権
- 債権

家族
- 親族
- 相続

商人についての特別なルール

→

第4編 商法

個人商店　商法

株式会社　会社法

関連あり →

第5編 基礎法学

- 法学
- 裁判制度

第6編 基礎知識

一般知識　政治 経済 社会

時事ネタも出るよ！

業務関連法令　行政書士法など

情報通信・個人情報保護

文章理解

統治の条文知識や行政組織の学習は政治分野でも活用できるよ！

入門講義編

第1編
憲　法

憲法とは？

1 憲法の意義 　　　　　　憲法は国家権力を制限するルール

憲法は何のための法規範なのでしょうか？

憲法は、国民の権利や自由を守るために、国家権力を制限するために作られた法規範です。

したがって、民法や刑法などの法律と異なり、国民が守るように求められているのではなく、**国家権力が守るように求められているルール**なのです。

板書 憲法の意義

> 国家を統治するには 権力 が必要
>
> みんなで暮らしていくにはルールが必要で、
> ルール違反をする者は取り締まる必要もある

↓ しかし

> 権力者は権力を濫用しがちで、歯止めをかける必要があるから、憲法を作って国家権力の濫用から国民を守ることにした

↓ つまり

> 憲法は、国民の権利や自由の保障のために作られたルールであり、国家権力を制限するルールといえる

---

2 憲法の全体構造　人権と統治の2分野で構成

　憲法は**基本的人権**と**統治機構**の2つの分野から構成されています。

　憲法は国民の権利・自由を守ることを目的に作られたルールです。したがって、**基本的人権の保障が目的**であり、**統治機構の規定はそのための手段**として規定されていると考えられています。

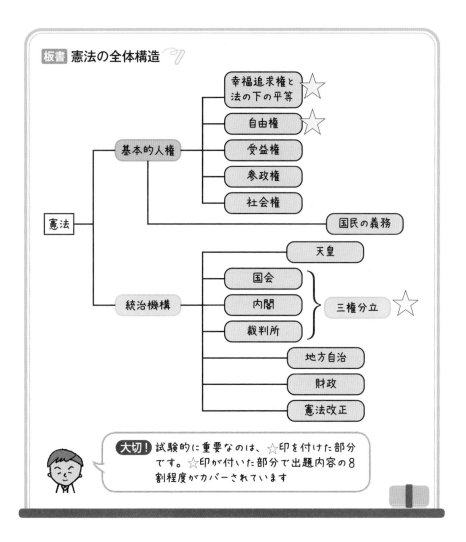

板書 憲法の全体構造

- 憲法
  - 基本的人権
    - 幸福追求権と法の下の平等 ☆
    - 自由権 ☆
    - 受益権
    - 参政権
    - 社会権
  - 国民の義務
  - 統治機構
    - 天皇
    - 国会 ┐
    - 内閣 ├ 三権分立 ☆
    - 裁判所 ┘
    - 地方自治
    - 財政
    - 憲法改正

大切！試験的に重要なのは、☆印を付けた部分です。☆印が付いた部分で出題内容の8割程度がカバーされています

テーマ
1

憲法の意味

ざっくり
テーマ1は こんな話

憲法の大きな特徴を押さえます。憲法規範の3つの特質と統治の大原則である権力分立制についてみていきましょう。

1 憲法規範の特質 　　　憲法には3つの特質がある

憲法規範には、①**自由の基礎法**、②**制限規範**、③**最高法規**という3つの特質があります。

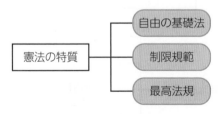

❶ 自由の基礎法

憲法が制定された目的は、国民の自由が国家権力によって不当に制限されることのないようにすることでした。

そこで、憲法は、国民の自由を保障する規定（人権規定）をおき、**国民の自由を基礎づける自由の基礎法**としての特質を備えています。

❷ 制限規範

憲法が自由の基礎法として国民の自由を守るためには、その権利・自由を侵害する可能性の高い存在である国家権力を制限していくことが必要になり

ます。

　そこで、憲法は、国民の自由を国家権力から守るという意味で、**国家権力を制限する法（＝制限規範）**としての特質も備えています。

❸　最高法規

　憲法が国民の自由を守るため国家権力を制限していく法であるとすると、すべての国家権力よりも上位にあって、すべての国家権力に歯止めをかけることが可能でなければなりません。

　そのためには、憲法の効力が他の法規範に優越し、わが国の法体系のなかで最上位にあることが必要になります。このことを憲法の**最高法規性**といいます。その結果、**憲法に反する法規範は無効**となります。

> 憲法に反することを「違憲」といいます。

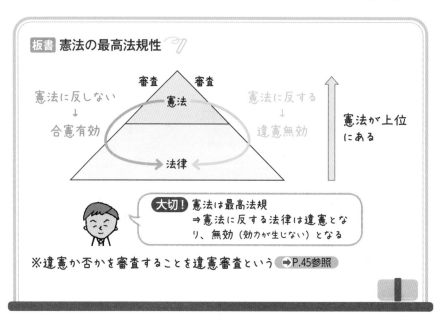

板書 憲法の最高法規性

憲法に反しない
↓
合憲有効

審査　審査
憲法

憲法に反する
↓
違憲無効

法律

憲法が上位にある

大切！ 憲法は最高法規
⇒憲法に反する法律は違憲となり、無効（効力が生じない）となる

※違憲か否かを審査することを違憲審査という ➡P.45参照

1 権力分立制

国家権力が１つの国家機関に集中すると、権力の濫用が生じ、国民の権利・自由が侵害されるおそれが生じます。

そこで、国家の作用を性質に応じて区別し、それを分離して異なる機関に担当させるようにします。それによって各機関が抑制し合い、相互に均衡を保つことで国民の人権を保障しようとする仕組みが権力分立制です。

2 三権分立

権力分立制の典型的なあり方が立法権・行政権・司法権の３つに分ける三権分立です。日本国憲法においては、立法権を国会に、行政権を内閣に、司法権を裁判所に担当させています。

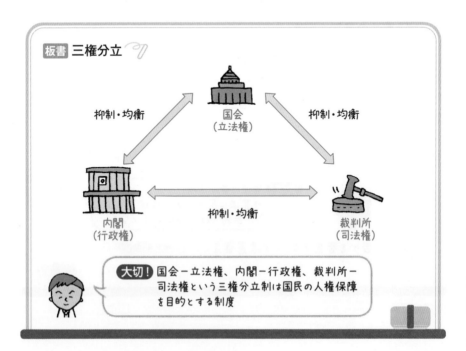

板書 三権分立

国会（立法権）

抑制・均衡　　　抑制・均衡

内閣（行政権）　　抑制・均衡　　裁判所（司法権）

大切！ 国会－立法権、内閣－行政権、裁判所－司法権という三権分立制は国民の人権保障を目的とする制度

テーマ 2 憲法の基本原理

ざっくり
テーマ2は こんな話

教科書 Section 2

人権尊重

憲法

国民主権　　　平和主義

日本国憲法の三大原理として、①国民主権、②基本的人権の尊重、③平和主義があります。ここではその概要と憲法改正についてみていきましょう。

【憲法の三大原理】

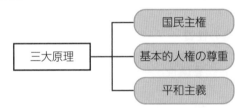

三大原理
- 国民主権
- 基本的人権の尊重
- 平和主義

1 国民主権 _{しゅけん}　　　国民が国政の決定権者

　国民主権とは、簡単にいえば、国民が政治の主人公であるということです。もう少し厳密な言い方をすれば、この場合の**主権**とは**国政の最高決定権**のことを指しています。

　したがって、国政の最高決定権が国民にあること、つまり、**国民に国の政治のあり方を最終的に決定する力がある**ということです。

主権という言葉には複数の意味があります。
①国家の統治権、②国家権力の最高独立性、③国政の最高決定権の3つです。国民主権という場合、③の意味で使われています。

2 基本的人権の尊重

　基本的人権とは、人間であることにより当然に有する権利を指すとされています。

　憲法は国民の自由を守るための法ですから、国民の権利・自由の保障を意味する基本的人権の尊重は、憲法がよって立つ大きな原理です。

> ただし、基本的人権という表現は、人権の中で基本的なものを特に指すものではなく、人権が基本的な権利であることを明らかにするための表現にすぎません。「基本的人権」＝「人権」と考えておきましょう。

　基本的人権には、①普遍性、②固有性、③不可侵性の３つの性質があるとされています。

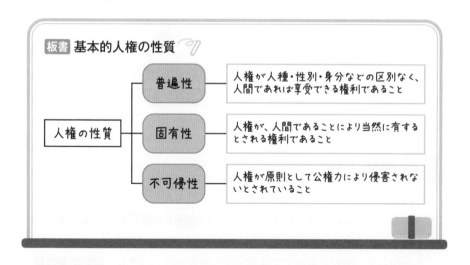

板書 **基本的人権の性質**

人権の性質

- **普遍性** ── 人権が人種・性別・身分などの区別なく、人間であれば享受できる権利であること
- **固有性** ── 人権が、人間であることにより当然に有するとされる権利であること
- **不可侵性** ── 人権が原則として公権力により侵害されないとされていること

3 平和主義

　日本国憲法では、徹底した平和主義の立場をとっており、戦争放棄・戦力不保持等を明文で宣言（9条）しています。

4 憲法改正　　改正手続は厳格

　日本国憲法は改正が可能ですが、その手続は非常に厳格なものとなっています。

　このように**通常の法律制定手続よりも厳格な改正手続が定められている憲法**を**硬性憲法**といいます。

　具体的には、①各議院の総議員の３分の２以上の賛成⇒②国会の発議⇒③国民投票で過半数の賛成⇒④天皇の公布という手続が必要です（96条）。

CHAPTER 1　総論　過去問チェック！

問1　テーマ1 **1**

憲法には最高法規として、国内の法秩序において最上位の強い効力が認められることも多い。日本国憲法も最高法規としての性格を備えるが、判例によれば、国際協調主義がとられているため、条約は国内法として憲法よりも強い効力を有する。

(H29-7-4)

問2　テーマ2 **4**

憲法の改正について国民の承認を得るには、特別の国民投票において、その3分の2以上の賛成を得ることが必要である。(H13-7-4)

解答

問1　×　条約よりも最高法規である憲法の方が強い効力を有している。

問2　×　国民投票は、過半数の賛成でOK（96条1項）。

テーマ
1
人権享有主体
きょうゆう

ざっくり

テーマ1は こんな話

教科書　Section 1

憲法に規定されている人権が保障される対象のことを「人権享有主体」といいます。日本国民が対象となるのは当然なので、ここで問題になるのは外国人や法人です。

1　外国人の人権　　　権利の性質によって保障される

　人権の普遍性から、外国人にも人権は保障されると考えられますが、日本国民と全く同じように保障されているわけではありません。

　外国人については、権利の性質上日本国民のみを対象としているものを除き、人権が保障される、と考えられています（判例・通説）。

　この考え方を性質説といいます。人権の性質によって、外国人に保障できる人権かどうかが決まるとする考え方です。
判例とは、最高裁判所の下した判断をいいます。➡P.307参照

　たとえば、選挙権は、国民主権原理の表れとして国民が国の政治に参加するための権利です。国民主権とは、国政の最高決定権が国民にあるとする原理です。したがって、権利の性質上、選挙権は日本国民のみを対象としているものであり、外国人には保障されない、と判断されます。

　また、わが国の政治的意思決定に影響を及ぼすような政治的活動の自由も、外国人には保障されていません（マクリーン事件）。

板書 外国人に保障されない人権

外国人の人権保障⇒権利の性質上適用可能なものは保障される

❌ 外国人に保障されない人権

入国の自由・在留の権利
参政権（選挙権・被選挙権）
社会権

大切！ 権利の性質上適用可能な人権規定は、外国人にも適用される！

2 法人の人権
法人の性質も考慮される

　株式会社などの法人も、社会のなかで有用な役割を果たしていることから、人権享有主体として認められており、**権利の性質上可能な限り人権が保障される**とされています（判例・通説）。

　法人で問題となるのは政治献金（けんきん）の自由です。株式会社が政治献金をしたケースでは、法人（株式会社）にも政治献金の自由が認められています（八幡製鉄事件）。一方、税理士会が政治献金をしたケースでは、法人（税理士会）には政治献金の自由は認められませんでした（南九州税理士会事件）。

税理士会の事件では、税理士会が強制加入団体であることを理由として、税理士会が政治献金をすることは目的の範囲外の行為（することが許されていない行為）と判断されています。

人権の限界

ざっくり
テーマ2は こんな話

教科書　Section 2

公権力
規制
○○の自由

日本国憲法において人権を制約できる原理が「公共の福祉による制約」です。また、私人間において人権規定がどのような効力をもつかというテーマを「私人間効力」といいます。

1　公共の福祉
人権の唯一の制約原理

　人権といえども絶対無制約というわけではありません。

　他人の権利を侵害する形で人権が行使された場合や人権同士のぶつかり合いが生じた場合には、人権が制約されることを認めなければ、すべての国民に人権を公平に保障することはできないからです。

　したがって、他者加害の防止や人権相互の調整のために人権も制約されることはあることになります。

　このような場合に登場する制約の原理、根拠となる考え方が、公共の福祉といわれるものです。

| 他者加害の防止や人権相互 の調整のための制約 | | 公共の福祉による制約 |

2　私人間効力
間接適用説を理解しよう！

　本来、憲法は権力を制限する制限規範としての性質を有するものです。したがって、私人間において憲法の人権規定がどのような効力をもつかが問題

となります。

たとえば、国家権力が国民Ａさんの信仰の自由を侵害するような行為を行った場合、「信教の自由を保障する憲法20条違反だ！」といえます。一方、従業員Ａさんの信仰の自由を侵害するような行為を勤務先の会社（私人）が行った場合、「信教の自由を保障する憲法20条違反だ！」といえるのか、という問題です。

　人権規定が私人間においてどのような効力を持つかについては、**間接適用説**という考え方を採るのが判例・通説です。

　この間接適用説とは、私法の一般条項（民法90条などの抽象的な条文のこと）を適用する際に、憲法の人権規定の趣旨を取り込んで解釈・適用することによって間接的に私人間の行為にも憲法規律を及ぼすべきとする考え方です。

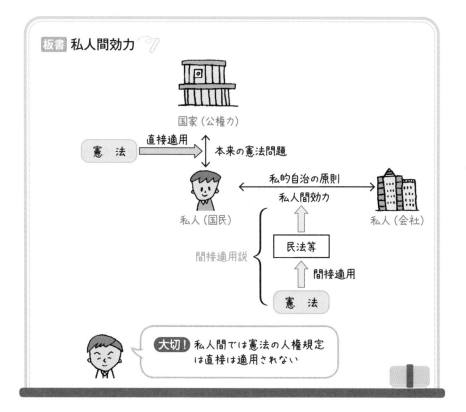

板書 私人間効力

国家（公権力）

憲法 → 直接適用 ← 本来の憲法問題

私人（国民）

私的自治の原則
私人間効力

私人（会社）

間接適用説 { 民法等 ← 間接適用 憲法 }

大切！ 私人間では憲法の人権規定は直接は適用されない

幸福追求権

ざっくり
テーマ3は こんな話

憲法13条の幸福追求権は、新しい人権を保障するための根拠となる規定です。幸福追求権を根拠に保障されるようになった具体的な権利の代表がプライバシー権です。

1　新しい人権

13条（幸福追求権）は新しい人権の根拠

　日本国憲法に具体的に明記されている人権は、憲法制定当時に明記すべきとされていた重要な権利を列挙したものにすぎません。その後の社会の変化に伴い、新しい人権として保障すべき要請も出てきました。

　そこで、13条の幸福追求権は、個人の人格的生存に不可欠と考えられる権利を、新しい人権として、憲法上保障するための根拠となる規定として考えられるようになったのです。

板書 新しい人権

| 判例により幸福追求権（13条）を根拠に認められたと考えられる人権 | | ①名誉権　②肖像権
③プライバシー権（前科を公表されない権利・指紋押なつを強制されない権利等） |

2 肖像権　　　　　　　　　みだりに容ぼう等を撮影されない権利

　肖像権とは、警察などの国家権力によってみだりに容姿等を撮影されない権利をいいます。

　これが争われた有名な事件が京都府学連事件です。この事件で判例は、承諾なしにその**容ぼう等を撮影されない権利**（肖像権）を憲法13条によって保障される権利としつつも、一定の場合には警察官による無断撮影も許されるとする判断を下しています。

3 プライバシー権　　　　　　　自己情報コントロール権

　古くは「自己の私生活をみだりに公開されない権利」と定義されていました（「宴のあと」事件東京地裁判決）。

　しかし、現在では「**自己に関する情報をコントロールする権利**」（自己情報コントロール権）として拡大した理解がされるようになってきています。

> ただし、「自己情報コントロール権」として明確に定義づけた判例はありません。

　具体的には、**前科を公表されない権利**や**指紋押なつを強制されない権利**が判例上認められています。

4 法の下の平等

ざっくり
テーマ4は こんな話

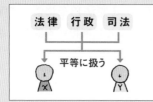

法の下の平等では、「法の下の平等」の意味を理解しておく必要があります。「法の下」や「平等」という言葉がどういう意味を持っているかを理解しましょう。

1 法適用の平等と法内容の平等　内容も平等でないとダメ!

　憲法14条は「すべて国民は、法の下に平等であつて、人種、信条、性別、社会的身分又は門地により、政治的、経済的又は社会的関係において、差別されない」と規定しています。

　では「法の下の平等」とはどういう意味なのでしょうか?

　「法の下」とは、行政機関・司法機関が法を適用する際の平等（法適用の平等）にとどまらず、立法機関が法を制定する際の平等（法内容の平等）をも意味しています。

　したがって、国が、法律で男性を優遇し、女性を差別する内容を定めた場合、法内容の平等に反し、「法の下の平等」に違反することになりえます。

2 相対的平等　合理的区別は許される

　「平等」とは、絶対的平等ではなく、相対的平等のことを指しているとされています。

　この相対的平等とは、事実上の差異に着目して取扱いに差を設けることも許されるとするものです。したがって、正当な理由があれば、取扱いに差を

設けることも許されることになります。

たとえば、「所得税は1人あたり一律100万円」とすることは、絶対的平等といえます。しかし、これでは所得が100万円の人は給料をすべて税金にもっていかれてしまう可能性もあります。その一方で、所得が10億円ある人も100万円しか納めなくてよいことになってしまいます。こういうケースでは、収入の違いに着目して納める税金の額を変えることの方が公平な気がしますね。このように事実上の違いに着目して取扱いを分けることを許す平等の観念が「相対的平等」です。

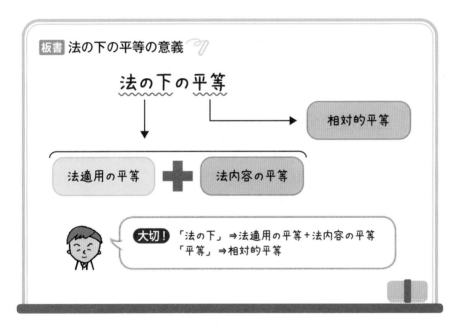

板書 法の下の平等の意義

法の下の平等

→ 相対的平等

法適用の平等 ＋ 法内容の平等

大切！ 「法の下」⇒法適用の平等＋法内容の平等
「平等」⇒相対的平等

テーマ5 自由権

ざっくり テーマ5は こんな話

自由権は内容が多岐にわたるので、精神的自由、経済的自由、人身の自由の3つに区分されています。精神的自由が、人権では最も重要な分野であり、特に表現の自由が重要です。

1 自由権の分類

自由権は3区分

　自由権は、その内容が多岐にわたりますが、**精神的自由**、**経済的自由**、**人身の自由**の3つに大きく区分することができます。

　具体的な内容も含めて整理すると、以下のとおりです。

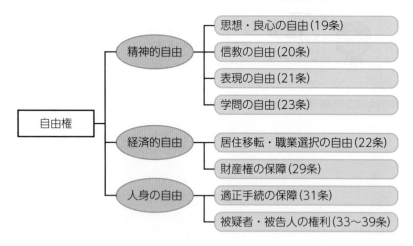

2 精神的自由

1 思想・良心の自由（19条）

憲法19条は「思想及び良心の自由は、これを侵してはならない」と規定して、思想・良心の自由を保障しています。

この「思想・良心」とは、世界観、人生観、主義、主張などの**個人の内面的精神活動を広く含む**ものと考えられています。

思想・良心の自由は、内心にとどまる自由なので、**公共の福祉による制約も許されず、絶対的に保障される**人権です。

また、思想を理由とする不利益取扱いの禁止、および**沈黙の自由**も保障の内容に含まれます。

> 沈黙の自由とは、人の内心の表白を強制されないという自由です。したがって、国家権力は、個人が内心において抱いている思想についてたずねることは許されないことになります。

2 信教の自由（20条）

❶ 信教の自由の内容

憲法20条1項前段は、「信教の自由は、何人に対してもこれを保障する」と規定して、信教の自由を保障しています。

その内容としては具体的に次の3つが含まれます。

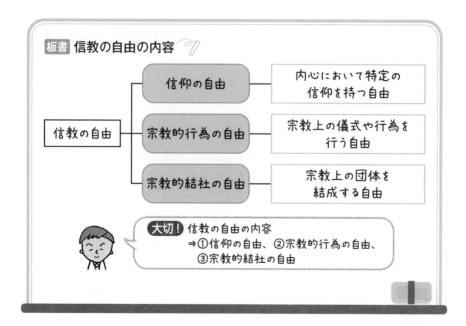

板書 信教の自由の内容

信教の自由
- 信仰の自由 — 内心において特定の信仰を持つ自由
- 宗教的行為の自由 — 宗教上の儀式や行為を行う自由
- 宗教的結社の自由 — 宗教上の団体を結成する自由

大切！ 信教の自由の内容
⇒①信仰の自由、②宗教的行為の自由、③宗教的結社の自由

❷ 政教分離原則

　憲法20条１項後段（「いかなる宗教団体も、国から特権を受け、又は政治上の権力を行使してはならない」）と３項（「国及びその機関は、宗教教育その他いかなる宗教的活動もしてはならない」）は、政教分離原則の規定です。

　政教分離原則とは、国から特権を受ける宗教を禁止し、国家の宗教的中立性を要求する原則です。

したがって、国が特定の宗教に肩入れをすることは、この原則に反し憲法違反となりえます。たとえば、特定の宗教団体にのみ補助金を出すなど優遇的な措置をとった場合、国が特定の宗教に援助をしていることになるので、政教分離原則違反の問題が生じます。

　しかし、国・地方公共団体が宗教（宗教団体）と全くかかわりをもたないようにすること、つまり完全な分離をすることは現実的ではありません。

　そこで、政教分離原則は、国家と宗教とのかかわり合いが相当とされる限度を超えるものは許されないとする原則と考えられています（判例）。

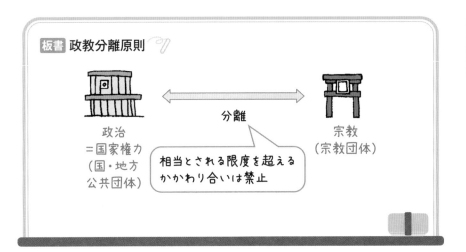

板書 政教分離原則

政治
＝国家権力
（国・地方
公共団体）

分離

相当とされる限度を超える
かかわり合いは禁止

宗教
（宗教団体）

3 表現の自由（21条）

❶ 表現の自由の保障の内容

憲法21条1項は、「集会、結社及び言論、出版その他一切の表現の自由は、これを保障する」と規定して、表現の自由を保障しています。

表現の自由の内容としては、口頭・文書を問わず、思想・意見を外部に発表する行為を広く含み、表現の手段や方法の自由も含まれると解されています。したがって、政治的活動の自由や選挙運動の自由、営利的言論の自由も保障内容に含まれます。さらには、知る権利も含まれています。

報道機関における報道の自由も、表現の自由の1つに含まれており、21条1項で保障されるものといえます。

❷ 表現の自由の2つの価値

表現の自由には、自己実現の価値と自己統治の価値の2つの価値があります。

特に、自己統治の価値の存在が、表現の自由はとても大切だ！　という考え方の根拠になっています。

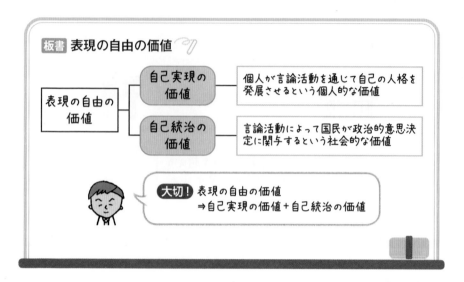

板書 表現の自由の価値

表現の自由の価値
- 自己実現の価値 ── 個人が言論活動を通じて自己の人格を発展させるという個人的な価値
- 自己統治の価値 ── 言論活動によって国民が政治的意思決定に関与するという社会的な価値

大切！ 表現の自由の価値
⇒自己実現の価値＋自己統治の価値

❸ 検閲の禁止（21条2項）

憲法21条2項前段は「検閲は、これをしてはならない」と規定して、明確に検閲を禁止しています。

検閲は、表現行為が行われるに先立って表現行為を抑制する事前抑制の典型的なものとして、絶対的に禁止されています。

 事前抑制も国家権力による恣意的な言論統制の手段として利用されるおそれの強いものです。そのため原則として禁止されています（事前抑制禁止の原則）。

判例は、検閲の定義を「行政権が主体となって、思想内容等の表現物を対象とし、その全部又は一部の発表の禁止を目的として、対象とされる一定の表現物につき網羅的一般的に、発表前にその内容を審査した上、不適当と認めるものの発表を禁止することを、その特質として備えるもの」としています。

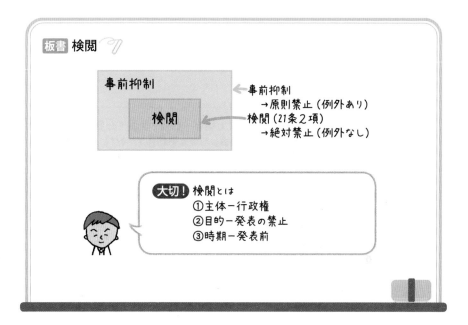

板書 検閲

事前抑制

検閲

← 事前抑制
　→原則禁止（例外あり）
検閲（21条2項）
　→絶対禁止（例外なし）

大切！ 検閲とは
①主体ー行政権
②目的ー発表の禁止
③時期ー発表前

4 学問の自由（23条）

　憲法23条は「学問の自由は、これを保障する」と規定して、学問の自由を保障しています。

　その内容としては、①学問研究の自由、②研究発表の自由、③教授の自由の3つがあります。

　さらに、大学の自治も学問の自由の保障に含まれていると考えられています。大学の自治とは、人事管理や学生の管理など大学内部の事柄に関して大学の自主的な決定に任せ、大学内の問題に外部勢力（例えば文部科学省など）を干渉させないことをいいます。

3 経済的自由　　職業選択の自由と財産権がある

1 職業選択の自由（22条）

　憲法22条1項は、「何人も、公共の福祉に反しない限り、居住、移転及び

職業選択の自由を有する」と規定して、職業選択の自由を保障しています。

職業選択の自由とは、自己の従事すべき職業を決定する自由を意味しますが、さらに、自己の選択した職業を遂行する自由、すなわち「営業の自由」も含まれます。

したがって、薬局や酒屋を営む場合、許可や免許を必要とする制度を設けることは職業選択の自由に対する制約になります。

職業選択の自由は、表現の自由などの精神的自由と比べて、一般に、より強い制約を受けると考えられています。

したがって、①他者加害防止を目的とする制約（消極目的による制約）だけでなく、②弱者保護を目的とする制約（積極目的による制約）にも服することになります。

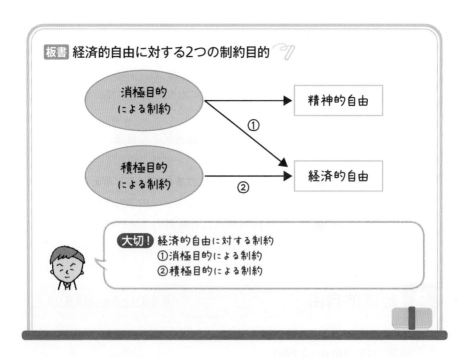

板書 経済的自由に対する2つの制約目的

消極目的による制約 → 精神的自由 ①

積極目的による制約 → 経済的自由 ②

大切! 経済的自由に対する制約
①消極目的による制約
②積極目的による制約

2 財産権（29条）

❶ 財産権の保障

憲法29条1項は「財産権は、これを侵してはならない」と規定して、財産権を保障しています。

この財産権には、①個人の現に有する具体的な財産権の保障、②私有財産制の保障という2つの面が含まれています。

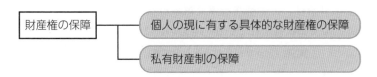

さらに、29条2項では「財産権の内容は、公共の福祉に適合するやうに、法律でこれを定める」と規定して、公共の福祉の観点から、法律によって財産権が制約可能であることも規定しています。

したがって、財産権といえども公共の福祉による制約が可能であり、正当な理由があれば、個人の有する財産を国が強制的に奪うことやその使用を制約することができることになります。

❷ 損失補償

財産権も公共の福祉による制約が可能ですが、29条3項では「私有財産は、正当な補償の下に、これを公共のために用ひることができる」と規定されています。

したがって、財産権に対して制約を加える場合、正当な補償が必要です。

たとえば、道路の用地として私有地を強制的に取り上げる場合、その所有者に対してそれ相応の金銭的補償をする必要があることになります。

4 人身の自由

じんしん

1 適正手続（31条）

　憲法31条では「何人も、法律の定める手続によらなければ、その生命若しくは自由を奪われ、又はその他の刑罰を科せられない」と規定し、刑事手続における法定手続を保障しています。

　しかし、31条は、①手続が法律で定められていることを要求しているだけでなく、条文には書かれていないものの、②法律で定められた手続が適正であること、③実体（刑罰が科される行為の内容）が法律で定められていること（罪刑法定主義）、④法律で定められた実体も適正であること、の4つすべてを保障している条文と考えられています。

　そして、②手続が適正であるといえるためには、告知と聴聞を受ける権利の保障がされていることが必要です。

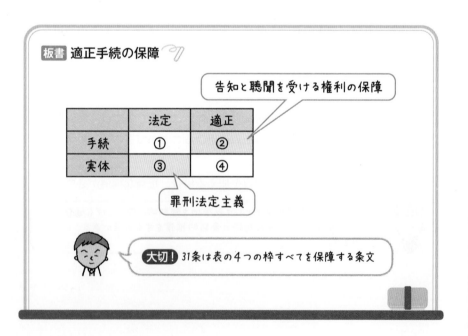

板書 適正手続の保障

告知と聴聞を受ける権利の保障

	法定	適正
手続	①	②
実体	③	④

罪刑法定主義

大切！ 31条は表の4つの枠すべてを保障する条文

2 被疑者・被告人の権利（33条〜39条）

被疑者の権利としては、**逮捕の際の令状主義**（33条）、不当な抑留・拘禁からの自由（34条）などがあります。逮捕の際の令状主義は、人を逮捕するには、原則として司法官憲（裁判官）の発する令状に基づかなければならないとするルールです。ただし、現行犯逮捕の場合は例外です。

被告人の権利としては、公平な裁判所の迅速な公開裁判を受ける権利（37条1項）、弁護人依頼権（37条3項）、**黙秘権の保障**（38条1項）、遡及処罰の禁止および二重処罰の禁止（39条）などが規定されています。

テーマ **6**
受益権 じゅえきけん

教科書　Section 6

ざっくり
テーマ6は こんな話

受益権は、重要度がかなり低い分野です。権利の名称だけ押さえておけば十分でしょう。受益権の中で比較的重要な国家賠償請求権については、国家賠償法で学習します。

➡P.246参照

1　受益権　　　権利の名称を押さえれば十分

　受益権には、請願権（16条）、国家賠償請求権（17条）、裁判を受ける権利（32条）、刑事補償請求権（40条）があります。

❶　請願権

　憲法16条では、「何人も、損害の救済、公務員の罷免、法律、命令又は規則の制定、廃止又は改正その他の事項に関し、平穏に請願する権利を有し、何人も、かかる請願をしたためにいかなる差別待遇も受けない」と規定して、請願権を保障しています。

❷　国家賠償請求権

　憲法17条では、「何人も、公務員の不法行為により、損害を受けたときは、法律の定めるところにより、国又は公共団体に、その賠償を求めることができる」と規定して、国家賠償請求権を保障しています。

この権利に関する具体的なルールを規定したのが国家賠償法です。
➡P.246参照

❸ 裁判を受ける権利

憲法32条では、「何人も、裁判所において裁判を受ける権利を奪はれない」と規定して、裁判を受ける権利を保障しています。

❹ 刑事補償請求権

憲法40条では、「何人も、抑留又は拘禁された後、無罪の裁判を受けたときは、法律の定めるところにより、国にその補償を求めることができる」と規定して、刑事補償請求権を保障しています。

> 無罪判決を受けた場合、抑留期間に応じて金銭的な補償が受けられます。

テーマ 7

参政権

教科書 Section 7

ざっくり
テーマ7は こんな話

参政権とは、国民が主権者として直接または代表者を通じて国の政治に参加する権利です。具体的には、選挙権と被選挙権（立候補する自由）があります。

1 選挙権　　代表者を選ぶ権利

選挙権とは、国民が代表者を選定する行為をいいます。国民主権原理の具体的な表れです。

選挙権は、「公務員を選定し、及びこれを罷免することは、国民固有の権利である」と規定する憲法15条1項を根拠として保障されています。

2 被選挙権（立候補の自由）　　被選挙権も保障されている

被選挙権（立候補の自由）については、明文で保障した条文はありません。

しかし、選挙権と同じく、憲法15条1項を根拠に保障されていると考えられています。

テーマ 8　社会権

教科書　Section 8

ざっくり テーマ8は こんな話

社会権も全体としては重要度が低いですが、生存権についてはある程度理解しておく必要があります。その法的性格について理解しておきましょう。

1　社会権の概要

社会権に含まれる権利は4つ

　社会権は、20世紀になって、福祉国家の理念に基づき、特に社会的・経済的弱者を保護し実質的平等を実現するために保障されるに至った人権です。

　自由権と異なり、**社会権は国家に一定の施策を要求する権利**です。

　社会権には、生存権、教育を受ける権利、勤労の権利、労働基本権があります。

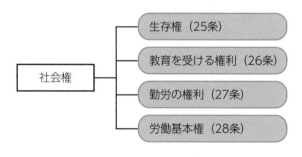

社会権 ── 生存権（25条）
　　　　├ 教育を受ける権利（26条）
　　　　├ 勤労の権利（27条）
　　　　└ 労働基本権（28条）

2 　生存権（25条）　　最低限度の生活を営む権利

　憲法25条1項は、「すべて国民は、健康で文化的な最低限度の生活を営む権利を有する」と規定し、生存権を保障しています。

　ただし、この「最低限度の生活を営む権利」がどのような意味をもつのかについては争いがあります。

　判例上、生存権は個々の国民に対して具体的権利を保障したものではなく、国に対して、国民の生存を確保すべき政治的・道義的義務を課したものにすぎないと考えられています。したがって、それを具体化する法律ができて初めて具体的な権利となるので、25条を直接の根拠として、最低限度の生活を送るための給付を求めることはできないことになります。

最低限度の生活を保障するために作られた具体的な法律の代表が生活保護法です。もし仮に生活保護法のような法律が存在しない場合、たとえ最低限度の生活ができない状況になっても、憲法25条を直接の根拠として一定の金銭給付を求めることはできないことになります。

3 　労働基本権（28条）　　労働者のための権利を保障

　憲法28条は、「勤労者の団結する権利及び団体交渉その他の団体行動をする権利は、これを保障する」と規定して、労働基本権を保障しています。

　労働基本権とは、具体的には、団結権、団体交渉権、団体行動権（争議権）の3つの権利を指します。

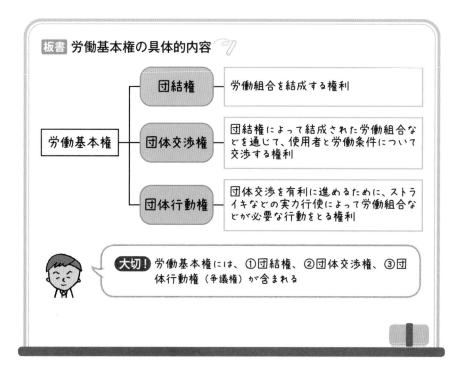

板書 労働基本権の具体的内容

労働基本権 ─┬─ 団結権 ── 労働組合を結成する権利

├─ 団体交渉権 ── 団結権によって結成された労働組合などを通じて、使用者と労働条件について交渉する権利

└─ 団体行動権 ── 団体交渉を有利に進めるために、ストライキなどの実力行使によって労働組合などが必要な行動をとる権利

大切！ 労働基本権には、①団結権、②団体交渉権、③団体行動権（争議権）が含まれる

CHAPTER 2　人権　過去問チェック！

問1　テーマ1 **1**

政治活動の自由は、わが国の政治的意思決定またはその実施に影響を及ぼす活動等、外国人の地位にかんがみこれを認めることが相当でないと解されるものを除き、外国人にも保障が及ぶ。(H27-3-3)

問2　テーマ2 **2**

私人間において、一方が他方より優越的地位にある場合には私法の一般規定を通じ憲法の効力を直接及ぼすことができるが、それ以外の場合は、私的自治の原則によって問題の解決が図られるべきである。(H25-4-1)

問3 テーマ3 **3**

プライバシーの権利について、個人の私的領域に他者を無断で立ち入らせないという消極的側面と並んで、積極的に自己に関する情報をコントロールする権利という側面を認める見解が有力である。(H26−3−3)

問4 テーマ5 **2**

検閲とは、公権力が主体となって、思想内容等の表現物を対象として、発表前にその内容を審査し、不適当と認めるときは、その発表を禁止することであるから、裁判所が表現物の事前差止めの仮処分を行うことは、検閲に当たる。(H9−22−2)

問5 テーマ5 **4**

(憲法31条は)刑事手続については、ただ単にこれを法律で定めればよいと規定しているのではなく、その手続が適正なものであることを要求している。(H19−7−4)

問6 テーマ8 **2**

日本国憲法第25条は、直接個々の国民に対して具体的請求権を付与しているものである。(H10−22−2)

解答

問1 ○ 判例は、マクリーン事件において、問題文のように述べている。

問2 × 優越的地位にある場合でも直接適用はされない。

問3 ○ 自己情報コントロール権として理解する立場が学説上有力。

問4 × 検閲とは行政権が主体となるものであり、裁判所が表現物の事前差止めの仮処分を行うことは、検閲にあたらない（判例）。

問5 ○ 憲法31条は手続の適正も要求していると解釈されている。

問6 × 憲法25条は直接個々の国民に対して具体的権利を付与したものではない（判例）。

テーマ 1 国会

ざっくり テーマ1は こんな話

統治分野の中で最も重要なのが「国会」です。国会は立法権を担う機関です。国会が「唯一の立法機関」として位置付けられていることをきちんと理解しておきましょう。

1 国会の地位

国会は唯一の立法機関

　日本国憲法は、その前文で「日本国民は、正当に選挙された国会における代表者を通じて行動し」と規定し、**間接民主制を採用**することを宣言しています。

　間接民主制の下において、国会は主権者たる国民を代表する機関（**国民代表機関**）としての地位を有することになります。憲法43条も「両議院は、**全国民を代表**する選挙された議員でこれを組織する」と規定しています。

　さらに、憲法41条では、「国会は、**国権の最高機関**であつて、国の**唯一の立法機関である**」と規定されており、「国権の最高機関」としての地位、「唯一の立法機関」としての地位を有しています。

　国会が「唯一の立法機関」であることから、他の機関が「立法」を行うことは許されないことになります。

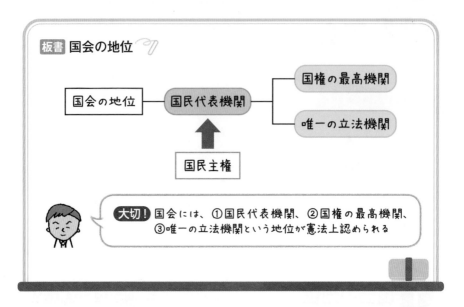

板書 国会の地位

国会の地位 → 国民代表機関 → 国権の最高機関 / 唯一の立法機関

国民主権

大切! 国会には、①国民代表機関、②国権の最高機関、③唯一の立法機関という地位が憲法上認められる

2 国会の組織と活動

国会は衆議院と参議院で構成

1 両院制（二院制）

国会は衆議院と参議院の二院で構成されています。

衆議院と参議院は別々の組織であり、活動も別々に行いますが、二院の意見を合致させて国会としての統一意思を形成することが求められています。

しかし、必ずしも意見が合致するとは限りません。意見が割れた場合にも国政を停滞させないようにするための工夫が、衆議院の優越という仕組みです。つまり、両院の意見が割れた場合には、参議院の意見よりも衆議院の意見の方を優先することにしています。

どうして「衆議院」の方を優越させたのでしょうか？
衆議院の任期が4年と参議院（任期6年）より短く、解散もあるため（参議院には解散はない）、短い周期で選挙が行われることになります。そのため、より民意を反映していると考えられているからです。

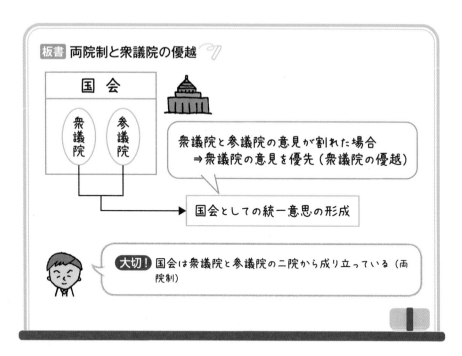

2 会期
（かいき）

　国会は、常時活動をしているわけではなく、一定の期間に限って活動をしています。これを会期制と呼んでいます。

　この会期の種類には、①常会、②臨時会、③特別会の３つがあります。

名称	召集の要件
常会 （通常国会）	毎年１回１月
臨時会 （臨時国会）	・内閣が必要と認めた場合 ・いずれかの議院の総議員の４分の１以上の要求
特別会 （特別国会）	衆議院解散後の総選挙の日から30日以内

国会で行われる行為について、①衆議院と参議院が共同で行使（統一意思を形成して行使）するものと②衆議院と参議院が各々単独で行使するものに分け、①を国会の権能、②を議院の権能といいます。

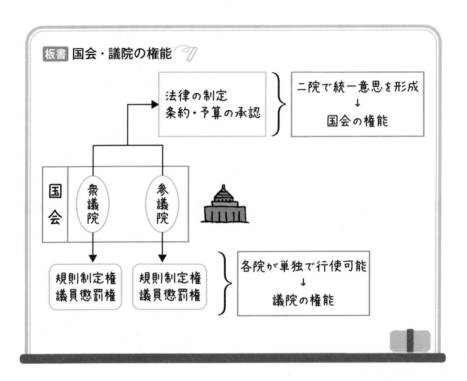

1 国会の権能

国会の権能としては、①法律の制定権、②条約の承認権、③内閣総理大臣の指名権、④憲法改正の発議権、⑤弾劾裁判所の設置権、⑥財政監督権（予算の議決・決算の承認）があります。

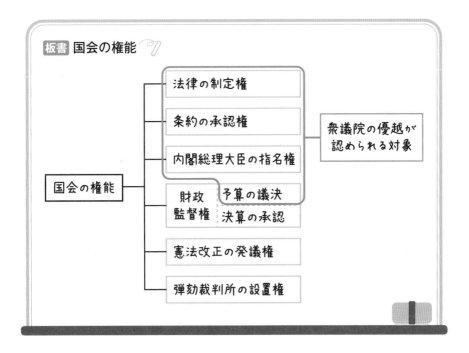

2 議院の権能

　衆議院と参議院が各々単独で行使できる権能である議院の権能としては、①議院の規則制定権、②所属する議員に対する懲罰権などがあります。

❶　議院の規則制定権（58条2項）

　各議院がその議事手続と内部規律を自主的に決定できる権能です。

❷　所属する議員に対する懲罰権（58条2項）

　院内秩序を乱す議員を制裁できる権能です。一番重いものとして除名も可能です。

　除名には、議員の議席を失わせる効果があります。そのため、出席議員の3分の2以上の議決を必要としています。

テーマ 2 内閣

ざっくり
テーマ2は こんな話

教科書　Section 2

行政権を担うのが「内閣」です。内閣は内閣総理大臣と国務大臣で構成される合議体をいいます。

1 内閣

内閣は大臣で構成される合議体

1 内閣とは?

内閣は、行政権の主体であり、行政機関を統轄する機関です。

行政権とは、すべての国家作用の中から、立法と司法を除いた残りの国家作用をいうと考えられています（控除説）。

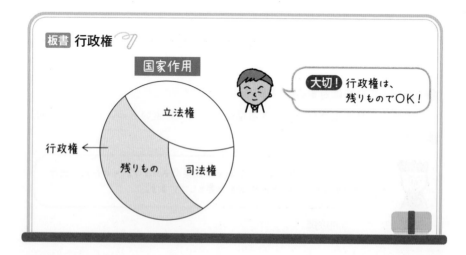

板書 行政権

国家作用

立法権

行政権 ←

残りもの

司法権

大切！ 行政権は、残りもので○K！

2 内閣の組織

内閣は、**首長たる内閣総理大臣**とその他の**国務大臣**から構成されています。つまり、内閣は、内閣総理大臣1名と原則14名（最大限17名）の国務大臣から成る合議体です。

> ただし、期限付きでさらに増員することもあります（オリンピック担当大臣などを置きたい場合です）。

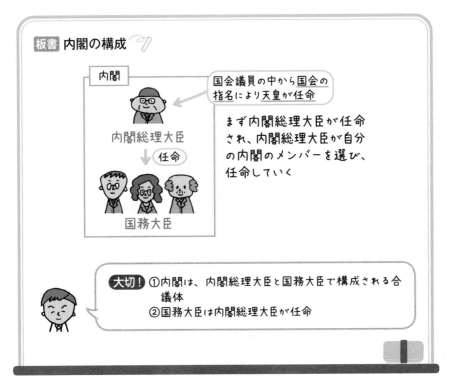

板書 内閣の構成

内閣

国会議員の中から国会の
指名により**天皇が任命**

内閣総理大臣

↓ 任命

まず内閣総理大臣が任命
され、内閣総理大臣が自分
の内閣のメンバーを選び、
任命していく

国務大臣

大切! ①内閣は、内閣総理大臣と国務大臣で構成される合議体
②国務大臣は内閣総理大臣が任命

内閣総理大臣は、**国会議員の中から国会の指名**によって選任されます。

内閣総理大臣は、大日本帝国憲法の下では、「同輩中の首席」であり、他の国務大臣と同格の存在にすぎませんでしたが、日本国憲法においては、内閣の首長としての地位を与えられ、権限が強化されています。

国務大臣は、内閣総理大臣によって任命されます。

国務大臣については、その過半数を国会議員から選べばよく、必ずしも国会議員である必要がありません。

2 議院内閣制 — 内閣の存立は国会の信任に基づく

　日本では、イギリスと同様、議院内閣制を採用しています。これに対して、アメリカ合衆国では大統領制が採用されています。→P.322参照

　議院内閣制とは、内閣の存立が議会の信任に基づく制度です。

　その本質としては、①議会と政府（内閣）が分立していること、②政府（内閣）が議会に対して連帯責任を負っていることが挙げられます。

　議院内閣制の下では、行政権（内閣）と立法権（国会）は、一定の協働関係（協力し合っていく関係）にあります。

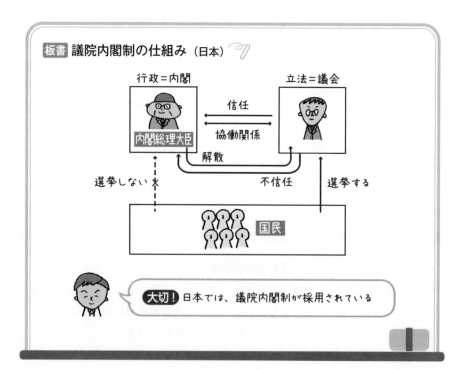

板書 議院内閣制の仕組み（日本）

行政＝内閣　　　　　　立法＝議会

内閣総理大臣

信任
協働関係
解散
不信任

選挙しない　　　　　　　選挙する

国民

大切！ 日本では、議院内閣制が採用されている

裁判所

ざっくり
テーマ3は こんな話

教科書　Section 3

裁判所に付与されている司法権がどのような権力作用かを理解しておきましょう。裁判所は司法権だけでなく、違憲審査権と呼ばれる権限も有しています。その法的性格についても押さえておきましょう。

---

1 司法権

法律上の争訟とは何かを理解する!

1 司法権とは?

司法権とは、具体的な法律上の争いについて、法を適用することによって、これを裁定する国家の作用を指します。

民事・刑事事件だけでなく、行政事件の裁判も含めて、具体的な法律上の争いであれば司法権の対象となります。

2 法律上の争訟

裁判所が司法権を行使して審査判断できる事件・争いごとのことを**法律上の争訟**といいます。

「法律上の争訟」とは、「当事者間の具体的な権利義務ないし法律関係の存否に関する紛争(具体的な争訟)であって、かつ、それが法令を適用することによって終局的に解決できるもの」のことです。

裁判所は、「法律上の争訟」にあたらないものは審査しないのが原則です。したがって、法律上の争訟に該当しなければ、裁判所に審査判断してもらえないことになります。

1 最高裁判所と下級裁判所

　日本国憲法では、最高裁判所と下級裁判所を設置することになっています（76条1項）。

　下級裁判所は、最高裁判所の下に位置する裁判所の総称であり、裁判所法により、下級裁判所として高等裁判所、地方裁判所、家庭裁判所、簡易裁判所が置かれています。 ➡P.307参照

2 裁判官の任命

　最高裁判所の長たる裁判官（最高裁判所長官）は、内閣の指名に基づき天皇が任命します（6条2項）。実質的な決定権は内閣にあります。

　最高裁判所のその他の裁判官は、内閣の任命に基づき（79条1項）、天皇が認証します。下級裁判所の裁判官は、最高裁判所の指名した者の名簿に基づき内閣が任命します（80条1項）。

板書 裁判官の任命

	最高裁判所		下級裁判所
	長たる裁判官	その他の裁判官	裁判官
指名	内閣	―	最高裁判所の指名した者の名簿
任命	天皇	内閣	内閣
認証	―	天皇	（高等裁判所長官は天皇が認証）

　大切！ 裁判官の選任には内閣の関与が強い

---

3 裁判官の身分保障

　裁判官は公正中立な判断をすることが求められます。そこで憲法は、裁判官の身分保障についても規定を置いています。

　裁判官の身分保障の最も重要なものとしては、裁判官の罷免事由の限定があります。裁判官が罷免されるのは、①**裁判により心身の故障のため職務をとることができないと決定された場合**、②**公の弾劾**（弾劾裁判所による裁判）**による場合**のみです（78条）。

　ただし、最高裁判所の裁判官には、**国民審査**による罷免もあります（79条3項）。

3 違憲審査 下級裁判所も違憲審査できる

1 違憲審査とは？

　法律、命令、規則または処分が憲法に適合するかしないかを決定する権限を**違憲審査権**といいます。

　憲法では、最高裁判所を違憲審査権を行使して最終的な結論を下す終審裁判所としています（81条）。ただし、違憲審査権は最高裁判所のみが有するものではなく、下級裁判所も行使することができます。

2 違憲審査権の法的性格

　わが国の違憲審査制は、**付随的違憲審査制**であるとするのが判例です。

　付随的違憲審査制とは、**通常の裁判所が具体的な事件を裁判する際に、必要な範囲で法令の違憲審査を行う制度**のことです。

板書 付随的違憲審査制

付随的違憲審査制(判例)	抽象的違憲審査制
① 司法権　② 違憲審査権	① 司法権　② 違憲審査権
②は、①とセットでしか使えない	②だけを独立して使うことができる

大切！ 付随的違憲審査制では、違憲審査権は司法権の行使に付随してのみ行使できる

テーマ 4 天皇

教科書 Section 4

天皇について単独で試験で問われることはほとんどありません。国会・内閣・裁判所との関係で問われることがある程度です。

1 天皇の地位

天皇は象徴で実質的決定権はない

憲法1条は「天皇は、日本国の象徴であり日本国民統合の象徴であつて、この地位は、主権の存する日本国民の総意に基く」と規定し、天皇が**象徴**であると明記しています。

そして、「天皇は、この憲法の定める国事に関する行為のみを行ひ、国政に関する権能を有しない」（4条）としています。

この**国事行為**は憲法の6条・7条に列挙されている行為（「衆議院を解散すること」など）を指します。さらに、国事行為についても自分で意思決定することができるわけではなく、**内閣の助言と承認**を必要とします（3条）。

財政

ざっくり

テーマ5は こんな話

教科書　Section 5

一会計年度
4/1 ～3/31

歳入　　歳出

財政は、重要度の低いテーマですが、租税法律主義が明文で規定されていることは押さえておきましょう。また、予算の作成・提出権が内閣にだけあることも覚えておきましょう

1 租税法律主義

租税を課すためには法律が必要

憲法84条は「あらたに租税を課し、又は現行の租税を変更するには、法律又は法律の定める条件によることを必要とする」と規定しています。これが租税法律主義です。

つまり、租税は国民に対して重い負担を求めるものなので、国民の代表たる国会で決めることにしているのです。

2 予算

予算は内閣が作成する

憲法86条は「内閣は、毎会計年度の予算を作成し、国会に提出して、その審議を受け議決を経なければならない」と規定し、予算に国会の承認が必要であるとしています。

「予算」とは、一会計年度における国の財政行為の準則です。歳入と歳出の両方を含みます。

なお、予算の作成・提出権は内閣にのみ属しています。

CHAPTER 3　統治　過去問チェック！

問1　テーマ1 **2**

いずれかの議院の総議員の5分の1以上の要求があった場合は、内閣は、国会の臨時会の召集を決定しなければならない。(H10-23-4)

問2　テーマ1 **3**

両議院は、各々院内の秩序を乱した議員を懲罰することができるが、議員を除名するには、裁判所の審判が必要である。(H9-23-5)

問3　テーマ2 **1**

内閣総理大臣は、衆議院議員の中から、国会の議決で指名する。(H26-6-1)

問4　テーマ3 **3**

裁判所が具体的事件を離れて抽象的に法律命令等の合憲性を判断できるという見解には、憲法上および法令上の根拠がない。(H14-5-1)

問5　テーマ5 **2**

内閣は、毎会計年度の予算を作成し、国会に提出して、その審議を受け議決を経なければならない。(H24-5-2)

解答

問1　✕　4分の1以上の要求（53条）。

問2　✕　出席議員の3分の2以上の多数による議決を必要とするが（58条2項但書）、裁判所の審判は不要。

問3　✕　国会議員の中から指名される（67条1項）。参議院議員の中から指名することも可能。

問4　○　判例は、付随的違憲審査制を採用しており、抽象的な違憲審査は否定されている。

問5　○　（86条）

第2編 民法

テーマ 0

民法とは？

ここでは、①民法の特徴、②全体構造、③前提となる理解・知識、について説明していきます。

ざっとでもよいので理解してから具体的な内容に入っていくと、効率的に学習できます。

1 民法の特徴 民法は私法の一般法

法律は、誰を対象としたルールかという観点から大きく**公法**と**私法**に分けることができます。

公法とは、憲法や行政法などのように、国・地方公共団体の内部を規律したり（その主体間の関係についての規律も含む）、国・地方公共団体と国民との関係を規律する法を指す総称です。

一方、私法は、私人同士の間の関係を規律するルールです。

民法は、私人同士の間の関係を規律するルールであり、私法に属する法律です。

さらに、**民法は、私人の法律関係を幅広く規律するものなので、一般法**に分類されます。

> 一般法に対して、適用される対象が限定されている法律は特別法といいます。商法や借地借家法は、特別法になります。 ➡P.299参照

2 民法の全体構造 財産法と家族法に分けられる

民法は、財産に関して規律する「財産法」と家族関係に関して規律する「家族法」の分野から構成されています。「財産法」は、「総則」「物権」「債権」に分けられ、「家族法」は「親族」「相続」に分けられます。

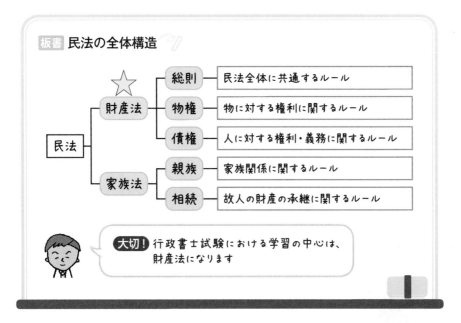

板書 民法の全体構造

民法
- 財産法 ☆
  - 総則 ── 民法全体に共通するルール
  - 物権 ── 物に対する権利に関するルール
  - 債権 ── 人に対する権利・義務に関するルール
- 家族法
  - 親族 ── 家族関係に関するルール
  - 相続 ── 故人の財産の承継に関するルール

大切! 行政書士試験における学習の中心は、財産法になります

---

3 前提となる理解・知識　先に学習しておくと効率的！

1 物権と債権

　日常生活においても権利や義務という言葉は使っていると思います。民法でも権利や義務という言葉は登場しますが、民法ではこの「権利」や「義務」を「物権」「債権」や「債務」という言葉で言い換えています。

　まず、「権利」については、何を対象としているかによって区別されており、**物に対する権利**（支配権）を**物権**、**人に対する権利**（請求権）を**債権**といいます。

　人に対する請求権である「債権」（AはBに対して〜を請求できる）には、一方に請求をされる人がいるわけです。このように債権に対応して生じる「〜しなければならない」という義務のことを「債務」（BはAに対して〜をしなければならない）といいます。

債権を有している者を「債権者」、債務を負っている者を「債務者」といいます。債権と債務は必ず対応して存在するものです。債権があるのに債務が存在しないということはありません。したがって、債権者がいれば、必ず債務者も存在していることになります。

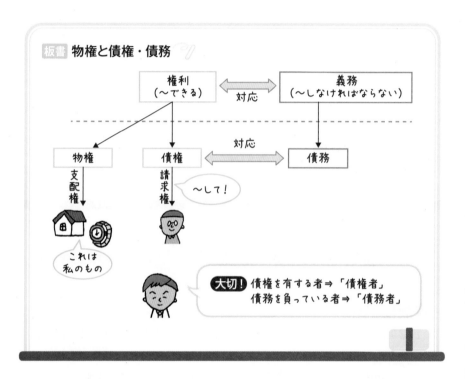

板書 物権と債権・債務

2 契約とは?

民法で取り扱うほとんどの内容が「契約」に関わるものです。

契約とは、「約束」のことですが、単なる「約束」とは異なり、**法的な拘束力**があります。

❶ 契約の成立要件

では、「契約」はどうすれば成立するのでしょう?

最も典型的な契約である売買契約を例に考えてみましょう。

Aを売主、Bを買主とするパソコンの売買を例にすると、Aの「10万円でこのパソコンを買いませんか？」という申込みに対して、Bが「よし！買った！」という承諾があって、売買契約は成立します。

 この「申込み」と「承諾」を意思表示といいます。

つまり、申込みと承諾（意思表示）の合致が契約の成立要件です（522条1項）。

 契約書が作成されていなくても、契約書にサインをしていなくても、意思表示の合致さえあれば契約は成立します。つまり、口約束でも契約は成立しているわけです。
では、契約書には何の意味があるのでしょうか？
それは証拠としての意味があるのです。意思表示の合致があったとしても何の証拠も残していなければ後日「言った！」「言ってない！」という争いが生じますからね。

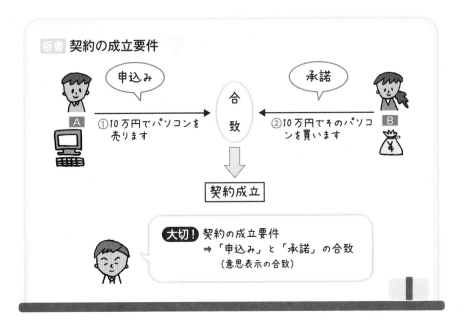

板書 契約の成立要件

申込み　　　　　　　　　　　承諾

合致

A　①10万円でパソコンを　②10万円でそのパソコ　B
　　　売ります　　　　　　　ンを買います

↓

契約成立

大切！　契約の成立要件
　　　　⇒「申込み」と「承諾」の合致
　　　　　（意思表示の合致）

❷ 契約成立の効果

では、契約が成立するとどのような効果が生じるのでしょうか？

契約が成立したことで、売主のAさんは、買主のBさんに対して、「パソコンの代金10万円を払ってくれ！」という請求ができる権利をもつことになります。これは、Bさんからみると、パソコンの代金10万円を支払わなければいけないという義務を負ったことになります。

> 「パソコンの代金10万円を払ってくれ！」という請求ができる権利のことを代金債権、パソコンの代金10万円を支払わなければいけないという義務を代金債務といいます。

一方、買主のBさんは、売主のAさんに対して、「パソコンを引き渡してくれ！」という請求ができる権利をもつことになります。これは、Aさんからみると、パソコンを引き渡さなければいけないという義務を負ったということになります。

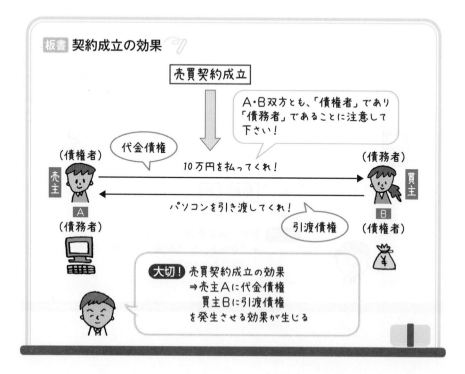

3 善意と悪意・有過失と無過失

ぜん い　あく い　ゆう かしつ　む かしつ

❶ 善意と悪意

民法の条文の中にたびたび登場する重要概念に、善意・悪意、有過失・無過失があります。

善意とは、ある事情・事柄を「**知らないこと**」、**悪意**とは、ある事情・事柄を「**知っていること**」を指します。そこには、倫理的な意味は含まれていないことに注意しましょう。認識の有無だけを表す言葉です。

善意や悪意は民法の条文にたびたび登場する重要概念ですが、どうしてたびたび登場するのでしょうか？
それは、民法が取引の安全を図るためのルールを随所で規定しているからです。民法では、第三者（または相手方）を保護するか否かを判断する基準として、第三者（または相手方）がその事実を知らなかったのか、知っていたのか（つまり善意か悪意か）によって判別することが多いのです。

❷ 過失の有無

善意（知らなかった）というだけで第三者等を保護するのは、甘すぎると考えられる場合、**知らなかったことに不注意な点がないこと**（＝無過失）まで要求する場合もあります。

善意であって無過失の場合を**善意かつ無過失**、それ以外の場合をまとめて**悪意または有過失**と表現して区別していきます。

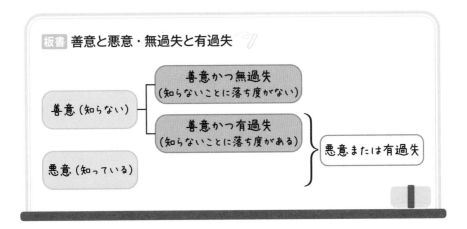

板書 善意と悪意・無過失と有過失

善意（知らない）
　善意かつ無過失
　（知らないことに落ち度がない）
　善意かつ有過失
　（知らないことに落ち度がある）

悪意（知っている）

悪意または有過失

4 無効と取消し

　無効とは、たとえ外形的には法律行為が存在していても、その**法律効果が当初からまったく生じないものとして**取り扱う法的処理の方法をいいます。

　一方、**取消し**とは、いったん有効に成立した法律行為の効力を、**後から法律行為時にさかのぼって消滅させる**法的処理の方法をいいます。

　イメージ的には以下の図のように表すことができます。

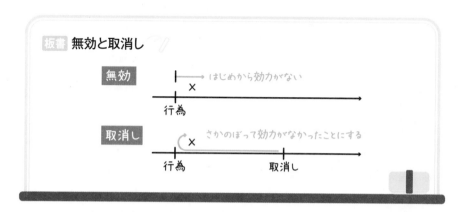

　取消しの対象となる法律行為であっても、取消権を有する側にとってその内容が有利だから取り消したくないと思った場合は、取消権をもっている側が何もしなければ有効なままです。

　また、取消しの対象となる法律行為を、**あえて有効なものとして確定する**こともできます。それが追認です。追認とは、事後承諾のようなものと考えていいでしょう。追認した後はもはや取り消すことはできなくなります。

テーマ 1　能力

ざっくり
テーマ1は こんな話

民法上の行為を有効に行うためには、それなりの「能力」（＝資格）が必要です。ここでは、3つの能力概念について押さえた後で、制限行為能力者制度について学習していきます。

1　3つの能力概念　　能力が "ない" とどうなるかを考えてみよう

1　権利能力

権利能力とは、**権利・義務の主体となる資格**をいいます。

権利能力を有しているのは**自然人**と**法人**です。自然人の場合、**出生から死亡まで当然に権利能力を有する**ものとされています。

2　意思能力

意思能力とは、**行為の結果を弁識（認識）するに足りるだけの精神能力**のことをいいます。大体7～10歳の子供と同等の認識能力を指します。意思能力が欠ける者のことを**意思無能力者**といい、幼児や泥酔者がその例です。

3　行為能力

行為能力とは、**法律上、単独で有効な法律行為を行うことができる資格**をいいます。行為能力が制限されている者を**制限行為能力者**といいます。

	権利能力	意思能力	行為能力
定義	私法上の権利義務の主体となる資格	行為の結果を弁識するに足りるだけの精神能力	単独で有効な法律行為を行うことができる能力
有している者	自然人・法人	大体7〜10歳の子供と同等の認識能力のある者	未成年者、成年被後見人、被保佐人、被補助人以外の者
欠ける場合	権利義務の帰属主体になれない	無効	取り消すことができる

大切！ 意思無能力者がした行為⇒無効
制限行為能力者がした行為⇒取消し可能

2 制限行為能力者制度

まずは未成年者を押さえよう！

　未成年者や精神的な病気の人がその判断能力の弱さゆえに財産的な不利益を受けないように保護するための制度であり、4類型が民法で明記されています。

　契約を締結した後で取消しをすることが可能です。

板書 制限行為能力者制度（成年被後見人）

判断能力がなくなってきた

心配…
1人で契約できるままにしておくと危ない

A 父

B 息子

↓ そこで

Aに後見開始の審判を受けさせ、単独でできる法律行為を制限する

↓ その結果

父Aは単独で契約できなくなる
父Aが勝手にした契約は取り消して、なかったことにできる

1 類型

　制限行為能力者には、①未成年者、②成年被後見人、③被保佐人、④被補助人の4類型があります。②〜④は精神的な病気の人が類型化されたものです。成年被後見人が最も症状が重篤な類型です。被保佐人、被補助人と順に軽い症状の人を想定した類型になっていきます。

板書 制限行為能力者の4類型

類型	①未成年者	②成年被後見人	③被保佐人	④被補助人
対象	18歳未満の者	精神上の障害により事理を弁識する能力を欠く常況にある者	精神上の障害により事理を弁識する能力が著しく不十分な者	精神上の障害により事理を弁識する能力が不十分な者
手続	特になし	家庭裁判所の審判	家庭裁判所の審判	家庭裁判所の審判
保護者	親権者（未成年後見人）	成年後見人	保佐人	補助人

左から右に行くにつれて精神的な病気の症状が軽くなっていきます

大切！ ②〜④では家庭裁判所の審判が必要！

2 未成年者

　未成年者とは**18歳未満の者**をいいます（4条）。

　未成年者を保護する者は、通常は**親権者**ですが、親権者がいないときは**未成年後見人**となります。条文上、親権者や未成年後見人はまとめて**法定代理人**と表現されています。

> 法定代理人とは、法律の定めによって代理権が与えられている者のことです。

　原則として、未成年者が法律行為を行うためには、**法定代理人**（親権者または未成年後見人）の同意を必要とします。法定代理人の同意を得ないで法律行為を行った場合、その法律行為を取り消すことが可能です（5条）。

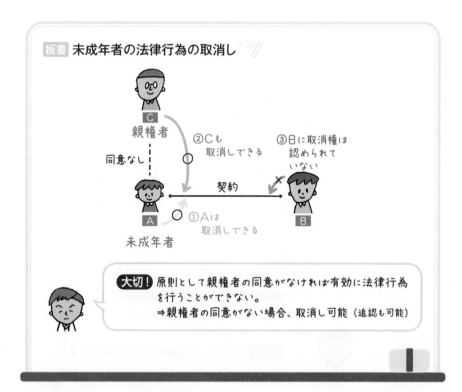

板書 未成年者の法律行為の取消し

C
親権者

同意なし

②Cも取消しできる

③Bに取消権は認められていない

契約

A
未成年者

①Aは取消しできる

B

> **大切！** 原則として親権者の同意がなければ有効に法律行為を行うことができない。
> ⇒親権者の同意がない場合、取消し可能（追認も可能）

未成年者側に取り消す義務があるわけではありません。有利な契約だと思ったら取消しをしなければ契約は有効なまま存続しますし、有効な契約として確定したいと思った場合には、追認を行えば有効な契約として確定します。

3 成年被後見人

　成年被後見人とは、精神上の障害により事理を弁識する能力を**欠く常況**（常にそのような状況）にある者であって、**家庭裁判所の後見開始の審判を受けた**者をいいます（7条）。成年被後見人の保護者は、**成年後見人**といいます（8条）。

　成年被後見人の行った法律行為は、**取り消す**ことができます（9条本文）。

　ただし、**日用品の購入その他日常生活に関する行為**については、成年被後見人であっても行為能力が認められていますので、取り消すことができません（9条ただし書）。

正常な判断能力が欠けている成年被後見人に単独で行動させるのは危険です。しかし、日常生活に関する行為についてまで制限してしまうと、生活すること自体が困難になってしまいます。また、日常生活に関する行為で生じる損害は大きくないでしょう。そこで、単独で行為可能としています。

4 被保佐人・被補助人

　被保佐人とは、精神上の障害により事理を弁識する能力が**著しく不十分**な者であって、**家庭裁判所の保佐開始の審判を受けた**者をいいます（11条）。被保佐人の保護者は、**保佐人**といいます（12条）。

　被保佐人については、13条1項列挙の行為（①元本の領収、②借財・保証、③不動産の売買等）について、行為能力の制限を受けます。

　被補助人とは、精神上の障害により事理を弁識する能力が**不十分**な者であって、**家庭裁判所の補助開始の審判**を受けた者をいいます（15条1項）。被補助人の保護者は、補助人といいます（16条）。

　被補助人については、13条1項列挙の行為の中で、家庭裁判所により補助人の同意を得なければならない旨の審判を受けた行為について、行為能力の制限を受けています。

テーマ **2**

意思表示

ざっくり
テーマ2は こんな話

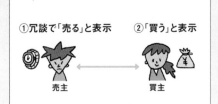

①冗談で「売る」と表示　②「買う」と表示

売主　　　　　買主

意思表示に問題があるとされる5つの類型について学習します。心裡留保、虚偽表示、錯誤は、まず言葉の意味を理解しておきましょう。詐欺・強迫による意思表示は取消しが可能であることを押さえましょう。

1 意思表示に問題がある5類型

分類と効果を押さえる!

　民法は、意思表示に問題があるケースとして、心裡留保、虚偽表示、錯誤、詐欺、強迫の5つについて定めを置いています。

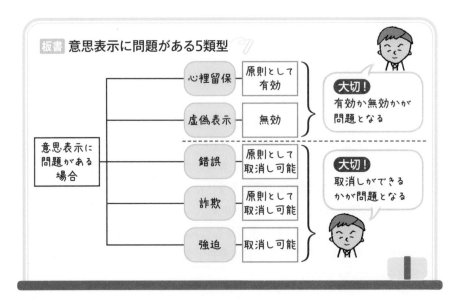

板書 意思表示に問題がある5類型

意思表示に
問題がある
場合

- 心裡留保 ── 原則として有効
- 虚偽表示 ── 無効
- 錯誤 ── 原則として取消し可能
- 詐欺 ── 原則として取消し可能
- 強迫 ── 取消し可能

大切! 有効か無効かが問題となる

大切! 取消しができるかが問題となる

2 心裡留保 （しんりりゅうほ） ウソや冗談で意思表示をすること

表意者が真意（本心）ではないことを知りながらする意思表示のことを**心裡留保**といいます。つまり、ウソや冗談で「申込み」や「承諾」をすることです。

Aが冗談でBに対して「10万円でこのパソコンを売ってあげるよ」と言い、それに対してBが「了解！買います！」と答えたとします。

この場合、Aの意思表示は**原則として有効**です（93条1項本文）。

相手方BがAの申込みを信じ、契約成立を信じている場合、その信頼を保護する必要、つまり取引の安全を図る必要があるからですね。

しかし、相手方Bが、「Aが冗談で言っているということを知っている場合（悪意）や注意すれば気づくことができた場合（有過失）」には、相手方Bを保護する必要はなくなるので、その意思表示（契約）は**無効**となります（93条1項ただし書）。

板書 心裡留保の効果

①冗談で「売る」と表示　　②「買う」と表示

 ← 売買契約 →

A　　　　　　　　　B

大切！ 売買契約は、
原則ー（相手方が善意・無過失の場合）⇒有効
例外ー相手方が悪意・有過失の場合⇒無効

原則の「有効となるケース」は、例外となるケースの要件（相手方が悪意・有過失）の逆で、「相手方が善意・無過失の場合」ということになります。

1 虚偽表示とは？

　表意者が**相手方と通じ合って（共謀して）行った虚偽の意思表示**のことを**虚偽表示**といいます。

　たとえば、Aが債権者の差押えを免れるために、Bと相談して、自分が所有している土地をBに売却したことにするような場合です。

　虚偽表示の場合、AB双方とも本当に売買契約を締結しようとは思っていないわけで、この契約に法的拘束力を生じさせる根拠がありません。したがって、AB間の意思表示は**無効**であり（94条1項）、契約は成立していないことになります。

2 第三者との関係

　しかし、これを当事者A・B以外の第三者Cが登場してきたケースにまで適用してしまうと、通常の売買で土地を手に入れたCが権利を取得できないことになり、取引の安全を害することになってしまいます。

　そこで、虚偽表示による無効は、**善意の第三者に対抗することができない**（94条2項）とされています。

> 「対抗」＝「主張」と考えておきましょう。

　たとえば、虚偽表示によってAからBに売却されたことになっている土地を、Bが（Aを裏切って）Cに売却してしまった場合で考えてみましょう。

　第三者Cが善意（虚偽表示であったことを知らない）の場合には、Aは、Cに対して、AB間の売買契約が無効であることを主張することができません。その結果として、土地の所有権はA→B→Cと譲渡されたことになり、Cが所有者ということになります。したがって、AはCに土地の返還を求めることはできなくなります。

94条2項の第三者として保護されるためには、善意でさえあればよく、過失の有無は問わない、登記を備えている必要もないとするのが判例です。

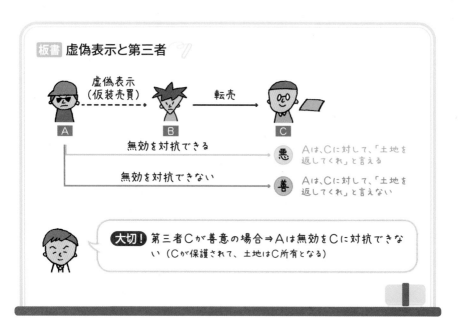

板書 虚偽表示と第三者

虚偽表示（仮装売買） → 転売

A ----→ B ----→ C

無効を対抗できる → 悪 Aは、Cに対して、「土地を返してくれ」と言える

無効を対抗できない → 善 Aは、Cに対して、「土地を返してくれ」と言えない

大切！ 第三者Cが善意の場合⇒Aは無効をCに対抗できない（Cが保護されて、土地はC所有となる）

4 錯誤（さくご）

錯誤による意思表示は原則として取消し可能

意思表示をした者（表意者）が、内心の意思と表示が食い違っていることに気付かずに意思表示をすることを錯誤といいます。

言い間違いや勘違いなどによりなされた意思表示のことであり、たとえば、「1万円で買おう」と思っていたのに、「1万ドルで買います」と言ってしまったような場合です。

錯誤に基づく意思表示は、その錯誤が法律行為（契約）の目的および取引上の社会通念に照らして重要なものであるときは、取り消すことができます（95条1項）。

契約では様々なことを取り決めますので、その内容の細かい部分について多少の勘違いがあったからといって取消しの主張を許す必要はないので、重要部分（対象物や金額など）に限定しています。

　ただし、「取引の安全の保護」の要請から、錯誤が表意者の重大な過失（重過失）によるものであった場合には、取消しをすることができません（95条3項：例外あり）。

板書 錯誤に基づく意思表示の効果

①腕時計を「売る」と表示　　　②「買う」と表示

　腕時計の売買契約　　

A　　　　　　　　　　　　　　　B

置時計を売るつもりで、うっかり間違えた

■原則■
錯誤による意思表示は取消しが可能（95条1項）

■例外■
表意者に重大な過失があった場合は、表意者は取消しできない（95条3項）

大切！ 錯誤に基づく意思表示は、原則として取消しが可能

---

5 詐欺（さぎ）　　　　　　詐欺による意思表示は原則として取消し可能

　詐欺によって意思表示をしてしまった場合、取り消すことができます（96条1項）。

たとえば、AがBにだまされて安い価格で所有する土地を売る意思表示を
してしまった場合、取り消すことが可能です。

板書 **詐欺による意思表示の効果**

だます

売却

取消し

この付近の土地は近々
値下がりする（嘘だけど
ね…）から今なら私が
2000万円で買いますよ

大切！ Aは、Bとの売買契約を取り消し、土地をBから取り
戻せる

右上欄外

　しかし、詐欺を行ったのが意思表示の相手方ではない場合（第三者の詐欺の
ケース）や善意の第三者が登場してきた場合には、取引の安全に配慮する必
要がでてきます。

そこで、第三者による詐欺の場合は、相手方が悪意有過失の場合の
み、取消しをすることができます（96条2項）。また、善意無過失の第
三者に対しては、取消しを対抗できない（96条3項）とされています。

6 強迫 きょうはく

強迫による意思表示は必ず取消し可能

　詐欺と同じく、強迫によって意思表示をしてしまった場合も、**取り消すこ
とができます**（96条1項）。
　詐欺との違いは、強迫の場合には、詐欺における96条2項・3項のよう
な規定が存在しません。したがって、第三者による強迫の場合でも、相手方
の善意・悪意にかかわりなく、取り消すことができますし、**善意無過失の第
三者にも取消しを対抗できます**。

テーマ
3

代理

ざっくり
テーマ3は こんな話

自分でやるのは大変だ

この契約の効果が
AC間に発生

Bに
任せる

Aの代わりに
契約

他人に代わって法律行為を行うの
が代理です。有効な代理となるた
めには3つの要件を満たす必要が
あります。
さらに、実際には代理権がなかっ
た場合である無権代理や表見代理
についても学習します。

---

1 代理とは?

代理の3要件を押さえる!

1 代理の制度趣旨

　代理は、他人（代理人）が行った法律行為の効果が本人に帰属する制度です。
代理制度を使えば、自分が所有している土地を売却してもらいたいAさんは、
不動産取引に精通している知人のBさんを代理人として立てて、自分に代わ
って買い手を探して契約を締結してもらうことができます（私的自治の拡張）。
また、成年被後見人のように判断能力が欠けてしまった人の代わりに他人が
法律行為を行うことも可能です（私的自治の補充）。

2 代理の成立要件

　有効な代理行為として、代理人が行った行為の効果が本人に帰属するため
には、代理の成立要件を満たしている必要があります。

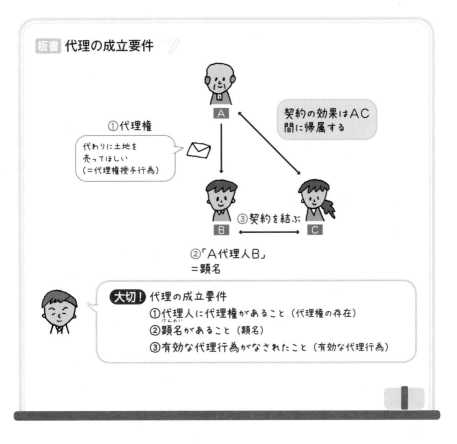

❶ 代理権の存在

代理権の発生原因には、**法定代理**と**任意代理**があります。

法定代理とは、法律や裁判所によって代理権を与えられる場合であり、未成年者における親権者の代理権（818条）などです。

一方、任意代理とは、本人の代理権授与行為（授権行為）によって代理権を与えられる場合です。

❷ 顕名

顕名とは、**代理人が本人のためにすることを示す**ことです。

具体的には「A代理人B」と表示して契約を締結することを指します。こ

れがあることで相手方は契約の当事者が誰かを認識することができますので、これも代理の成立要件の1つです。

❸ 有効な代理行為

代理人と相手方の間で行われた行為に、無効原因や取消原因となる事情がないなど、有効な代理行為であることも代理の成立要件です。

2 無権代理
自称「代理人」が代理行為を行った場合の話

1 無権代理とは？

代理権がない者が代理人として行った行為を無権代理といいます。

無権代理は、代理の成立要件を満たしませんので、その効果は**本人には帰属しない**のが原則です。

たとえば、BはAから土地の売却についての代理権を特に与えられていないにもかかわらず、Aの代理人としてA所有の土地を売却する契約をCとの間で締結したとします。この場合、Bが行った売買契約の効果はAには帰属せず、Aは土地をCに引き渡す義務は負いません。

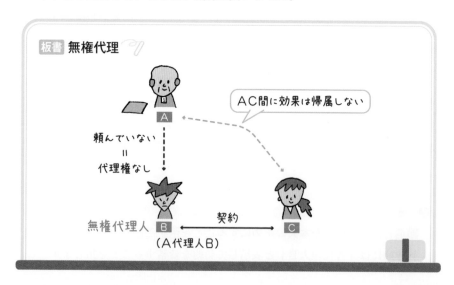

板書 **無権代理**

頼んでいない
＝
代理権なし

AC間に効果は帰属しない

無権代理人 B
（A代理人B）

契約

C

2 無権代理後の法律関係

民法では、無権代理行為が行われた場合の事後処理的ルールについて、いくつかの規定を置いています。

❶ 本人の追認権

本人は、事後的に自分への効果帰属を認めることができます。これが「追認」です（113条）。**本人による追認がされると、契約の時にさかのぼって本人に効果が帰属し**（116条本文）、代理行為は有効なものとして確定します。

❷ 相手方の催告権・取消権

無権代理の相手方は、本人に対し、相当の期間を定めて、その期間内に追認をするかどうかを確答すべき旨の**催告**をすることができます（114条）。

また、**善意の相手方**は、本人が追認しない間、**取消権**を行使することができます（115条）。

❸ 無権代理人の責任

無権代理人は、相手方の選択に従い、①**履行の責任**または②**損害賠償の責任**を負います（117条1項）。

つまり、相手方は、無権代理人に対して、①無権代理行為によって締結された契約等を無権代理人が履行するように請求すること（土地の引渡しを求めること）や、②無権代理行為によって生じた損害の賠償請求をすることが可能ということですね。

なお、無権代理人の責任追及は、原則として、①相手方が**悪意または有過失**であった場合や、②無権代理人が**制限行為能力者**であった場合などには、できないとされています（117条2項）。

3 表見代理 無権代理なのに有効な代理と同様に扱われる

1 表見代理とは?

　無権代理であっても、本人と代理人との間に一定の事情が存在し、相手方からみて代理人と信じてもやむを得ないと思われる場合もあり得ます。

　そこで、ある一定の事情がある場合において、相手方保護のために、本人に無権代理行為の効果を帰属させる制度が表見代理といわれる制度です。**表見代理が成立すると、有効な代理と同じように扱われます。**

> 表見代理は、無権代理の一種ですが、その効果は正反対になっているので注意しましょう。

2 表見代理の類型と効果

　表見代理には、①**代理権授与表示による表見代理**（109条）、②**権限外の行為の表見代理**（110条）、③**代理権消滅後の表見代理**（112条）の3類型があります。

　②の「権限外の行為の表見代理」を例にして考えてみましょう。

　これは、本人から何らかの代理権（基本代理権）を与えられている者が、その代理権の範囲を越えて代理行為を行った場合に成立する表見代理です。何らかの代理権（基本代理権）を与えられている者は、第三者から見て正当な代理人らしく見えてしまう可能性が高いです。そこで第三者を保護するために表見代理の1つとして規定されています。

　たとえば、AからA所有の土地の賃貸借についての代理権を与えられていたBが、Aの代理人としてA所有の土地を売却する契約をCとの間で締結したとします。Bには土地の売却に関する代理権は与えられていませんから無権代理となるはずです。

　しかし、相手方Cが、Bに代理人の権限があると信ずべき**正当な理由**（善意・無過失）がある場合、CはAに対して、表見代理の成立を主張して、土地の引渡しを求めることができることになります。

相手方Cの善意・無過失は表見代理の3類型すべてに共通する要件になっています。

板書 権限外の行為の表見代理

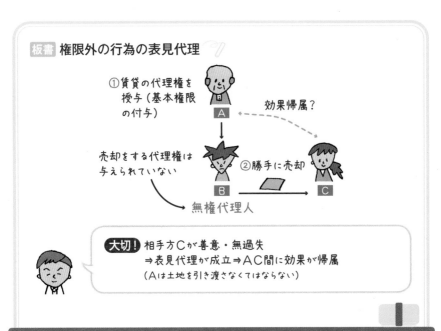

① 賃貸の代理権を授与（基本権限の付与）

効果帰属？

A

売却をする代理権は与えられていない

② 勝手に売却

B

無権代理人

C

大切！ 相手方Cが善意・無過失
⇒表見代理が成立⇒AC間に効果が帰属
（Aは土地を引き渡さなくてはならない）

テーマ 4 時効

ざっくり
テーマ4は こんな話

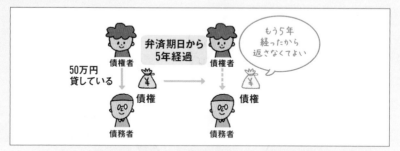

一定の時間の経過によって権利が取得できたり、権利が消滅してしまう制度があります。それが時効制度です。ここでは時効が成立するためにはどのような要件が満たされる必要があるかについて学習します。

1 時効制度とは？　　取得時効と消滅時効の2種類がある

　時効とは、ある状態が一定期間継続したことにより、何らかの法律効果を認めることをいいます。

　民法における時効は、一定の事実状態が長期間継続した場合に権利の取得を生ずる「取得時効」と、一定の事実状態が長期間継続した場合に権利の消滅をもたらす「消滅時効」の2種類があります。

　時効制度が存在する理由としては、①一定期間継続した事実状態の保護による法律関係の安定、②権利の上に眠る者は保護に値しないこと、③裁判上の立証の困難からの救済が挙げられます。

2 取得時効　　10年もしくは20年たつと権利を取得できる

取得時効は、一定の事実状態が長期間継続した場合に権利を取得できる制

度です。所有権以外の権利も対象になりますが、ここでは所有権の時効取得についてみていきましょう。

　所有権の時効取得の要件は、①**所有の意思をもって**、②**平穏にかつ公然**と、③**他人の物を占有**し、④**一定の時効期間を経過**したことです。

① 「所有の意思をもって」する占有のことを自主占有といいます。所有
　権を時効取得するためには、この「所有の意思」が必要です。

　　これは、占有取得の原因（どのような形で占有を始めたか）によって外形
　的・客観的に判断されるとされています。したがって、賃借人などは所
　有の意思がない（他主占有）ため、何十年占有しようと所有権を時効取
　得することはできません。

② 「平穏にかつ公然」とは、暴力的に奪ったような場合でなく、かつ、
　占有をしていることを隠匿していない場合をいいます。

③ 「他人の物を占有」するについては、必ずしも「他人の物」である必
　要はなく、「自己の物」であってもよいとされています（判例）。

たとえば、自分の物であるのに所有権を取得したことを証明するのが難しい場合には、時効取得を主張してもよいということです。

④ 「一定の時効期間」は、占有の開始時に**善意・無過失なら10年**、それ以外は**20年**です。

3 消滅時効 債権は原則として5年で消滅する

消滅時効とは、**一定の事実状態が長期間継続した場合に権利の消滅をもたらす制度**です。債権以外の権利も対象になりますが、ここでは債権の消滅時効についてみていきましょう。

たとえば、AがBに対して10万円を貸していたとします。AはBに対して貸金債権という権利を有していることになりますが、この権利を一定期間放置しておくと、権利（貸金債権）が消滅してしまいます。

債権は、債権者が**権利を行使することができることを知った時から5年間**行使しない場合には、時効によって消滅します（166条1項1号）。ただし、期限の到来を債権者が知らない場合についても、**権利を行使できる時から10年**間行使しない場合には、時効によって消滅します（166条1項2号）。

たとえば、2025年4月1日を返済期日として10万円を貸した場合、その日が「権利を行使することができることを知った時」となり、そこから5年が経過すると貸金債権は時効で消滅してしまいます。したがって、貸主はもはや返済を求めることができず、借主は返済する義務がなくなります。

板書 消滅時効の起算点

債権	権利を行使することができることを知った時
確定期限のついた債権 例「2025年4月1日に10万円を返済する」	期限到来の時 例 2025年4月1日

大切！ 確定期限のついた債権は、その期限から5年で消滅します

4 時効の援用・完成猶予と更新 用語の意味を押さえる！

1 時効の援用

時効完成に必要な期間が経過したからといって当然に時効の効力が発生するわけではありません。当事者（＝時効によって利益を受ける者）が、「時効の利益を受けたい！」という意思を表示することによって時効の効力は生じます。この「時効の利益を受けたい！」という意思表示のことを**時効の援用**といいます（145条）。

時効の利益を受けることを求めない者に対して、時効を強制する必要はありませんよね。そのため、当事者からの「時効の援用」があってはじめて時効の効力は生じることにしているのです。

時効の援用ができる当事者とは、判例では、時効により**直接に利益を受ける者**とされています。取得時効の場合は権利を取得する占有者、消滅時効の場合は債務の消滅により利益を受ける債務者が該当します。

さらに、条文では、保証人（債務者が弁済しない場合に債権者に代わって弁済する義務を負う者）なども、消滅時効の援用権者として明記されています（145条）。

なお、時効の利益を受けない旨の意思表示をすることも可能です。これを**時効の利益の放棄**といいます。ただし、時効の完成前に時効の利益を放棄することはできません（146条）。

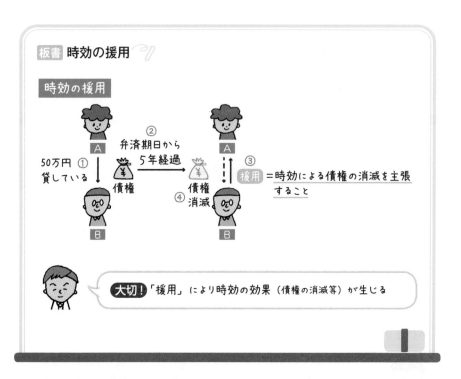

板書 時効の援用

時効の援用

50万円① 貸している

弁済期日から
5年経過
債権

② 債権

③ 援用 ＝時効による債権の消滅を主張
すること

④ 債権
消滅

大切！ 「援用」により時効の効果（債権の消滅等）が生じる

2 時効の完成猶予と更新

　時効が完成する前に一定の行為があると、①時効期間の進行が止まったり、②進行中であった時効期間がゼロに戻り、再度ゼロから起算を始めます。①を時効の**完成猶予**、②を**更新**といいます。

　時効の**完成猶予**としては「**裁判上の請求**」が代表です。裁判上の請求とは、金銭を貸している債権者が、返してくれない債務者に対して、支払請求訴訟を起こすことです。

　裁判上の請求が行われると、確定判決が出るまでの間は、時効は完成しません（147条1項）。

　時効の**更新**としては、「**権利の承認**」があります。金銭を借りている債務者が債権者に対して債権の存在を認める言動を行うと、これが「権利の承認」となります。例えば、債務の一部を弁済することなどが該当します。承認が行われると、その時点で時効期間は振り出しに戻り、再度ゼロから起算

80

されることになります（152条1項）。

確定判決による権利の確定は「更新」に該当します。したがって、訴訟提起（＝裁判上の請求）によって時効の完成が猶予され、確定判決による権利の確定（＝更新）により時効は再度進行を始めることになります。

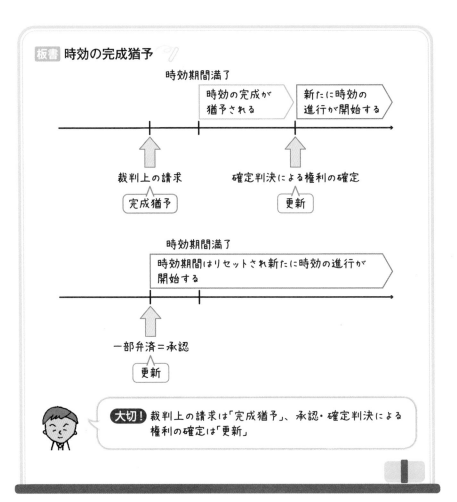

板書 時効の完成猶予

時効期間満了

時効の完成が猶予される → 新たに時効の進行が開始する

↑
裁判上の請求
完成猶予

↑
確定判決による権利の確定
更新

時効期間満了

時効期間はリセットされ新たに時効の進行が開始する

↑
一部弁済＝承認
更新

大切！ 裁判上の請求は「完成猶予」、承認・確定判決による権利の確定は「更新」

CHAPTER 1　総則　過去問チェック！

問1　テーマ1 **2**

制限行為能力者が成年被後見人であり、相手方が成年被後見人に日用品を売却した場合であっても、成年被後見人は制限行為能力を理由として自己の行為を取り消すことができる。(H18-27-3)

問2　テーマ2 **2**

AがBに「自動車を譲る」と真意ではなく言ったとき、Bはその言葉が真意ではないと知っていても、AからBに自動車を譲り渡す義務が生じる。(H8-27-1)

問3　テーマ2 **3**

Aは、譲渡の意思がないのに、債権者の差押えを免れるため、Bと通じてA所有の土地をBの名義にした。Cは、その事実を知らずにその土地を購入したが、その土地はC所有のものとはならない。(H8-27-2)

問4　テーマ3 **2**

Aの子Bが、Aに無断でAの代理人としてA所有の土地をCに売却する契約を結んだ場合、CはAが追認した後であっても、この売買契約を取り消すことができる。

(H20-28-1)

問5　テーマ4 **3**

債権者が権利を行使できることを知った時から5年間行使しないときは、その債権は、時効によって消滅する。(R5-27-1)

問6　テーマ4 **4**

時効による債権の消滅の効果は、時効期間の経過とともに確定的に生ずるものではなく、時効が援用されたときにはじめて確定的に生ずるものである。(R元-27-ア)

解答

問1 ×　日用品の購入その他日常生活に関する行為については、取り消すことができない（9条ただし書）。

問2 ×　Aの意思表示は心裡留保であり、原則として有効であるが、相手方が悪意または有過失のときは無効となる（93条1項）。Bは悪意であるから、Aの「自動車を譲る」という意思表示は無効となり、AにはBに自動車を譲り渡す義務は生じない。

問3 ×　虚偽表示の無効は、善意の第三者には対抗できない（94条2項）。Cは善意の第三者であり、Aは、虚偽表示の無効をCに対抗できないので、その土地はC所有となる。

問4 ×　本人の追認後は、相手方は、取り消すことができない（115条本文）。

問5 ○　債権者が権利を行使できることを知った時から5年間行使しないときは、その債権は、時効によって消滅する（166条1項1号）。

問6 ○　時効の効果は、援用によって確定的に生じる（145条）。

テーマ 1

物権と物権的請求権

ざっくり テーマ1は こんな話

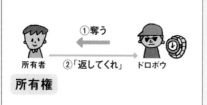

① 奪う

② 「返してくれ」

所有者　　　　　ドロボウ

所有権

物権の種類や内容は法律で決まっています。まずは物権の全体像を見ていきましょう。また、物権であることから当然に発生する請求権が物権的請求権です。3種類あるのでその内容を押さえます。

1　物権とは？　　　　　　物権は法律で決まっている

　物権とは、物に対する権利であり、特定の物を<u>直接支配</u>して利益を受けることができる<u>排他的</u>な権利です。

強力な権利であることから、同一の物の上に同一の内容の物権を2つ以上成立させることはできません。これを**物権の排他性**といいます。

　また、物権は、法律で定めるもののほかは創設することができません（175条：<u>物権法定主義</u>）。

　これは、当事者の合意によって新たな種類の物権を作り出すことができないということだけでなく、当事者の合意によって物権の内容を法律と異なる内容にすることもできないことを意味しています。

その理由は、物権は排他性のある大変強力な権利なので、当事者の合意だけで新たに作り出したり、内容の変更を認めると、社会的に混乱が生じるからです。

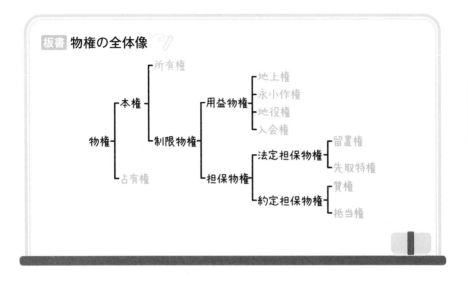

板書 物権の全体像

```
物権 ─┬─ 本権 ─┬─ 所有権
      │         └─ 制限物権 ─┬─ 用益物権 ─┬─ 地上権
      │                      │            ├─ 永小作権
      │                      │            ├─ 地役権
      │                      │            └─ 入会権
      │                      └─ 担保物権 ─┬─ 法定担保物権 ─┬─ 留置権
      │                                   │                └─ 先取特権
      │                                   └─ 約定担保物権 ─┬─ 質権
      │                                                    └─ 抵当権
      └─ 占有権
```

2 物権的請求権　　　物権に対する妨害を排除する権利

　物権的請求権とは、物権をもつ者がその円滑な行使を妨害された場合、または妨害されそうになっている場合に、その**妨害を排除・予防するために、物権を有する者が妨害者に対して行使できる権利**です。

　民法の条文で規定されているわけではありませんが、物権の排他性から当然に発生する権利と考えられています。物権的請求権には3種類あります。

種類	内容	具体例
①物権的返還請求権	物権者が、その目的物の占有を喪失した場合に、その返還を求める権利	Aの車をBが奪った場合に、AがBに対して返還を求める
②物権的妨害排除請求権	物権の行使が妨害されている場合に、物権者が妨害している者に対して、その妨害の排除を求める権利	Aの土地にBがゴミを不法投棄していった場合にAがBにゴミの除去を求める
③物権的妨害予防請求権	将来、物権の行使が妨害される可能性がある場合に、妨害の防止を請求する権利	Bの土地の塀が隣のAの土地に今にも崩れ落ちそうになっている場合に、AがBに対して崩れ落ちないように何らかの措置をとることを求める

テーマ
2

ぶっけんへんどう
不動産物権変動と登記

教科書　Section 2

ざっくり
テーマ2は こんな話

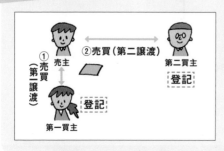

Aが1つの土地をBとCの両方に売却した場合、登記を先に取得した方が所有者になります。このように登記の有無で勝負が決まるケースについて学習していきます。

1　物権変動とは？　　物権の移転は意思表示によって生じる

物権変動とは、物権の発生・変更・消滅の総称です。

総称なのでさまざまなものを含みますが、ここでは「権利の移転」のことと理解しておけば十分です。

では、権利の移転などの物権変動は何によって生じるのでしょうか？

日本の民法では、意思主義という考え方が採用されており、「物権の設定及び移転は、当事者の意思表示のみによって、その効力を生ずる」(176条)と規定されています。

これに対して、意思表示だけでは物権変動は生じず、それに加えて一定の形式的行為（登記など）を必要とする「形式主義」という考え方を採用する国もあります。

さらに、契約による権利移転（＝物権変動）が生じる時期についても、特約のない限り、意思表示の合致した時（契約締結時）に権利移転（＝物権変動）が生じるとされています。

2 不動産物権変動と民法177条　<u>登記で勝負が決まる</u>

1 民法177条と対抗要件

　不動産の権利を取得した者は、意思表示のみで誰に対しても自分がその不動産の所有者であると主張可能なのでしょうか？

　その際に出てくるのが「対抗要件」という考え方です。

　対抗要件とは、**当事者以外の第三者に自分が権利者であることを主張するために必要なもの**のことです。

　民法177条では、「不動産に関する物権の得喪及び変更は、不動産登記法その他の登記に関する法律の定めるところに従いその**登記をしなければ、第三者に対抗することができない**」と規定しています。

　したがって、177条の「第三者」に該当する者に対しては、**対抗要件である「登記」**がなければ、自分が権利を取得したことを対抗（主張）することができません。このような関係のことを**対抗関係**といいます。

> 登記とは、不動産に関して、その面積や所有者等を記載した公的な記録のことです。登記には代々の所有者が記載されています。「登記を取得する」「登記を備える」という表現は、実際にはこの登記簿という記録に自分が所有者であると記載されることをいいます。

2 二重譲渡

　対抗関係として処理される典型的なケースが二重譲渡です。

　二重譲渡とは、Aが自己所有の土地をBに売却した後で、さらにCにも譲渡したようなケースを指します。当然、BとCが当該土地の所有権の取得をめぐって争うことになるでしょう。

　BとCには直接的な関係はありません。つまり、互いに第三者となるため、BC間で所有権の取得を対抗するには「登記」が必要です。

　したがって、BとCのどちらが所有者になるかについては、**登記を先に取得できたか否かで決まります**。

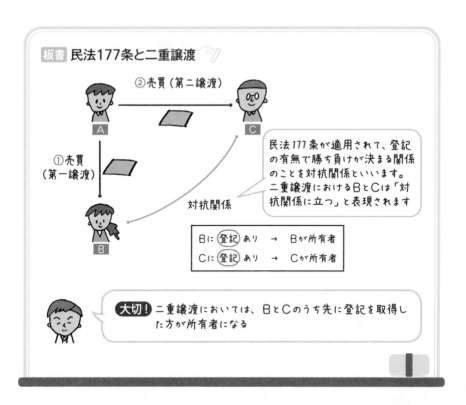

板書 民法177条と二重譲渡

3 民法177条の「第三者」とは？

　第三者とは、通常の言葉の意味としては、当事者以外の者を指す言葉です。しかし、177条の「第三者」とは、当事者以外の全ての第三者を指すわけではありません。

　判例では、177条における登記を備えないと物権変動（権利の取得）を対抗し得ない第三者とは、「当事者もしくはその包括承継人以外の者で、不動産に関する物権の得喪・変更の登記の欠缺を主張するにつき正当な利益を有する者」をいうとされています。

「包括承継人」とは相続人などのことで、「欠缺」とは欠けているということです。

つまり、「正当な利益を有しない」とされる者は、177条の「第三者」にはあたりません。したがって、正当な利益を有しないとされる者に対しては、登記を備えなくても権利の取得を対抗することができます。

A→B、A→Cと二重譲渡が行われた場合において、CがA→Bの第一譲渡の存在を知っていた場合、つまり**悪意者であっても、Cは177条の第三者に該当する**と考えられています。したがって、Cが悪意であっても、BC間は対抗関係になります。

しかし、Cが単なる悪意を超えて「**背信的悪意者**」とみなされる者であったときは、Cは177条の第三者に該当しないとされています。この場合、BC間は対抗関係とはならず、Bは、登記がなくても、背信的悪意者であるCに対して、所有権の取得を対抗できます。

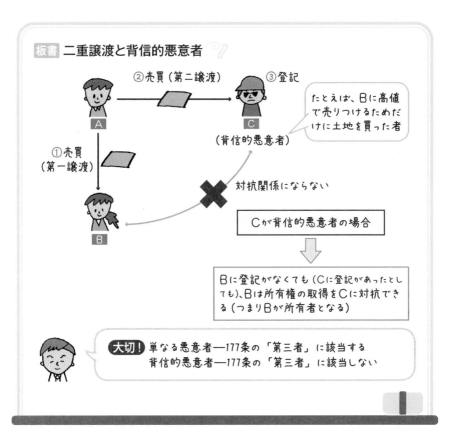

板書 二重譲渡と背信的悪意者

②売買（第二譲渡）　③登記

たとえば、Bに高値で売りつけるためだけに土地を買った者

（背信的悪意者）

①売買（第一譲渡）

対抗関係にならない

Cが背信的悪意者の場合

Bに登記がなくても（Cに登記があったとしても）、Bは所有権の取得をCに対抗できる（つまりBが所有者となる）

大切！単なる悪意者—177条の「第三者」に該当する
　　　背信的悪意者—177条の「第三者」に該当しない

テーマ
3
せんゆうけん
占有権

教科書　Section 3

ざっくり
テーマ3は こんな話

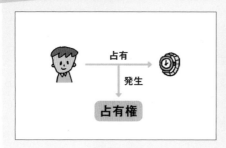

正当な権利があるか否かにかかわりなく、物を所持しているという事実状態から生じる権利が占有権です。その具体的な表れが「占有訴権」であり、占有訴権とは、占有者がその占有を奪われたとき、奪った者に対して「返せ！」と要求できる権利のことです。

1　占有権　占有権とは事実状態を保護するための権利

　占有とは、自己のためにする意思をもって物を所持するという事実状態を指します。

> 占有とは、不動産ならそこに住んでいる、動産なら持っている・支配下に置いている、といった状態のことを指します。

　占有は必ずしも本権（所有権など ➡P.85参照 ）に基づくものとは限りません。そこで、このような現実に物を支配している事実状態（実際に住んでいるとか所持しているという状態）を尊重するために、占有しているという事実から発生する権利を認めています。それが「占有権」です。

> とはいっても、多くの場合、物に対する事実上の支配は、所有権などの占有を正当化する権利（本権）に基づいていますので、所有権などの本権の存在を簡単に立証できない場合でも占有権が認められることで、本権の保護が図られていることも多いです。

2 占有訴権（せんゆう そ けん） <u>占有への侵害を排除する権利</u>

　占有者が占有を侵害された場合に、その侵害を排除するために行使できるのが**占有訴権**です。

　この占有訴権は、事実上の支配が侵害された場合に、本権の有無に関係なく、その侵害を排除する権利です。

　占有訴権には、①**占有保持の訴え**（198条）、②**占有保全の訴え**（199条）、③**占有回収の訴え**（200条）の3種類があります。

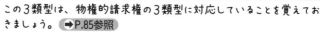
この3類型は、物権的請求権の3類型に対応していることを覚えておきましょう。 ➡P.85参照
　①占有保持の訴え≒物権的妨害排除請求権
　②占有保全の訴え≒物権的妨害予防請求権
　③占有回収の訴え≒物権的返還請求権

　たとえば、③占有回収の訴えは、占有を奪われた場合に、占有者が、奪った者に対して、その物の返還および損害賠償の請求ができるものです（200条1項）。

テーマ 4 即時取得

ざっくり テーマ4は こんな話

盗品などを無権利者から買ってしまった場合でも、即時取得といわれる制度によって権利を取得できる場合があります。即時取得の成立要件をしっかり覚えましょう。

1 即時取得とは？ 無権利者から買っても所有者になれる制度

　Aの所有する時計を盗んだBが、それを自分の物と偽って、Cに売却し、引き渡した場合を考えてみましょう。

　Bは単なる泥棒で、当然に無権利者です。無権利者から時計を購入したCは、本来、有効に権利を取得することはできないはずです。

　しかし、無権利者から購入した場合に、常に所有権が取得できないことになると、動産取引の安全は維持されません。

　そこで、設けられているのが即時取得（「善意取得」ともいいます）という制度（192条）です。

　無権利者から取得した者であっても、要件を満たして即時取得が成立すれば、所有権を取得することができます。

その結果、真の所有者の所有権は失われることになります。
つまり、即時取得という制度は、真の権利者の犠牲のもとで動産取引の安全を図る制度といえます。そのため、それが認められるハードルは結構高く設定されています。

2 即時取得の成立要件 　①動産と④善意無過失が重要！

では、即時取得はどのような要件を満たすと成立するのでしょうか？

① 動産であること

　動産取引の安全を守るための制度なので、対象となるのは動産です。不動産は対象になりません。

② 有効な取引行為によって取得したこと

　即時取得をするためには「取引行為」によって占有を取得する必要があります。「取引行為」とは、売買や贈与を指します。したがって、相続や拾得による取得は含まれません。

　さらに、③処分権限がない者から取得したこと、④平穏公然・善意無過失で、⑤占有を取得したことが即時取得の成立要件です。

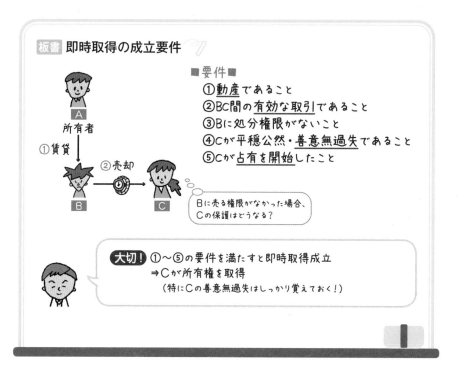

板書 即時取得の成立要件

■要件■
①動産であること
②BC間の有効な取引であること
③Bに処分権限がないこと
④Cが平穏公然・善意無過失であること
⑤Cが占有を開始したこと

所有者 A

①賃貸

B ②売却 → C

Bに売る権限がなかった場合、Cの保護はどうなる？

大切！ ①～⑤の要件を満たすと即時取得成立
⇒Cが所有権を取得
（特にCの善意無過失はしっかり覚えておく！）

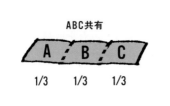

テーマ 5 所有権

ざっくり テーマ5は こんな話

ABC共有

A 1/3 　 B 1/3 　 C 1/3

所有権とは、物に対する全面的な支配権（使用・収益・処分する権利）です。ここでは、複数の人が1つの物を共同で所有する「共有」に関するルールを見ていきます。

1 共有（きょうゆう）　　　共有物の売却には全員の同意が必要

2人以上の人が1個の物を共同で所有することを**共有**といいます。

共有については、その使用・管理・処分についてのルールを押さえる必要があります。

まず、共有物の使用については、各共有者は、共有物の全部について、その**「持分」に応じた使用**をすることができます（249条）。

> 「持分」とは、各共有者が目的物に対して持っている権利やその割合のことです。
> 持分（の割合）は、当事者の合意によって決定されますが、不明の場合は均等と推定されます（250条）。

一方、共有物全部の売却など共有物の変更は、**共有者全員の同意**が必要です（251条）。ただし、変更にあたる行為であっても共有物の形状や効用に著しい変更を伴わない物理的行為は、各共有者の持分の価格に従い、その過半数で決することができます。

さらに、賃貸借契約の締結（一定期間を超えるものは除く）や解除など共有物の管理に関する事項は、各共有者の**持分の価格に従い、その過半数**で決める

ことになります（252条本文）。

板書 共有物の使用・管理・処分

	意　義	具体例	行使の要件
保　　存	共有物の現状を維持する行為	共有物の補修 妨害排除	単独で可能
管理 (利用改良行為)	共有物を変更しない範囲で収益を図る行為	共有物の賃貸[※2]、その取消し・解除 共有物の管理者の選任・解任	持分価格の過半数で決定
変　　更	共有物を物理的に変更[※1]・法律的に処分する行為	共有物の売却 農地から宅地への転用	共有者全員の同意が必要

大切！ 共有物の変更（売却など）⇒共有者全員の同意
共有物の管理（賃貸など）⇒持分価格の過半数の同意

※1　形状や効用に著しい変更を伴わないものは除く
※2　一定期間（土地5年、建物3年）を超えるものは除く

テーマ
6

用益物権

ざっくり
テーマ6は こんな話

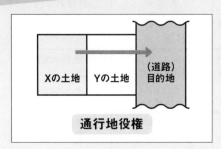

通行地役権

用益物権とは不動産を使用収益するための物権です。ここでは、地役権と地上権について押さえておきましょう。

1 地役権
ちえきけん

他人の土地を通れる通行地役権が代表

　地役権とは、自己の土地の便益のために、他人の土地を使用する権利です。

　たとえば、Xの所有する土地が公道に面していないため、Xが、公道に面している隣地の所有者Yとの間で、Yの土地を通行できる権利を設定したいと考えている場合に設定されるのが（通行）地役権です。

　この場合の自己（X）の土地を**要役地**、他人（Y）の土地を**承役地**とよびます。

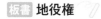 地役権

通行地役権（Y地を通行できる権利）

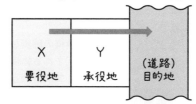

X
要役地

Y
承役地

（道路）
目的地

 このような通行のための地役権のことを特に通行地役権といいます
が、地役権は承役地の使用により要役地の便益を高めるものであれ
ば設定可能なので、他にもさまざまな内容の地役権が考えられます。

2 地上権

地上権は賃借権より強力な権利

地上権とは、他人の土地において工作物（建造物など）または竹木を所有するために、その土地を使用する権利のことです。

地上権は、通常、地上権設定契約によって設定されます。地上権は物権なので、いったん設定されれば、土地所有者の承諾の有無を問わず、自由に譲渡したり担保に提供することが可能です。

 このように強力な権利であるため、あまり使われていません。建物を
建てるために土地を借りる際には、一般に賃貸借契約に基づく土地
賃借権の設定が行われています。

テーマ
7

担保物権

ざっくり
テーマ7は こんな話

債権の確実な回収を図るために設定される物権が担保物権です。ここでは、抵当権を中心にどのような権利なのか、その特徴を押さえましょう。

1 担保物権とは？ 　　共通の性質（通有性）を押さえよう！

1 担保物権の機能

「担保物権」とは、債権の確実な回収を図る手段として、債務者または第三者の財産に対して債権者が優先的に行使できる物権の総称です。

担保物権を有している債権者は、担保物権が設定されている目的物の財産的な価値から他の債権者に優先して弁済を受けることができます。

> 担保物権の設定がされていない場合、各債権者が債権の回収を図る際には「債権者平等の原則」によることになります。この「債権者平等の原則」とは、債権発生の原因・時期を問わず、債権額に比例した配当を受けるという原則です。
> そうなると、最初に貸した者も優先的に回収ができるわけではないので、きちんと弁済を受けられるかどうかはかなり不確実なものになってしまいます。

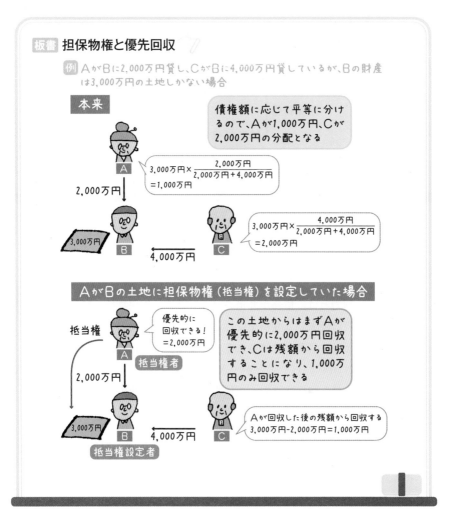

2 担保物権の種類

　担保物権には、法律の規定する一定の事情（要件）が生じた場合に当然発生する**法定担保物権**と当事者の約定によって発生する**約定担保物権**があります。

担保物権 ─┬─ 法定担保物権 ─┬─ 留置権
　　　　　│　　　　　　　　 └─ 先取特権
　　　　　└─ 約定担保物権 ─┬─ 質権
　　　　　　　　　　　　　　 └─ 抵当権

3 担保物権の効力

　担保物権には、①優先弁済的効力、②留置的効力、③収益的効力の３つの効力があります。

　優先弁済的効力とは、債務が弁済されないとき、担保物権の目的物の価値から他の債権者に優先して弁済を受けることができる効力です。

　留置的効力とは、債務が弁済されるまで担保物権の目的物を担保物権者が留置する（手元に置いておく）ことができる効力です。

　収益的効力とは、担保物権者が担保物権の目的物を使用・収益し、債務の弁済に充当することができる効力です。

4 担保物権の通有性

　担保物権には、①付従性、②随伴性、③不可分性、④物上代位性の４つの共通する性質があり、これらを通有性（通常有する性質のこと）といいます。

> ただし、共通の性質といっても、留置権には物上代位性はありません。これは留置権には優先弁済的効力がないことからくるものです。

　付従性とは、被担保債権（担保物権により担保される債権）が成立しなければ担保物権も成立せず、また、被担保債権が消滅すれば、それと同時に担保物権も消滅するという性質をいいます。

　随伴性とは、被担保債権が債権譲渡などにより移転すれば、担保物権もそ

れに伴って移転するという性質をいいます。

　不可分性とは、被担保債権の全部について弁済を受けるまで、担保物権の目的物全部についてその効力が及ぶという性質をいいます。たとえば、被担保債権の半分が弁済されても、担保物権の及ぶ範囲が目的物の半分になるわけではないということです。

　物上代位性とは、担保物権の目的物が、売却・賃貸・滅失・損傷によって、代金・賃料・保険金などの金銭その他の物に変わった場合、これらの物に対しても権利を行使できるという性質をいいます。たとえば、建物に担保物権が設定されていた場合において、建物が火災で焼失したことにより所有者が火災保険金請求権を取得したときは、担保物権者はそこから優先弁済を受けることができます。

板書 担保物権の性質

		留置権	先取特権	質権	抵当権
通有性	付従性	○	○	○	○
	随伴性	○	○	○	○
	不可分性	○	○	○	○
	物上代位性	×	○	○	○
効力	優先弁済的効力	×	○	○	○
	留置的効力	○	×	○	×
	収益的効力	×	×	不動産質権のみ○	×

大切! 通有性で×が付くのは留置権の物上代位性のみ
抵当権は留置的効力がない

1 抵当権とは?

　抵当権とは、不動産(不動産、地上権、永小作権)を対象として、債権(被担保債権)の優先的な弁済を受けるために設定する担保物権です(369条)。

　債務者が被担保債権の弁済ができなくなった場合には、抵当権者は抵当権を実行して(抵当不動産を競売にかけて)、他の債権者に優先して、売却代金から優先的に弁済を受けることができます。

> 抵当権の実行のための一般的な手段が「競売」です。「競売」とは、抵当不動産を強制的に売却することです。

　抵当権の設定により担保される(守られる)債権を**被担保債権**、抵当権が設定される不動産の所有者を**抵当権設定者**といいます。

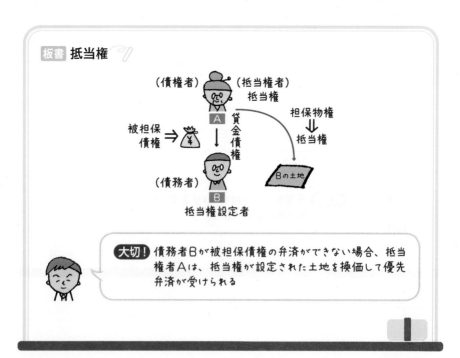

板書 **抵当権**

(債権者)　(抵当権者)
　　　　　　抵当権
　　A

被担保 ⇒ 貸金債権
債権

担保物権
⇩
抵当権

Bの土地

(債務者)
　　B
抵当権設定者

> 大切! 債務者Bが被担保債権の弁済ができない場合、抵当権者Aは、抵当権が設定された土地を換価して優先弁済が受けられる

2 物上保証人

債務者以外の第三者の土地に抵当権が設定された場合、その所有者が抵当権設定者になりますが、この者を特に**物上保証人**といいます。

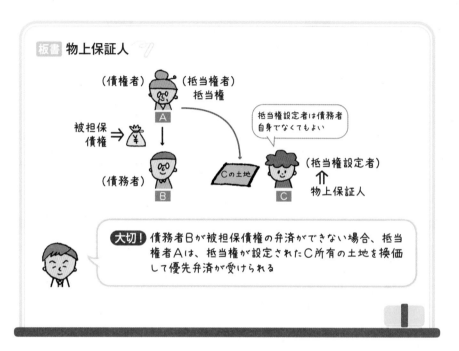

板書 物上保証人

（債権者）（抵当権者）
抵当権
A

被担保
債権 ⇒ ¥

（債務者）
B

抵当権設定者は債務者
自身でなくてもよい

Cの土地

（抵当権設定者）
↑
物上保証人
C

大切! 債務者Bが被担保債権の弁済ができない場合、抵当権者Aは、抵当権が設定されたC所有の土地を換価して優先弁済が受けられる

3 質権   質屋さんでお金を借りることをイメージ

質権は、債権者がその債権の担保として、債務者から受け取った物を**債務が弁済されるまで占有**し、弁済されない場合、その物の代価から他の債権者**に優先して弁済を受ける**ことができる担保物権です（342条）。

たとえば、AがBにお金を貸す際、Bの所有する高級時計を債権の担保とする場合に、その高級時計に設定されるのが質権です。

質権の設定は、当事者の意思表示の合致による質権設定契約の締結に加えて、債権者に目的物を**引き渡す**ことで効力を生じます（344条）。

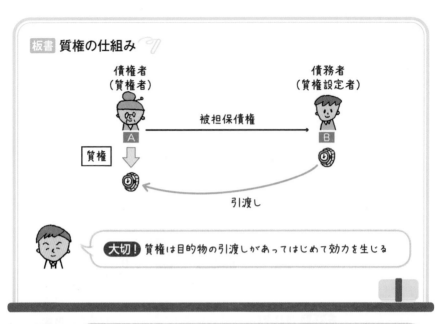

板書 質権の仕組み

債権者
（質権者）

債務者
（質権設定者）

被担保債権

A

B

質権

引渡し

大切！ 質権は目的物の引渡しがあってはじめて効力を生じる

このように、契約の成立要件として、当事者の意思表示の合致のほかに、目的物の引渡しを必要とする契約を要物契約といいます。

質権は、何を質権の目的（対象）とするかによって、**動産質**、**不動産質**、**債権質**の3種類に区分されます。

4　留置権

返還拒否で間接的に支払いを強制

留置権は、他人の物の占有者が、その物に関して生じた債権の弁済を受けるまでその物を留置する権利です（295条）。

たとえば、AがBから車の修理を依頼され修理を行い、修理代金として10万円を請求したが、Bは支払おうとしない。その後、Bが修理代金を支払わずに車の返還を求めてきた場合に、Aは留置権を主張して返還を拒否することができます。

留置権は、当事者の合意により生じる抵当権や質権と異なり、条文上の要件を満たした場合に生じる**法定担保物権**です。

CHAPTER 2　物権　過去問チェック！

問1　テーマ2 2

A所有の甲地がBに譲渡され、さらにAB間の譲渡の事実を知っているCに（Aから）譲渡されてCに所有権移転登記がされた場合、Bは登記なくしてCに対抗することができる。(H12-28-イ)

問2　テーマ3 2

占有者がその占有を奪われたときは、占有回収の訴えにより、その物の返還を請求することはできるが、損害の賠償を請求することはできない。(H29-31-3)

問3　テーマ4 2

Aの所有する宝石をCが盗み出し、CがこれをBに売却したが、Bは、その宝石が盗品である事実について善意・無過失であった。この場合、Bが即時取得（民法192条）によりその所有権を取得できる可能性がある。(H17-26-オ)

問4　テーマ5 1

各共有者は、単独で共有物の保存行為をなすことができる。(H3-28-2)

問5　テーマ7 2

抵当権は、不動産のほか、地上権及び永小作権を目的として設定することができる。(H9-27-3)

問6　テーマ7 3

質権は、質権設定者がその目的物を引き渡さなくてもその効力は生ずる。

(H5-28-1)

解答

問1 ×　二重譲渡であり、Bは、Cが背信的悪意者でない限り、登記なくして、Cに対抗することはできない（177条）。

問2 ×　占有回収の訴えにより、物の返還だけでなく、損害の賠償も請求できる（200条1項）。

問3 ○　Bは善意無過失なので、他の要件を満たせば即時取得（192条）できる可能性がある。

問4 ○　共有物の保存行為は、各共有者が単独ですることができる（252条ただし書）。

問5 ○　抵当権の設定対象は、不動産、地上権、永小作権である（369条）。

問6 ×　質権の設定契約は要物契約であり、債権者にその目的物を引き渡すことによって効力を生ずる（344条）。

テーマ
1

債権債務関係

ざっくり
テーマ1は こんな話

教科書　Section 1

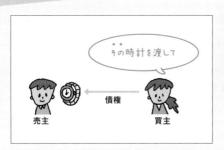

その時計を渡して

債権

売主　　　　　買主

債権とは「特定の人が特定の人に対して一定の行為を請求できる権利」です。債権には、特定物債権、種類債権、金銭債権の分類があります。

1　債権と債務

債権と債務について再確認

　第2編の冒頭で「債権とは人に対する請求権」であるということは学習しましたが、もう少し正確にいうと、「債権とは、**特定の人が特定の人に対して一定の行為を請求できる権利**」ということになります。また、売買契約のように双方が債権者であり債務者でもあるという契約もあります。

　たとえば、AがBに200万円で車を売却する契約を締結したとします。

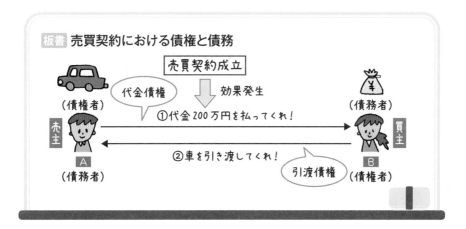

板書　売買契約における債権と債務

売買契約成立

代金債権

効果発生

（債権者）

売主
A
（債務者）

①代金200万円を払ってくれ！

②車を引き渡してくれ！

引渡債権

（債務者）

買主
B
（債権者）

売買契約は、契約の効果として、ＡＢ間に２つの債権債務関係を生じさせます。

　売主Ａから買主Ｂに対しては、①「代金200万円を支払ってくれ！」という代金債権、買主Ｂから売主Ａに対しては、②「車を引き渡してくれ！」という引渡債権です。

　①の代金債権では、売主Ａが債権者、買主Ｂが債務者です。一方、②の引渡債権では、買主Ｂが債権者、売主Ａが債務者ということになります。

　このように両者に債務を生じさせる契約のことを「双務契約」といいます。

2　債権の種類　　区別できるようにしておこう！

1　特定物債権

　その物の個性に着目して引渡しの対象とされた物を**特定物**といいます。そして、この特定物の引渡しを求める債権を**特定物債権**といいます。

　中古車や不動産は１つ１つ異なるものであり、この世に１つしかない「その物」を引渡しの対象としています。したがって、中古車や不動産の売買によって成立する引渡債権は、通常、特定物債権とされています。

2　種類債権

　債権の目的物を示すのに種類と数量だけを指定した債権を**種類債権**といいます（401条１項）。

　種類債権で品質が特定されたものを**不特定物債権**といいますが、品質について特に定めなかった場合には中等（中くらい）とみなされるので（401条１項）、実際には、種類債権≒不特定物債権と考えてよいことになります。

3　金銭債権

　一定額の金銭の引渡しを目的とする債権を、金銭債権といいます。

テーマ
2

ふりこう
債務不履行

ざっくり
テーマ2は こんな話

お金を払ったのに
指輪を渡してくれない

売買契約

売主　　　　買主

債務者が契約内容を実行しないことを債務不履行といいます。債務不履行があった場合に債権者ができることについてみていきましょう。

1　債務不履行とは？　　種類と効果を押さえておこう！

　債務者が債務の本旨に従った（契約で定めた内容どおりの）履行をしないことを債務不履行といいます（415条）。

1　債務不履行の種類

　債務不履行には、①履行遅滞、②履行不能、③不完全履行の３つの種類があります。

❶　履行遅滞

　債務を履行することが可能であるにもかかわらず、履行期を過ぎても履行されないことをいいます。

　たとえば、売買代金の支払いが遅れているような場合です。

❷　履行不能

　債務を履行することが不可能となったことをいいます。

　たとえば、中古車や建物のような特定物の売買が行われた場合に、債務者

がその売買の目的物を焼失してしまったような場合です。

 金銭債務については**履行不能**ということがなく、たとえ債務者に支払能力がない場合でも履行遅滞と考えますので注意しましょう。

❸ 不完全履行

債務の履行が一応されたものの、不完全な点があることをいいます。

2 債務不履行の効果

債務不履行が生じると、債権者は、①**本来の給付の請求**、②**損害賠償請求**、③**契約の解除**が可能となります。

❶ 本来の給付の請求

履行遅滞または不完全履行で本来の給付の実現が可能である場合、債権者がそれを望むときは、本来の給付を請求することができます。一方、履行不能の場合、本来の給付を請求することはできません（412条の2）。

❷ 損害賠償請求

債務不履行によって債権者に損害が発生している場合に、その賠償を債務者に対して求めることです（415条）。

損害賠償請求が認められるためには、**債務者の責めに帰すべき事由（帰責事由）**が必要です。

❸ 契約の解除

契約成立後に生じた一定の事由を理由として、契約の効力を一方的に消滅させることです。

債務不履行が生じている場合、債権者は契約の解除をすることができます（541条等）。損害賠償請求と異なり、解除をするためには、**債務者の責めに帰すべき事由（帰責事由）は不要**です。

テーマ 3
債権の保全

教科書　Section 2

ざっくり
テーマ3は こんな話

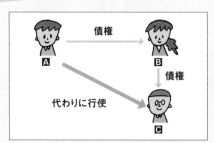

債務者の財産が減るのを防いで債権の保全を図るための手段として、債権者は債権者代位権、詐害行為取消権といわれる権利を行使することができます。その権利の内容を押さえましょう。

1　債権者代位権　　債務者に代わって権利行使ができる

1　債権者代位権とは?

　債務者が債務の弁済ができない状態にもかかわらず、自己の財産の保全（守ること）に熱心でない場合、債務者の責任財産（債務の弁済に充てられるべき財産）の保全を図るために、**債権者は債務者に属する権利**（被代位権利）**を代わって行使することができます**（423条）。これが**債権者代位権**です。

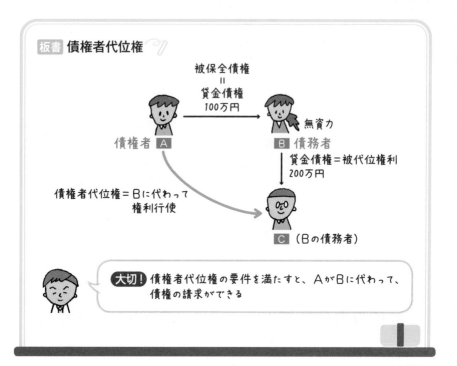

板書 債権者代位権

被保全債権
＝
貸金債権
100万円

債権者 A → B 債務者（無資力）

貸金債権＝被代位権利
200万円

債権者代位権＝Bに代わって
権利行使

C（Bの債務者）

大切！ 債権者代位権の要件を満たすと、AがBに代わって、債権の請求ができる

2 要件

❶ 債権保全の必要性

　債権者代位権の要件の1つとして、**債権保全の必要性**があります。

　これは、債務者が**無資力**であることを指します。無資力とは、債務者が債務超過状態にあり、債務の弁済が困難となっている状況のことです。

　債権者代位権を行使するためには、原則として、債務者が無資力であることが必要です。

被保全債権とは、債権者代位権の行使によって保全しよう（守ろう）としている債権のことであり、債権者代位権を行使しようとしている債権者の有している債権を指します。

❷ **債務者の「一身に専属する権利」および「差押えを禁じられた権利」でないこと**

債務者の「一身に専属する権利」および「差押えを禁じられた権利」については、代位権を行使することができません（423条1項ただし書）。

債務者の一身に専属する権利としては、遺留分侵害額請求権（1046条）、財産分与請求権（768条1項）などが該当するとされています。

❸ **債権が弁済期にあること**

債権者代位権を行使するためには、原則として被保全債権の弁済期が到来していることが必要です。

❹ **債務者が自ら権利行使をしていないこと**

債務者が自ら権利行使をしている場合には、たとえその方法が不適切であったとしても債権者代位権は行使できません。

3 行使方法

債権者代位権は、裁判上でも裁判外でも行使できます。

4 行使の範囲

債権者代位権を行使する債権者（代位債権者）は、自己の債権額の範囲においてのみ債務者の債権を代位行使することができます（423条の2）。

したがって、 板書 **債権者代位権**において、AのBに対する債権は100万円なので、BのCに対する200万円の債権全額の支払いを代位行使することはできません。代位行使によってCに支払いを求めることができるのは、あくまでもAの債権額（被保全債権の金額）の100万円に限定されます。

1 詐害行為取消権とは？

　債務者が債務の弁済ができない状態にもかかわらず、自己の財産を積極的に減少させる行為（契約等）をした場合、それによって**害される**（債権の弁済が受けられなくなる）**債権者がその行為**（＝詐害行為）**を取り消す**ことが認められています。これが**詐害行為取消権**です。

板書 詐害行為取消権

被保全債権
500万円

A 債権者 　　 B 債務者 　無資力

贈与 　土地 1000万円

C 受益者

大切！ 詐害行為取消権の要件を満たすと、AがBC間の法律行為（贈与）を取り消すことができる

2 要件

❶ 被保全債権が金銭債権であること

板書の500万円の債権が金銭債権であるということです。

❷ **債務者の行為が債権（被保全債権）の発生後にされたものであること**

たとえば、 板書 **詐害行為取消権**において、BのCに対する贈与が、AのBに対する債権の発生前にされたのであれば、債権者を害するとはいえないということです。

したがって、BのCに対する贈与がAのBに対する債権（被保全債権）の発生後にされたものであることが必要となります。

❸ **債権者を害する行為（詐害行為）であること**

債権者を害する法律行為というのは、**債務者が無資力**であること（もしくはこの行為により無資力となること）です。

❹ **財産権を目的としない行為でないこと**

財産権を目的としない行為は詐害行為取消権の対象となりません（424条2項）。

したがって、離婚による財産分与や相続の放棄などの身分行為は、原則として取消しの対象となりません。

ただし、離婚による財産分与が不相当に過大な場合には、詐害行為取消権の対象となります（判例）。

❺ **債務者および受益者が債権者を害することを知っていたこと**

詐害行為取消権を行使するためには、債務者および受益者が債権者を害することを知っていたこと（悪意）が必要です。

テーマ 4 債権譲渡
さいけんじょうと

ざっくり
テーマ4は こんな話

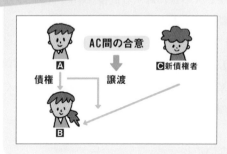

債権譲渡とは債権の売却のことと考えるとよいでしょう。債権譲渡についても対抗要件を備える必要があります。債務者に対する対抗要件と第三者に対する対抗要件を区別して理解していきましょう。

1 債権譲渡とは？
債権は譲渡（売却）できる

　債権は譲渡することが可能です（466条1項）。**債権譲渡**とは、**債権の内容を変えることなく契約によって債権を移転させること**をいいます。

　具体的には、AがBに対して有する100万円の金銭債権をCに移転するようなケースです。

　Aは弁済期まで待っていればBから100万円を受け取れるわけですが、弁済期より前に現金化したい場合があります。その場合、この債権をCに売るわけです。これを債権譲渡といいます。

対価については債務者Bの信用力や弁済期までどのくらいの期間があるかなどで変わっていくでしょう。

2 債権譲渡の対抗要件

何が対抗要件かを押さえる!

債権譲渡により新たに債権者となった譲受人が、自分が債権者であること を主張するためには、対抗要件を備える必要があります。

債務者に対する対抗要件は、①譲渡人（旧債権者）から債務者への「通知」、 または、②債務者の「承諾」です。

①の通知は、譲渡人が行う必要があります。一方、②の債務者の 承諾は、譲渡人・譲受人のどちらに対して行ってもかまいません。

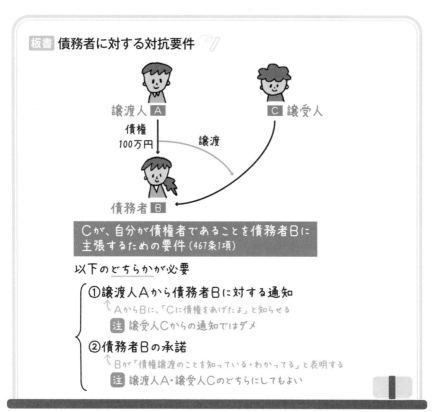

板書 債務者に対する対抗要件

譲渡人 A　　　　C 譲受人

債権
100万円　　譲渡

債務者 B

Cが、自分が債権者であることを債務者Bに 主張するための要件 (467条1項)

以下のどちらかが必要

①譲渡人Aから債務者Bに対する通知
　AからBに、「Cに債権をあげたよ」と知らせる
　注 譲受人Cからの通知ではダメ

②債務者Bの承諾
　Bが「債権譲渡のことを知っている・わかってる」と表明する
　注 譲渡人A・譲受人Cのどちらにしてもよい

※第三者に対する対抗要件は、①②の通知や承諾を「確定日付のある証書」 で行う必要があります。

テーマ 5　債権の消滅

ざっくり テーマ5は こんな話

お金のやり取りを
せずに済ませたい

債権100万円

債権100万円

債権の消滅にはいろいろな原因が
ありますが、その主なものは弁済
と相殺です。弁済は債務をその内
容どおりに履行することです。一
方、相殺は、お互いに債権を持っ
ている者の間で両債権を対等額で
消滅させる行為です。

1　弁済

第三者による弁済も可能

1 弁済とは?

　弁済とは、債務がその内容どおりに履行されることです。これにより債権
（債務）は消滅します。

　たとえば、AがBに10万円でパソコンを売却する契約を締結したとします。
すると、①AがBに対して10万円の代金債権を、②BがAに対してパソコ
ンの引渡しを求める引渡債権をそれぞれ有していることになります。

➡P.56板書参照

　この場合、BがAに10万円を支払うことは①についての弁済になりますし、
AがBにパソコンを引き渡すことは②に対する弁済になります。

2 第三者弁済

　第三者弁済とは、他人の債務を第三者が自己の名において弁済することで
す。本来、債務の弁済は債務者が行うものですが、原則として第三者による
弁済も認められています。ただし、第三者弁済が許されない場合もあります。

板書 第三者弁済の可否

債務者 （または債権者）の 意思に反するか ＼ 第三者弁済 をする人	正当な利益あり 例 物上保証人 ➡P.103参照	正当な利益なし 例 友人
反しない	できる	できる
反する	できる	できない

大切！ 弁済をするについて正当な利益を有しない者は、原則として、債務者（または債権者）の意思に反して弁済をすることができません

3 受領権者としての外観を有する者に対する弁済

　債権者ではない者に弁済をしても本来、有効な弁済とはなりません。

　しかし、受領権者としての外観を有する者に対して、弁済者が**善意・無過失**で弁済をした場合、その弁済は有効となります（478条）。

　受領権者としての外観を有する者とは、債権者（もしくは弁済を受領する権限を付与された者）ではないのに、社会通念上、債権者であるような外観を備えた者をいいます。たとえば、預金通帳と印鑑を盗んだ者や債権証書を盗んだ者などです。

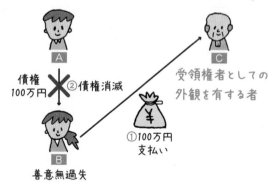

A

債権
100万円 ②債権消滅

C

受領権者としての
外観を有する者

B
善意無過失

①100万円
支払い

大切! 受領権者としての外観を有する者に対する弁済は、弁済者が善意かつ無過失の場合は、有効となる

2 相殺（そうさい）

相殺の要件を押さえておこう！

1 相殺とは？

　相殺とは、ある債権の債務者が債権者に対して、弁済期にある同種の債権を有する場合に、その**債権と債務を対当額（同じ金額）で消滅させる一方的な意思表示**のことです。

　相殺の場合、自働債権（じどう）と受働債権（じゅどう）という用語がとても大切になります。

　相殺によって対当額で消滅する債権のうち、相殺をする者が有している債権を**自働債権**、相殺をする者が負っている債務を**受働債権**といいます。

　相殺のルールは全て自働債権・受働債権という言葉を使って表現されますので、まずはこの言葉をきちんと理解して覚えることが先決です。

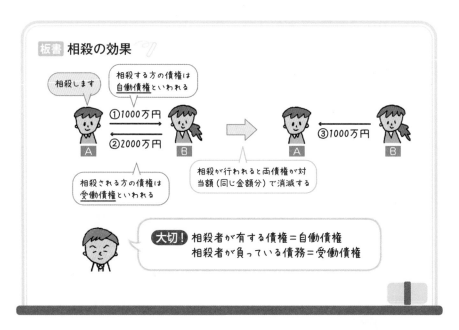

2 相殺の要件

① お互いに相手に対して債務を負担していること

> 図で表した時に債権債務の矢印が向かい合っているイメージです。
> A→B、A←Bとなっていることですね。

② 双方の債権が同種の目的を有すること

> 醤油、塩、灯油などの貸し借りがある場合はそれも相殺は可能です
> が、通常は、金銭債権が対象と思っておいていいでしょう。

③ 双方の債務が弁済期にあること

　条文（505条1項）では、「双方の債務が弁済期にあるとき」と規定さ
れています。しかし、受働債権は、相殺をしようとしている者にとって
債務です。債務者は原則として期限の利益（○月○日まで返さなくていいと

いう利益）を放棄できます。

　したがって、**自働債権が弁済期にあればよく、受働債権は必ずしも弁済期にあることを必要としません。**

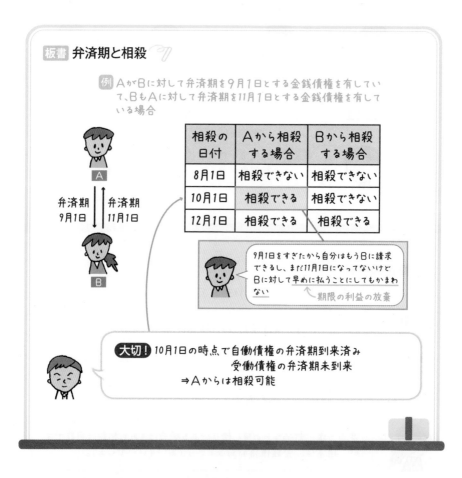

板書 弁済期と相殺

例　AがBに対して弁済期を9月1日とする金銭債権を有していて、BもAに対して弁済期を11月1日とする金銭債権を有している場合

相殺の日付	Aから相殺する場合	Bから相殺する場合
8月1日	相殺できない	相殺できない
10月1日	相殺できる	相殺できない
12月1日	相殺できる	相殺できる

弁済期 9月1日 ｜ 弁済期 11月1日

9月1日をすぎたから自分はもうBに請求できるし、まだ11月1日になってないけどBに対して早めに払うことにしてもかまわない
← 期限の利益の放棄

大切！ 10月1日の時点で自働債権の弁済期到来済み
受働債権の弁済期未到来
⇒Aからは相殺可能

④　両債務が性質上相殺を許す債務であること

　悪意による不法行為に基づく損害賠償の債務のように、相殺が制限される債権（債務）もあります。

多数当事者の債権債務関係

ざっくり
テーマ6は こんな話

債権者
債権 600万円

複数当事者が登場するケースとしては、債務者が複数いる連帯債務と保証人がいるケースが重要です。連帯債務については、どのような性質をもつ債務かを理解しましょう。保証については、保証人の負う責任の内容とそれが連帯保証になるとどう変わるかについて押さえておくことが大切です。

1 連帯債務   債務者それぞれが全額を支払う責任を負う

1 分割債権債務の原則

債務者（もしくは債権者）が複数いる場合、各債務者（各債権者）は分割された債務（債権）を負うことになるのが原則です（**分割債権債務の原則**）。

たとえば、ABの2人がXさんから共同で600万円のお金を借りたとします。特別の取決め（特約）がない限り、ABはそれぞれ2分の1（300万円）ずつの債務を負うことになります。

しかし、そうすると、Aが弁済能力を失った場合、たとえBが十分な財産を持っていたとしても、Bからは300万円しか返してもらえず、Aの負っていた300万円の債務は貸し倒れになってしまいます。

そこで連帯の特約が付されて「連帯債務」にすることが多くあります。

2 連帯債務とは？

連帯債務とは、複数の債務者が各自、全部の弁済をする責任を負うという

債務です。1人が弁済すれば、他の債務者は弁済しなくてよいことになります。

民法では分割債務になるのが原則ですから、連帯債務とするためには、当事者間でその旨の特約をしておく必要があります。

連帯債務の債権者から連帯債務者への履行の請求は、**連帯債務者の1人に全額の支払いを請求**することもできますし、**同時もしくは順次にすべての連帯債務者に対して全額の支払いを請求**することもできます（436条）。

たとえば、**1**のケースを連帯債務に替えて考えてみます。ＡＢの2人がＸさんから連帯の特約を付けて600万円のお金を借りたとします。

この場合、Ａ・Ｂはそれぞれ600万円全額の債務を負っています。

したがって、債権者としてはＡ1人に全額の支払いを求めてもいいし、同時にＡ・Ｂの2人それぞれに全額の支払請求をしてもかまいません。

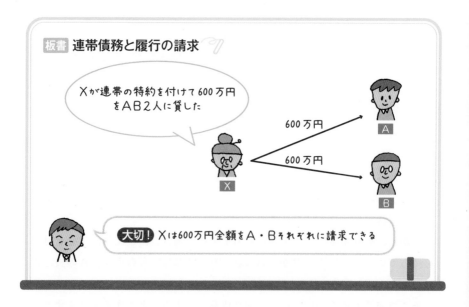

ただし、600万円×2人＝1200万円を受け取れるわけではありません。あくまでもＸが受け取れるのは合計で600万円です。

　請求を受けたＡが600万円全額をＸに支払った場合は、弁済によりＸが持っていた債権は消滅します。しかし、ＡはＢに対して**求償権**を行使することができます（442条1項）。

　求償権というのは、最終的に負担すべき者ではないにもかかわらず、支払い等をなした者が、本来の負担者に対して肩代わりした分の支払いを求める権利です。

　連帯債務において各債務者が本来負担すべき最終的な債務のことを**負担部分**といいます。特別な取決めがなければ、負担部分は均等となります。

　したがって、ここでは、Ａが300万円全額を支払っていますので、Ｂに対して、その負担部分300万円について求償権を行使することができます。

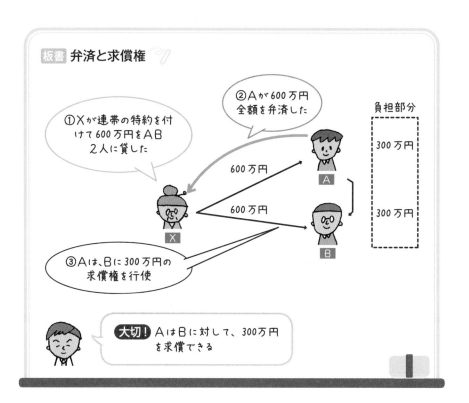

板書 弁済と求償権

①Ｘが連帯の特約を付けて600万円をＡＢ2人に貸した

②Ａが600万円全額を弁済した

負担部分

600万円

600万円

300万円

300万円

③Ａは、Ｂに300万円の求償権を行使

大切! ＡはＢに対して、300万円を求償できる

1 保証債務とは?

　主たる債務者が債務を履行しない場合に、**主たる債務者に代わって、保証人が履行の責任を負う債務を、保証債務**といいます（446条1項）。

　たとえば、A（主たる債務者）がB（債権者）から100万円を借りる際にCが保証人となったとします。AがBに対する弁済をしなかった場合、Cが100万円をBに弁済しなければならない責任を負います。

　このように、主たる債務者に代わって債務を肩代わりして履行する責任が保証人の責任（保証債務）です。

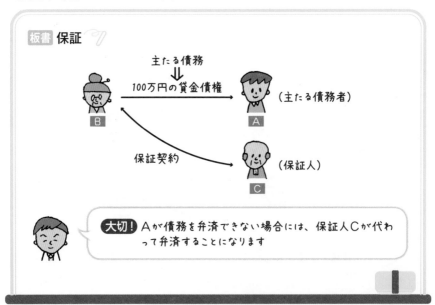

2 保証債務の成立

保証債務は、保証人と債権者との間の保証契約によって成立します。

保証契約は保証人に重い責任を生じさせますので、安易な保証契約をさせないようにするために、保証契約は**書面**でしなければ効力を生じないことになっています（446条2項）。

また、保証人は、主たる債務の元本だけでなく、そこから生じる利息、違約金、損害賠償など主たる債務から生ずるすべてのものを弁済しなければなりません（447条1項）。

3 保証債務の性質

保証債務には、①付従性、②随伴性、③補充性とよばれる性質があります。さらに、保証人が複数いる場合には、④分別の利益も生じます。

❶ 付従性

付従性とは、主たる債務が成立しなければ保証債務も成立しないし、主たる債務が消滅すれば保証債務も消滅するという性質です。

> たとえば、主たる債務が無効ということになれば、保証債務も発生しなかったことになりますし、主たる債務が弁済によって消滅すれば、自動的に保証債務も消滅します。

❷ 随伴性

随伴性とは、主たる債務に対応する債権が移転すると、保証債務もそれに伴って移転するという性質です。

主たる債務の債権者が、債権譲渡によって他の者にかわると、それに随伴して保証人は新しい債権者に対して保証債務を負うことになります。

❸ 補充性

補充性とは、保証人は主たる債務者がその債務を履行しない場合にはじめて履行すればよいという性質をいいます。

この補充性の表れとして、保証人には①催告の抗弁権、②検索の抗弁権と

いう2つの抗弁権が認められています。

① 催告の抗弁権

債権者が保証人に債務の履行を請求した場合に、保証人が、まず主たる債務者に催告をすべき旨を請求することができる権利です（452条）。

② 検索の抗弁権

債権者が主たる債務者に催告をした後であっても、保証人が、主たる債務者に弁済をする資力があり、かつ、執行が容易であることを証明したときは、債権者は、まず主たる債務者の財産について執行をしなければなりません（453条）。これを「検索の抗弁権」といいます。

❹ 分別の利益

保証人が複数いる場合、頭割りで分割した額しか保証債務を負わないことを分別の利益といいます。

3 連帯保証　　　　　　　　連帯保証人の責任は重い

連帯保証とは、保証人が主たる債務者と連帯して債務を負担する旨の合意をした保証のことであり、この場合の保証人を特に「連帯保証人」といいます。

つまり、保証契約に連帯する旨の特約がついた場合に、それを「連帯保証」といいます。連帯保証契約も保証契約の一種であることに変わりはありませんので、基本的な性格は保証契約の場合と同様です。

単なる保証と連帯保証の違いは、連帯保証には補充性がないことです。そのため、連帯保証人には催告の抗弁権・検索の抗弁権が認められていません。

したがって、債権者は、いきなり連帯保証人に支払いを求めることも可能です。

さらに、分別の利益もありません。したがって、連帯保証人は、複数いたとしても債務の全額について責任を負うことになります。

テーマ 7 契約総論

教科書 Section 6

ざっくり
テーマ7は こんな話

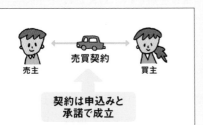

売買契約

売主　買主

契約は申込みと
承諾で成立

契約総論では、各契約の類型に共通の規定が登場します。双務契約に共通して適用される同時履行の抗弁権や危険負担について学習していきましょう。

1 契約の分類

3つの観点からの分類がある

1 諸成契約と要物契約

諸成契約とは、当事者の意思表示の合致だけで成立する契約をいいます。

要物契約とは、当事者の意思表示の合致のほかに、物の引渡し等の給付をすることを成立要件とする契約をいいます。

2 双務契約と片務契約

双務契約とは、契約の当事者が互いに対価的な債務を負っている契約をいいます。

双務契約には、同時履行の抗弁権、危険負担の規定が適用されます。

片務契約とは、一方の当事者のみが債務を負うなど互いに対価的債務を負わない契約をいいます。

3 有償契約と無償契約

有償契約とは、契約当事者が互いに対価的給付を行う契約をいいます。

無償契約とは、契約当事者が互いに対価的給付を行わない契約をいいます。

> 基本的には、双務契約＝有償契約と覚えて〇Kです。

2 同時履行の抗弁権 　相手が履行するまで自分も履行を拒める

双務契約（売買契約、賃貸借契約、請負契約等）の当事者の一方は、相手方がその債務の履行を提供するまでは、自己の債務の履行を拒むことができます（533条）。これを**同時履行の抗弁権**といいます。

たとえば、「AがBに200万円で車を売却する契約」が締結され、BがAに対して代金の支払いをしないまま、車の引渡しを請求してきた場合（双方の債権ともに弁済期は到来している）、AはBに対して「代金の支払いをしてくれるまでは車は引き渡しません！」という主張することができます。これは、双務契約における当事者間の公平を図るために認められているものです。

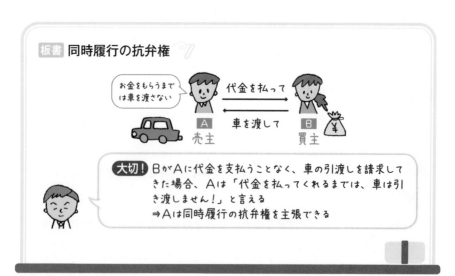

板書 **同時履行の抗弁権**

お金をもらうまでは車を渡さない

代金を払って

車を渡して

A 売主　　B 買主

大切！ BがAに代金を支払うことなく、車の引渡しを請求してきた場合、Aは「代金を払ってくれるまでは、車は引き渡しません！」と言える
⇒Aは同時履行の抗弁権を主張できる

3 危険負担

自然災害によるリスクをどちらが負うか

　双務契約から生じた債務が**債務者の責任ではない理由**によって滅失または損傷した場合には、そのリスクを債権者と債務者のどちらが負担すべきかといったことが問題となります。これを**危険負担**の問題といいます。

　原則、危険は債務者が負担します（債務者主義）。したがって、当事者双方の責任とすることができない事由によって債務の履行をすることができなくなったときは、債権者は反対給付の履行を拒むことができます（536条1項）。

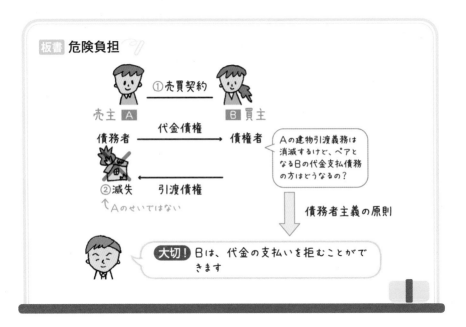

契約各論

ざっくり テーマ8は こんな話

賃料を払って

賃貸借契約

建物を使用させて

賃貸人 — 賃借人

契約各論では、個別の契約に特有のルールを見ていきます。重要度が高い契約類型は売買契約と賃貸借契約です。次に、請負契約と委任契約が重要になります。

1 売買契約

売主・買主それぞれの責任を押さえよう

1 売主の義務と買主の義務

売買契約が成立すると、売主には買主に対して売買の目的物を移転する義務、買主は売主に対して代金を支払う義務を負うことになります（555条）。

さらに、売主には、買主に対して登記等の売買の目的物の権利を移転するために必要な対抗要件を備えさせる義務が課されています（560条）。

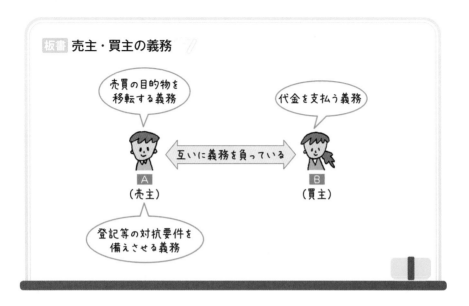

板書 売主・買主の義務

売買の目的物を
移転する義務

代金を支払う義務

互いに義務を負っている

Ⓐ
（売主）

Ⓑ
（買主）

登記等の対抗要件を
備えさせる義務

2 売買の目的物の種類・品質・数量に関する契約不適合がある場合

売主は、買主に対して、売買契約に基づき、種類・品質・数量に関して契約の内容に適合した物を給付すべき義務を負っています。したがって、給付された物が種類・品質・数量に関して契約の内容に適合しない物であった場合（契約不適合の場合）、売主は契約上の義務違反＝債務不履行となります。

この場合、買主は、売主に対して、債務不履行の一般規定に基づき救済を求めることができます。具体的には**損害賠償請求権**（415条）➡P.110参照、**解除権**（541条・542条）➡P.110参照 を行使できます。さらに、売買契約においては、個別に**追完請求権**の規定（562条）、**代金減額請求権**（563条）の規定が置かれています。

3 買主の追完請求権

追完請求とは、目的物の修補、代替物の引渡し、または不足分の引渡しを求めることです。

買主は、売主に対して、給付された物が種類・品質・数量に関して契約の内容に適合しない物であった場合（契約不適合の場合）、目的物の契約不適合

が「売主の責めに帰すべき事由」によるものであるか否かにかかわらず、この追完請求権を行使することができます（562条1項）。

　ただし、目的物の契約不適合が「買主の責めに帰すべき事由」によるものである場合は、追完請求権を行使することができません（562条2項）。

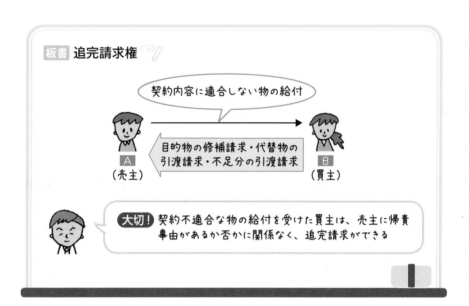

4 買主の代金減額請求権

　給付された物が種類・品質・数量に関して契約の内容に適合しない物であった場合（契約不適合の場合）、買主は、一定の要件を満たしたときに、売主に対して、**代金の減額を請求**することができます（563条1項）。

2 賃貸借契約

たとえば家賃を支払って部屋を借りる話

1 賃貸借契約とは?

　賃貸借契約とは、当事者の一方（賃貸人）がある物の使用及び収益を相手方にさせることを約束し、相手方（賃借人）がこれに対してその賃料を支払うことおよび引渡しを受けた物を契約が終了したときに返還することを約束する契約（双務・有償・諾成契約）です（601条）。

　賃貸借契約は双務契約ですから、契約の両当事者それぞれに義務（一方にとっては権利）が発生します。

　中心的な義務は、賃貸人が目的物を使用収益をさせる義務（賃借人にとっては使用収益権）と賃借人の賃料支払義務（賃貸人にとっては賃料請求権）です。

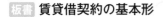

板書 賃貸借契約の基本形

賃貸人 A

賃料を払って
建物を使用させて

B 賃借人

2 賃貸人・賃借人の義務

賃貸人の義務	賃借人の義務
①目的物の使用収益をさせる義務 ②目的物の修繕義務 ③費用償還義務（必要費・有益費）	①賃料を支払う義務 ②用法遵守義務 ③善管注意義務 ④返還義務

　なお、敷金（賃料債務等を担保するために賃借人から賃貸人に交付される金銭）が交付されている場合、賃貸人は、賃貸借契約が終了し、明渡しがされた後に、延滞賃料や損害賠償債務を差し引いた残額を賃借人に返還する義務を負います（622条の2）。

3 請負契約

たとえば大工さんに家を建ててもらう話

請負契約とは、当事者の一方がある仕事を完成することを約束し、相手方がその仕事の結果に対して報酬を支払うことを約束することによって成立する契約（双務・有償・諾成契約）です（632条）。

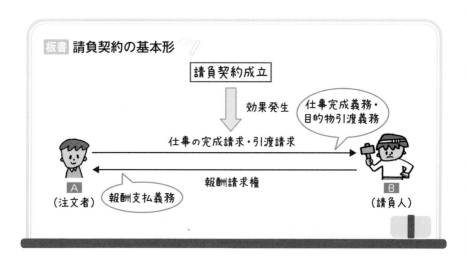

板書 請負契約の基本形

請負契約成立

効果発生

仕事完成義務・目的物引渡義務

仕事の完成請求・引渡請求

報酬請求権

報酬支払義務

A（注文者）

B（請負人）

請負人には、依頼された仕事の完成義務、（目的物の引渡しが必要な場合は）目的物の引渡義務が生じます。一方、注文者には、報酬の支払義務が生じます。

4 委任契約

報酬支払いの約束がなければ支払いなし

委任契約とは、当事者の一方が法律行為をすることを相手方に委託し、相手方がこれを承諾することによって成立する契約（諾成契約）です。

当然に報酬支払義務が発生するわけではなく報酬の特約があって報酬支払義務が生じます。

なお、委任契約は法律行為（契約など）の事務を委託することを指し、事実行為（建物の管理など）の委託は準委任契約といいます。

テーマ 9 契約以外の債権発生原因

ざっくり
テーマ9は こんな話

教科書　Section 8

加害行為　損害発生
加害者　被害者
損害賠償請求

ここまでは契約を前提にそこから生じる債権・債務についてのルールを見てきました。しかし、契約に基づかずに債権・債務関係が発生する場合もあります。それが、不法行為などです。

1 不法行為

ふほうこうい
損害賠償の根拠は多くの場合でコレ

1 不法行為とは？

　たとえばAが脇見運転をしていて歩行者のBをはねてしまった結果、Bが怪我をした場合、被害者Bは加害者Aに対して入院費等の損害の賠償を請求できます。この根拠になる規定が**不法行為**制度です。

　不法行為制度の趣旨は、①被害者の救済を図ること、②損害の公平な分担を図ること、③将来的に不法行為の抑止を図っていくこと、にあるとされています。

　不法行為の制度は、**一般的不法行為**と**特殊的不法行為**に分けられます。

2 一般的不法行為（709条）

　一般的不法行為は、**加害者の故意または過失による行為を原因として被害者に損害が生じた場合に、加害者自らが損害賠償責任を負う**ものです。

　先ほどの交通事故の事例は、この規定を根拠に被害者が加害者に損害賠償請求をすることになります。

損害賠償請求が認められるためには、次の要件を満たす必要があります。

【一般的不法行為の要件】

① 加害者に故意または過失があること

② 加害者に責任能力があること

③ 権利または法律上保護された利益の侵害があること

④ 損害が発生すること

⑤ 行為と損害との間に因果関係があること

⑥ 加害行為が違法なものであること

3 特殊的不法行為

❶ 監督義務者の責任（714条）

直接の加害者が責任能力のない者であるため損害賠償責任を負わない場合に、その者を監督すべき法定の義務を負う者（監督義務者）に生じる責任です。

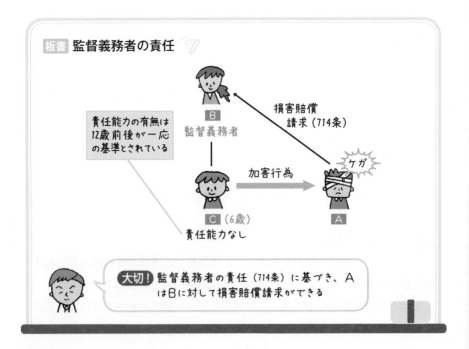

板書 **監督義務者の責任**

責任能力の有無は
12歳前後が一応
の基準とされている

B
監督義務者

損害賠償
請求（714条）

ケガ

加害行為

A

C（6歳）
責任能力なし

大切！ 監督義務者の責任（714条）に基づき、Aは B に対して損害賠償請求ができる

❷ 使用者責任（715条）

　人を雇って事業を行っている者は、雇っている者が事業の執行について起こした損害の賠償責任を負います。これが「使用者責任」といわれる雇主・会社側に生じる責任（715条）です。

　なお、このとき、雇われている者を「被用者」、雇っている者を「使用者」といいます。

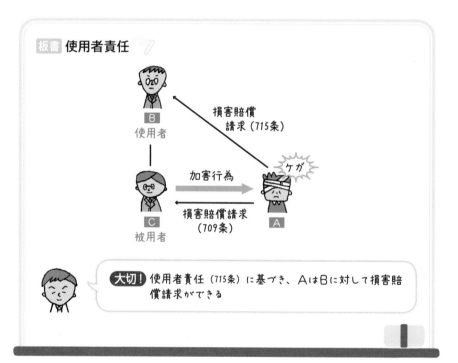

板書 **使用者責任**

B 使用者 → 損害賠償請求（715条）

加害行為

C 被用者 → 損害賠償請求（709条）

ケガ A

大切！ 使用者責任（715条）に基づき、AはBに対して損害賠償請求ができる

2　不当利得（ふ とう り とく）

不当な利益は返還しないといけない

　法律上の原因がないのに他人の財産または労務によって利益を受け、そのために他人に損失を及ぼした者（受益者）は、その利得を返還する義務を負います（703・704条）。

　たとえば、AがBの口座に振り込むつもりにもかかわらず、間違えてCの

口座に振り込んでしまったとします。その場合、AはCに対して不当利得に基づく振込金の返還を請求できます。

不当利得の成立要件は次のようになります。

【不当利得の要件】

① 他人の財産または労務によって利益を受けたこと（受益）。

② 他人に損失が生じていること（損失）。

③ 受益と損失の間に因果関係があること。

④ 法律上の原因がないこと。

不当利得が成立すると、受益者は不当利得として受け取った利益などを返還する義務を負います。その返還の範囲は次のようになります。

【不当利得の返還の範囲（効果）】

受益者	返還義務
善意	現に利益を受けている限度（現存する利益）
悪意	受け取った利益＋利息＋（損害がある場合）損害賠償

CHAPTER 3 債権 過去問チェック！

問1 テーマ3 **1**

債権者は、自己の債権を保全するためであれば、債務者の一身に専属する権利であっても債権者代位権を行使することができる。(H3−29−2)

問2 テーマ3 **2**

離婚における財産分与は、身分行為にともなうものではあるが、財産権を目的とする法律行為であるから、財産分与が配偶者の生活維持のためやむをえないと認められるなど特段の事情がない限り、詐害行為取消権の対象となる。(H25−30−3)

問3 テーマ5 **2**

AがBに対して平成20年5月5日を弁済期とする300万円の売掛代金債権を有し、BがAに対して平成20年7月1日を弁済期とする400万円の貸金債権を有している。この場合に、平成20年5月10日にAがBに対してする相殺は、効力が生じる。(H20−34−ア)

問4 テーマ6 **1**

連帯債務者の一人が債務を弁済しても、その連帯債務者は、他の連帯債務者に対してそれぞれの負担部分に応じた求償をすることはできない。(H8−29−4)

問5 テーマ6 **2** **3**

AはBから1000万円借り受け、Aの依頼によってCおよびDがこの債務について連帯保証人となった。この債務の弁済期到来後、Bが、主債務者Aに請求しないでいきなりCに1000万円弁済せよと請求してきた場合、CはBに対してまずAに請求せよと抗弁することができる。(H13−29−1)

問6 テーマ7 **2**

同時履行の抗弁権は、公平の観点から認められ、間接的に相手方の債務の履行を促す機能を果たす。(H11−31−1)

飲食店の店員が出前に自転車で行く途中で他の自転車の運転手と口論となり、ついには同人に暴力行為を働いてしまった場合には、事業の執行につき加えた損害に該当せず、店員の使用者は、使用者責任を負わない。(H21-34-3)

解答

問1　×　債務者の一身に専属する権利は、債権者代位権の対象とはならない（423条1項ただし書）。

問2　×　離婚に伴う財産分与は、原則として詐害行為取消権の対象とならない（判例）。

問3　○　自働債権が弁済期にあれば、受働債権が弁済期になくとも相殺は可能である。したがって、Aは相殺可能であり、相殺の効力が生じる。

問4　×　債務の弁済をした連帯債務者は、他の連帯債務者に対して、それぞれの負担部分に応じた求償をすることができる（442条1項）。

問5　×　連帯保証人には催告の抗弁権が認められない（454条、452条）ので、CはBに対して、まずAに請求せよと抗弁することはできない。

問6　○　同時履行の抗弁権は、公平の観点から認められている。

問7　×　本ケースも「事業の執行について」第三者に加えた損害であるといえる（判例）ので、使用者は使用者責任（715条）を負う。

親族

テーマ1は こんな話

教科書　Section 1

ここでは、夫婦関係や親子関係についての規定を勉強します。夫婦関係では、婚姻・離婚のルールを見ていきます。親子関係では嫡出子・非嫡出子の区別、普通養子・特別養子の違いについて押さえておきましょう。

1 夫婦関係

まずは婚姻の要件を押さえよう！

1 婚姻 (こんいん)

婚姻には届出（婚姻届の提出）が必要です（739条）。また、**婚姻意思の合致**も婚姻の要件になります。

これらが欠けた場合、婚姻は無効となります。

この場合の「婚姻意思」とは、届出をする意思だけでなく、実質的な夫婦関係を設定する意思（実質的婚姻意思）が必要とされています。いわゆる在留資格を得るために行われる偽装結婚は無効ということですね。離婚意思については届出意思（形式的意思）だけでOKとされているので注意しましょう。

さらに、婚姻には取消しの対象になる要件（婚姻障害）もあります。

次の表の①〜③が満たされていない場合、婚姻の取消原因になります。

満たされていなければ婚姻届は受理されないはずなので、取消しという話になるのは、間違って受理されてしまった場合ということになります。

板書 婚姻の要件

要件		要件が欠けた場合
婚姻の届出		無効
婚姻意思の合致		無効
婚姻障害がないこと	①婚姻適齢（18歳）であること	原則：取消可能
		例外：適齢に達した後は取消不可
	②重婚でないこと	取消可能
	③近親婚でないこと	取消可能

改正により、婚姻適齢が男女共に18歳に統一されました。

2 離婚

　夫婦は、協議によって離婚できます（協議離婚：763条）。離婚意思の合致と届出によって効力を生じます。

　法定の原因がある場合には、夫婦の一方は離婚の訴えを提起することができます（770条1項）。その場合は、判決の確定によって効力を生じます（裁判離婚）。

　法定の離婚事由は、①不貞行為、②悪意の遺棄、③3年以上の生死不明、④回復の見込みがない強度の精神病、⑤その他婚姻を継続し難い重大な事由があることです。

2 親子関係

実子と養子についての規定がある

1 実子

❶ 実子の種類

　実子には、**嫡出子**と**非嫡出子**の区別があります。

　嫡出子とは、婚姻関係にある男女間に生まれた子です。一方、**非嫡出子**とは、婚姻関係のない男女間に生まれた子です。

❷ 嫡出推定

　妻が**婚姻中に懐胎**した子および**婚姻中に出生**した子は、**夫の子と推定**されます。しかし、いつ懐胎したのかという判断は難しいので、さらに推定規定が置かれています。

　婚姻成立（結婚）時より**200日を経過した後**、または婚姻の**解消・取消し**（離婚等）の日から**300日以内**に生まれた子は、原則として、婚姻中に懐胎したもの（夫の子）と推定されます。

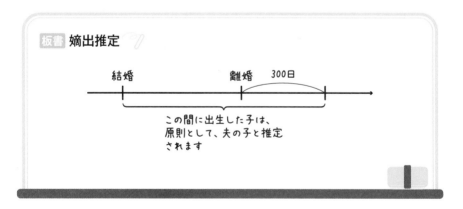

板書 嫡出推定

結婚　　　　　　　離婚　　300日

この間に出生した子は、
原則として、夫の子と推定
されます

嫡出子の場合、嫡出否認の訴えによって子が嫡出であることを否認することができます（775条）。
非嫡出子の場合、親子関係不存在確認の訴えによって父子関係の存在しないことの確認を求めることができます。

❸ 認知

　子が非嫡出子の場合、父との間に法律上の親子関係を発生させるためには**認知**が必要です（779条）。

　認知は、戸籍法の定めるところにより、届け出ることによってすることができます。また、遺言によって行うこともできます（781条）。

2 養子

　養子制度には**普通養子**と**特別養子**の2つの制度があります。

　普通養子の場合、養子縁組の意思の合致と届出が必要であり、これらが欠けている場合、縁組は無効です（802条）。

　普通養子は、養親が20歳以上であること（792条）や養子が養親の尊属（自分より上の世代の親族）または年長者でないこと（793条）などの要件は満たさなければなりませんが、養子となる者の年齢等の制約はなく、様々な目的で養子縁組をすることができます。

　一方、**特別養子**は、未成年者を養子にして自分の子供として育てていくための制度です。したがって、養親には夫婦でなる必要があります。また、養子であることを、戸籍を見ただけでは分からない仕組みが導入されています。

テーマ
2
相続

ざっくり
テーマ2は こんな話

教科書　Section 2

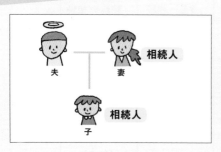

人が亡くなった場合、その財産は遺族が承継することになります。これを相続といいます。死亡した人を被相続人、相続する人を相続人といいます。ここでは、その相続人の範囲や法定相続分について見ていきます。相続をしない選択（＝相続の放棄）も可能です。

1　相続

法定相続のルールを押さえよう！

1　相続人と法定相続分

　被相続人（死亡した人）の配偶者は常に相続人（相続する人）になります（890条）。

　配偶者を除く相続人（血族相続人）は、①子、②直系尊属、③兄弟姉妹の順で相続人になります（887条1項、889条1項）。

> 直系尊属とは、自分の父母、祖父母など自分より上の世代の直系親族のことです。

　先順位の者がいる場合には、後順位の者は相続人にはなれません。

　したがって、血族相続人の先順位の者と配偶者が、相続人として次の相続分に応じて相続することになります。

法定相続分

	①子がいる場合 →配偶者と子が相続	②子がいない場合 →配偶者と直系尊属が相続	③子も直系尊属もいない場合 →配偶者と兄弟姉妹が相続
配偶者の相続分	2分の1	3分の2	4分の3
子の相続分	2分の1	–	–
直系尊属の相続分	–	3分の1	–
兄弟姉妹の相続分	–	–	4分の1

同順位に複数いる場合は、原則として均等相続になります。

よくある基本的なケースで考えてみましょう。

Aが1億円の相続財産を残して亡くなりました。Aの家族は、配偶者BとBとの子CとDであり、Aの両親はすでに亡くなっていますが、Aの兄Eがいるというケースです。

それぞれの相続分はいくらになるでしょう？

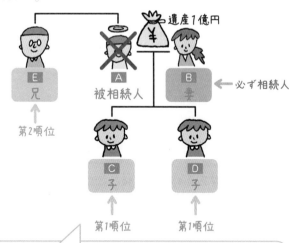

板書 相続分の計算

遺産1億円

E 兄 ← 第2順位

A 被相続人

B 妻 ← 必ず相続人

C 子 ← 第1順位

D 子 ← 第1順位

第1順位の相続人である子がいるので、兄弟姉妹Eは相続人になりません。
相続人は、配偶者Bと子C・Dの3人です。
相続分は、配偶者2分の1（5000万）、子が2人合計で2分の1
（5000万）となり、CDは均等で分けることになります。
したがって、Bが5000万円、CDがともに2500万円ずつ相続することになります。

民法

CH4
親族・相続

2 相続資格の喪失（そうしつ）

❶ 相続欠格（けっかく）（891条）

（a）故意に被相続人や相続について先順位・同順位にある者を死亡するに至らせ、また至らせようとしたため刑に処せられた相続人や（b）遺言書を偽造（ぎぞう）、変造（へんぞう）、破棄（はき）、隠匿（いんとく）した相続人などの相続権を失わせる制度です。

❷ 推定相続人の廃除（はいじょ）（892条〜895条）

遺留分を有する推定相続人（相続が開始した場合に相続人になるべき者）が、被相続人に虐待または重大な侮辱を加えたときや推定相続人に著しい非行があったときに、被相続人はその相続人の廃除を家庭裁判所に請求することができます（892条）。

廃除の対象となるのは、遺留分を有する推定相続人です。（遺留分というのは相続財産の中から、必ず相続人に残さなければならない一定割合の財産のことであり、子・配偶者・直系尊属に認められています）、したがって、遺留分を有しない兄弟姉妹は、廃除の対象にはなりません。

3 代襲相続
だいしゅう

代襲相続とは、相続開始以前に、相続人である子（または兄弟姉妹）が**死亡、欠格、廃除**によって相続権を失っている場合に、その**相続人の子**（あるいは孫）が代わりに相続する制度です（887条2項、889条2項）。

代襲原因は死亡、欠格、廃除の3つに限定されています。相続放棄の場合は、代襲相続は認められませんので注意しましょう。

代襲相続人は、被代襲者（死亡した者、欠格事由に該当した者、廃除された者）の相続分を受け取ることになるので、代襲相続人となる者が複数いる場合には、法定相続の規定（900条）に従って相続分が定まることになります。

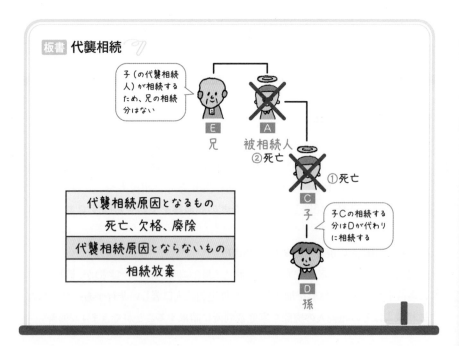

板書 代襲相続

子（の代襲相続人）が相続するため、兄の相続分はない

E 兄

A 被相続人 ②死亡

①死亡

C 子

子Cの相続する分はDが代わりに相続する

代襲相続原因となるもの
死亡、欠格、廃除
代襲相続原因とならないもの
相続放棄

D 孫

4 相続の承認・放棄

❶ 単純承認

　相続するか否かは強制ではありませんので、相続しない（＝放棄）という選択も可能です。選択肢としては、**単純承認、限定承認、放棄**の３種類があります。

　単純承認とは、相続開始による包括承継の効果をそのまま確定させる行為です。相続人が単純承認をすると、相続人は被相続人の権利義務を無限に承継することになります。

　相続人が自己のために相続の開始があったことを知った時から３か月以内（熟慮期間内）に限定承認または相続の放棄をしなかったときは単純承認をしたものと扱われます。

> したがって、放棄や限定承認をしたい場合は、その期間内にする必要があります。

❷ 限定承認（922条〜937条）

　限定承認とは、相続人が、相続で得た財産の限度で被相続人の債務および遺贈の弁済をするという留保つきで相続の承認をすることをいいます（922条）。

　限定承認は、相続を放棄した者を除き**共同相続人全員**でしなければなりません（923条）。

　また、相続人が自己のために**相続の開始があったことを知った時から３か月以内**（熟慮期間内）に家庭裁判所に限定承認をする旨の申述をしなければなりません（924条）。

❸ 相続の放棄（938条〜940条）

　相続の放棄とは、相続の開始によって生じた包括承継の効果の消滅を欲する意思表示のことです。これにより相続放棄をした相続人は、初めから相続人とならなかったものとみなされます（939条）。

　相続人が自己のために**相続の開始があったことを知った時から３か月以内**（熟慮期間内）に家庭裁判所に放棄をする旨の申述をしなければなりません（938条）。

1 遺言の方式

遺言とは、自分が死んだ後の財産の行方に関する意思を残し、遺言者の死後、それに即した法的効果を与える法技術です。

遺言の方式（普通方式）としては、①自筆証書遺言、②公正証書遺言、③秘密証書遺言の3種類があります（967条本文）。

板書 **遺言の方式**

	自筆証書遺言	公正証書遺言	秘密証書遺言
作成	遺言者が、遺言の全文、日付、氏名を自書して、押印する	遺言者が公証人に口授して、公証人が筆記する	遺言書に署名押印して封印し、公証人が日付等を記入する
証人	不要	2人以上	2人以上

2 遺言能力

15歳以上の者は単独で遺言をすることができます（961条）。

また、成年被後見人も事理を弁識する能力を一時回復した場合には、医師2人以上の立会いがあれば遺言をすることは可能です（973条1項）。

3 遺言の効力

遺言は、遺言者が死亡した時から効力を生じます（985条1項）。

遺言は、いつでも、遺言の方式に従って、その遺言の全部または一部を撤回することができます（1022条）。遺言者は、遺言を撤回する権利を放棄することはできません（1026条）。

CHAPTER 4　親族・相続　過去問チェック！

問1　テーマ1 1

婚姻の届出が単に子に嫡出子としての地位を得させるための便法として仮託されたものにすぎないときでも、婚姻の届出自体については当事者間に意思の合致があれば、婚姻は効力を生じ得る。(H16−29−5)

問2　テーマ2 1

（Aの死亡時には、配偶者B、Bとの間の子CおよびAの母Dがいるものとして）Cが相続の放棄をした場合において、Cに子Fがいるときには、Aを相続するのはBだけでなく、FもCを代襲してAの相続人となる。(H19−35−オ)

問3　テーマ2 1

相続欠格においては、その対象者となりうるのは全ての推定相続人であるが、相続人の廃除においては、その対象者となるのは遺留分を有する推定相続人に限られる。(H21−35−ア)

解答

問1　×　婚姻には実質的婚姻意思が必要であり、婚姻の届出自体については意思の合致があっても、他の目的を達するための便法として行われたにすぎないときは、婚姻の効力は生じない（判例）。

問2　×　相続放棄は代襲原因ではない（887条2項参照）ので、FはCを代襲してAの相続人とはならない。

問3　○　相続欠格はすべての推定相続人が対象となり得る（891条）。一方、相続人の廃除の対象は、遺留分を有する推定相続人に限られる（892条）。

第3編
行政法

行政法とは？

ここでは、①行政法の特徴、②行政法の分類について説明していきます。

行政法は、行政にかかわるいろいろな内容を含む膨大な法の体系です。

したがって、行政法の具体的な内容について学習する前に、その全体像についてイメージをもっておくことは大切です。

ざっと読んでイメージをつかんでから、具体的な内容に入っていくと効率的に学習できます。

1 行政法の特徴　　　　　行政法という名前の法律は存在しない

1 行政法とは？

憲法や民法などと異なり、「行政法」という名前のついた法律（法規範）は存在しません。

「行政法」とは、いわば学問名、総称にすぎず、「行政権にかかわる法律」を全部まとめて表現するときに使われる言葉です。

実際に存在するのは、行政手続法、行政不服審査法、行政事件訴訟法といった名称がつけられた膨大な数の法律です。

2 行政権とは？

行政権とは、国家権力作用の中から立法と司法を除いた作用を指すとされています（控除説）。 ➡P.40参照

とすると、行政の範囲に含まれる内容は膨大なものになるのは想像できますね。

国や地方公共団体は、社会の中で大きな役割を担っています。その多くが行政の作用であり、日本の法律の多くは「行政権にかかわる法律」＝「行政法」ということになります。そのため、その数は数え方にもよりますが、

1,000を超えるともいわれています。

3 試験科目としての「行政法」

　学問名としての「行政法」は、膨大な内容を含む法の体系ですが、それらのすべてが試験で出題されるわけではありません。

　したがって、「行政法」に属する内容・法の中で、①行政法全体に共通するルールや概念を理論化した「法理論」といわれる分野と、②行政手続法や行政事件訴訟法のような一般性の強い法律が出題の対象になっています。

 個別の分野（たとえば特定の業種など）を対象とする行政法規（いわゆる業法など）は出題の対象になっていません。ただ、問題文の中で使われることはあります。

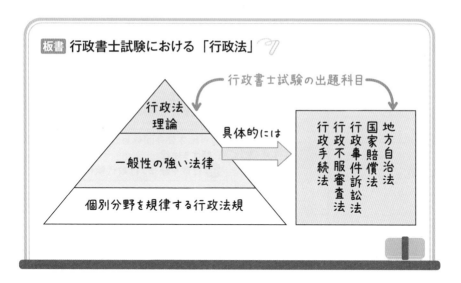

板書 行政書士試験における「行政法」

行政書士試験の出題科目

- 行政法理論 → 具体的には → 地方自治法／国家賠償法／行政事件訴訟法／行政不服審査法／行政手続法
- 一般性の強い法律
- 個別分野を規律する行政法規

① 「法理論」とは、「行政法の一般的な法理論」といわれ、学説と判例で形成されてきた行政法全体に共通するルールです。ここでは学説によって整理されてきた概念や用語の意味について学んでいくことになります。

　「法理論」では、具体的な条文が存在しない領域ということもあって、その形成過程では判例も大きな役割を果たしていますので、判例も重要

です。

② 「一般性の強い法律」として行政書士試験で出題の対象となるのは、適用対象が特定の分野や業界に限定されない内容をもった、（a）行政手続法、（b）行政不服審査法、（c）行政事件訴訟法、（d）国家賠償法、（e）地方自治法です。

2 行政法の分類　大きく3つに区分できる

行政法は膨大な内容をもった法の体系です。そこで、その規定対象に着目して、①行政組織法、②行政作用法、③行政救済法の3つに大きく区分されます。

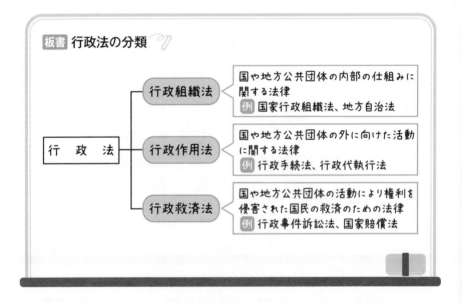

板書 行政法の分類

行政法
- 行政組織法 —— 国や地方公共団体の内部の仕組みに関する法律　例 国家行政組織法、地方自治法
- 行政作用法 —— 国や地方公共団体の外に向けた活動に関する法律　例 行政手続法、行政代執行法
- 行政救済法 —— 国や地方公共団体の活動により権利を侵害された国民の救済のための法律　例 行政事件訴訟法、国家賠償法

「法理論」と呼ばれる分野は、この3分類でいうと、行政組織法と行政作用法にまたがった内容になります。

また、複数の分野にまたがる法律もあります。たとえば、地方自治法は地方公共団体の組織について規定する部分が多いので行政組織法の例として挙

げていますが、行政作用法に該当する規定や行政救済法に該当する規定も含む多岐にわたる内容を規定した法律です。

板書 行政法の全体像

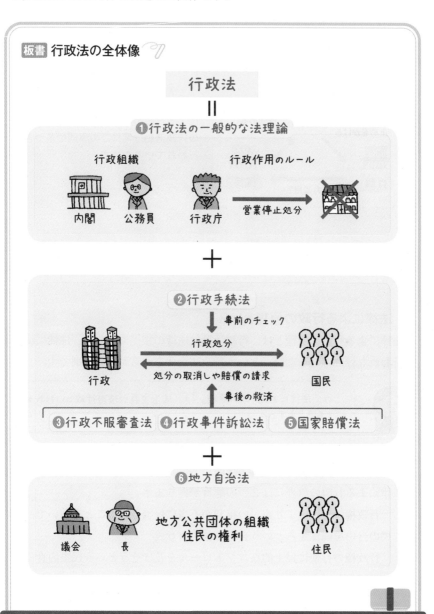

行政法
＝

❶行政法の一般的な法理論

行政組織

内閣　公務員

行政作用のルール

行政庁　営業停止処分

＋

❷行政手続法

事前のチェック

行政処分

処分の取消しや賠償の請求

事後の救済

行政　国民

❸行政不服審査法　❹行政事件訴訟法　❺国家賠償法

＋

❻地方自治法

地方公共団体の組織
住民の権利

議会　長　住民

行政法の基本原則

ざっくり
テーマ1は こんな話

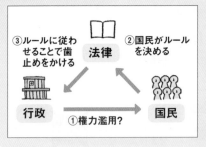

③ルールに従わせることで歯止めをかける
② 国民がルールを決める
法律
行政
①権力濫用?
国民

行政法全体をつらぬく大きな原則があります。それは、行政法体系の頂上にキラキラと輝く大原則＝「法律による行政の原理」です！ すべての行政活動は常にこの原則に基づき行われているのです。

1 法律による行政の原理
　行政活動はすべて法律に従う

1 法律による行政の原理とは?

　法律による行政の原理とは、行政活動は法律の根拠に基づき、法律に従って行われなければならない、という行政法全体をつらぬく大原則です。

この「法律による行政の原理」は、法治主義や法治行政といわれることもあります。

2 法律による行政の原理の趣旨

法律による行政の原理には2つの趣旨があります。
① 行政権の濫用により市民の権利が不当に侵害されることを防いで、国民の自由を確保するという自由主義的な意義
② 行政権の行使に民主的なコントロールを及ぼそうという民主的責任行政の確保という意義

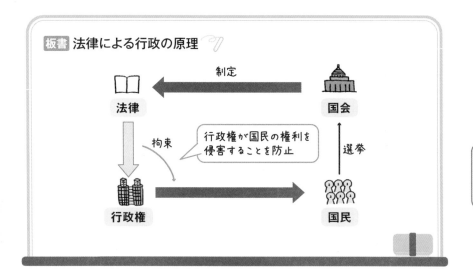

3 法律による行政の原理の具体的内容

　法律による行政の原理はとても重要な原理ですが、その内容は抽象的です。そこで、それを具体化するものとして３つの派生的な原則があります。

　それは、①**法律の優位の原則**、②**法律の留保の原則**、③**法律の法規創造力の原則**の３つの原則です。

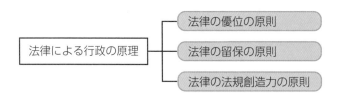

❶ 法律の優位の原則

　法律の優位の原則とは、**すべての行政活動は、存在する法律の定めに違反して行われてはならない**という原則をいいます。

　この原則は、法律の規定と行政活動が抵触する場合、法律が優位し、それに反する行政活動が違法な行政活動となることを意味しています。

　いかなる行政活動も、行政活動を制約する法律の定めに違反することは許されないので、法の趣旨に反する命令を発したり、行政指導をしたりするこ

とはできません。

❷ 法律の留保の原則

法律の留保の原則とは、一定の行政活動は、それを行うことを認める法律の根拠がなければ、行うことができないとする原則です。

これは、法律の存在しない領域において、そのような行政活動が実行可能かどうかを判断するための原則として働きます。

法律の根拠がないと行うことができない「一定の行政活動」が何かということについては諸説ありますが、古くからある考え方として侵害留保説があります。この説は、行政権が一方的に国民の権利・自由を制限したり奪ったりする場合には、法律の根拠が必要であるとするものです。

❸ 法律の法規創造力の原則

法律の法規創造力の原則とは、法律によってのみ個人の権利義務を左右する法規を創造することができるという原則です。

これは、国会が唯一の立法機関であることを規定する憲法41条から導き出される原則です。➡P.35参照

この原則は、国民の権利義務に関する行政立法（命令）は、法律の授権（法律により権限を与えられること）がなければ制定することはできないということにつながっていきます。

公法と私法

ざっくり
テーマ2は こんな話

公営住宅

公営住宅法に規定がない場合

↓

民法の規定が適用される

行政法上の法律関係にも私法（民法など）が適用される場合があります。どのような場合に適用されるかは、個別のケースごとに考えていく必要がありますが、私法関係との類似性が高いかどうかによってだいたい判断ができます。

行政法

CH 1

行政法の一般的な法理論

1 行政法上の法律関係　伝統的三分説を知っておこう

　行政法上の法律関係に民法をはじめとする私法法規が適用されるかという問題があります。

　これについては、その法律関係を形成する行政活動の根拠法の趣旨や私法関係との類似性に基づき事案ごとに判断するのが判例の基本的な立場です。

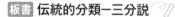

板書 伝統的分類―三分説

├─ **権 力 関 係**　←─ 私法は適用されず公法のみで処理される

└─ **非権力関係** ─┬─ **行政上の管理関係**　←─ 私法が原則として適用される（公法により処理される場合もある）

　　　　　　　　└─ **私経済関係**　←─ 私法のみが適用される（公法は適用されない）

大切！ 判例も基本的にはこの立場をベースにしていると考えられる事例が多い

2 民法177条の適用の可否 私法行為との類似性で判別される

　多くの判例事案がありますが、ここでは代表的な事例である民法177条の適用の可否についてみておきましょう。 ⇒P.87参照

❶ 農地の買収処分

　土地の買主Xと地区農地委員会（国）が対抗関係（民法177条）となり、登記を備えていないXは地区農地委員会（国）に対抗できないかが問題となった事案では、民法177条は適用されないと判断されています。

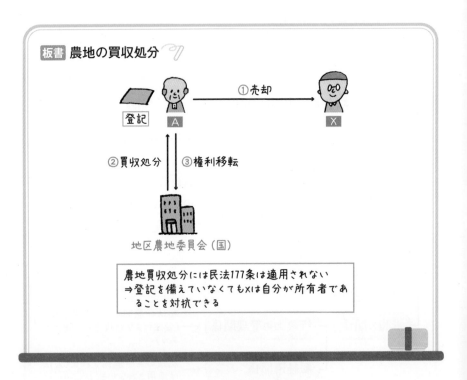

板書 農地の買収処分

①売却

登記　A　→　X

②買収処分　③権利移転

地区農地委員会（国）

農地買収処分には民法177条は適用されない
⇒登記を備えていなくてもxは自分が所有者であ
　ることを対抗できる

164

❷ 国税滞納処分による差押え

　土地の買主 X と国（税務署長）は対抗関係（民法177条）となり、登記を備え
ていない X は国に対抗できないかが問題となった事案においては、民法177
条が適用されると判断されています。

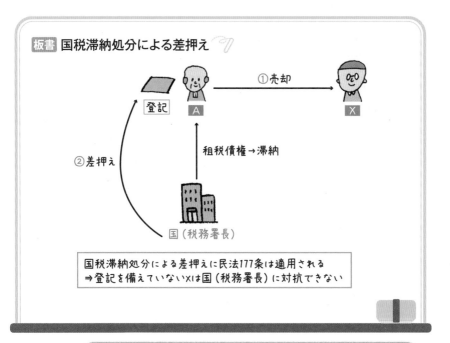

板書 国税滞納処分による差押え

①売却

②差押え

登記

A

X

租税債権→滞納

国（税務署長）

国税滞納処分による差押えに民法177条は適用される
⇒登記を備えていない X は国（税務署長）に対抗できない

両者の判断を分けたのは、私法行為との類似性の高低にあったとい
えます。
①農地の買収処分においては、国は農地改革という政策を推し進め
る主体として権力的な行使をしており、私人とは異なる地位であるた
め、私法である民法177条は適用されません（私人がこのような強制的
な買上げを行うのは不可能です（権力関係といえます））。
しかし、②国税滞納処分による差押えにおいては、国（税務署長）
も租税債権者として一般の債権者（銀行など）と同様の地位にあり、
私人の行為と性質上変わりはないということから、私法である民法
177条が適用されることになります。

テーマ **3** 行政組織

ざっくり
テーマ3は こんな話

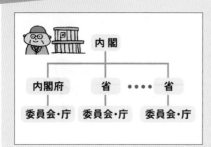

行政主体と行政庁は重要概念です。特に行政庁という概念は、今後行政法の勉強をしていく上で、常に登場するものですので、しっかり理解しておきましょう。

1 行政主体と行政機関

定義を覚える!

1 行政主体

　行政主体とは、自己の名と責任で行政を行うことにより、行政上の権利・義務の帰属主体となる団体（法人）のことをいいます。

　例としては、国・地方公共団体（都道府県・市町村・特別区）のほか、公共組合や独立行政法人などを挙げることができます。

> 行政の世界において、権利能力を有する主体＝法人格を有する団体を指す概念です。

2 行政機関

　行政主体は、法人格ある団体を指す概念ですから、自然人のように "頭脳" "手足" をもつ存在では当然ありません。

　そこで、行政主体のために行政活動を行う地位にある自然人またはその集団が必要になります。それを行政機関といいます。

この行政機関は、①行政庁、②補助機関、③執行機関、④諮問機関、⑤参与機関、⑥監査機関に分類されています。

最も重要なのは、①行政庁です。

行政庁とは、行政主体の意思または判断を決定し、外部に表示する権限を有する行政機関をいいます。

具体的には、各省大臣、都道府県知事、市町村長などを指します。

> いわば行政主体の"頭脳"にあたる役割を担うのが「行政庁」。警察庁や消防庁のように「庁」が付く行政組織の総称などではないので注意しましょう。

行政庁は、独任制（1人が選任される）が原則ですが、例外的に合議制の行政庁も存在します（例：内閣・公正取引委員会など）。

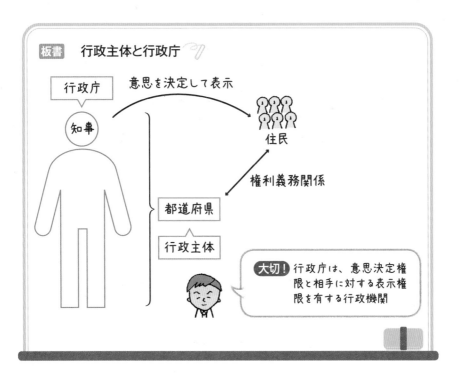

板書 行政主体と行政庁

行政庁

知事

意思を決定して表示

住民

権利義務関係

都道府県

行政主体

大切！ 行政庁は、意思決定権限と相手に対する表示権限を有する行政機関

2 国家行政組織

　国の行政組織は、内閣を頂点として、その下に1府11省が設置されています。さらに、府や省には、庁・委員会といった外局も置かれています（例：国税庁・公正取引委員会など）。

　内閣は、内閣総理大臣と国務大臣で構成される合議制の機関であり、行政各部は内閣の統轄のもと、行政権を行使していくことになります。➡P.41参照

　内閣には、内閣府が置かれ、重要政策に関して内閣の事務を助けることを任務としています。

　省は、内閣の統轄の下に行政事務をつかさどる機関として置かれ、各省の長である各省大臣は、「主任の大臣」として、それぞれ行政事務を分担管理します。

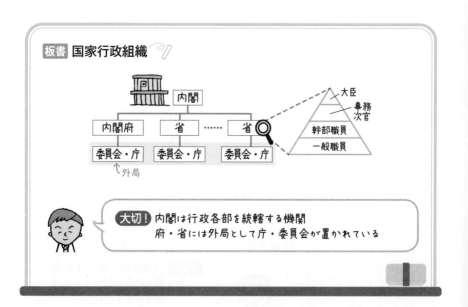

3 公務員・公物 こうぶつ　重要度は低いので、ざっと確認

1 公務員

公務員は、国家公務員・地方公務員の区別があります。また、**一般職**と**特別職**に区別されています。

> 選挙で選ばれる議員や政治的に任命される者（大臣・副知事・副市長）などは特別職になります。

国家公務員法、地方公務員法は、一般職の公務員に適用され、特別職の公務員には原則として適用されません。

2 公物

公物とは、河川・道路・公園・庁舎などのように、国または公共団体によって、一般の人の利用に供される個々の有体物をいいます。

公物には、いくつかの分類がありますが、①**自然公物**と②**人工公物**の区別は国家賠償法でも使います。

❶ 自然公物

自然の状態ですでに公の用に供することができる（一般の人が利用できる）物をいい、河川、海浜などを指します。

❷ 人工公物

行政主体が人工的に設置したものであり、道路、公園などを指します。

テーマ 4 行政行為

ざっくり
テーマ4は こんな話

教科書　Section 4

行政が国民に働きかける行政作用の中でも最も重要性が高いのが「行政行為」です。行政行為とはどのような概念かを理解するとともに、その分類や効力について学習していきます。

1　行政作用

分類を押さえよう！

　国や地方公共団体などの行政主体が、行政目的を達成するために国民に働きかける行為を総称して「行政作用」といいます。

　その特徴から、①基準設定活動、②権力的（個別）活動、③非権力的（個別）活動の３種類に分類できます。

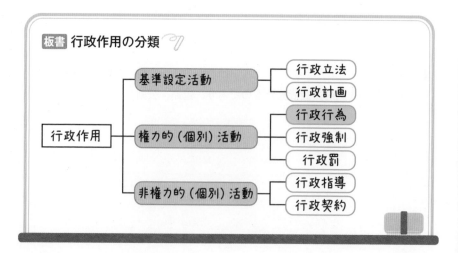

板書 行政作用の分類

- 行政作用
  - 基準設定活動
    - 行政立法
    - 行政計画
  - 権力的（個別）活動
    - 行政行為
    - 行政強制
    - 行政罰
  - 非権力的（個別）活動
    - 行政指導
    - 行政契約

2 行政行為とは？　　　　　　　特徴を理解しよう！

　行政行為とは、行政庁が、法律に基づき、一方的に働きかけることで、特定の国民の権利義務を変動させる行為をいいます。

> "行政の行為"をすべて「行政行為」というわけではないので注意しましょう。「行政行為」は"行政の行為"のうちかなり限定されたものだけを指します。

【行政行為の特徴】

① 権利義務の発生という**法的効果**を有すること
② 行政内部ではなく**外部**に向けられた行為であること
③ 特定の者に向けられた**具体的行為**であること
④ 相手方の同意なく行われる一方的な行為（**権力的な行為**）であること

　行政行為は①の特徴にあるように、国民の権利義務に影響を与えるものです。したがって、法律の留保の原則により必ず法律の根拠が必要とされます。

> その法律によって意思決定権限を与えられた行政機関が「行政庁」ということになりますね。

　たとえば、税務署長が、Aに対して10万円を税金として納めることを命じる課税処分を行った場合で考えてみましょう。

　これは法律に基づき、行政庁たる税務署長が出すものですが、行政外部の私人であるAという特定人に向けられている具体的行為であり（②③）、Aの同意などを必要とせずになされる行為です（④）。さらに、この行為によってAには10万円を納付する法的義務が発生します（①）。

　したがって、課税処分は行政行為ということになります。

　行政行為の例としては、上記のような課税処分のほか、違法建築物の除却命令、営業許可申請に対する不許可処分、土地の収用処分などを覚えておくとよいでしょう。

「行政行為」というのは学問上の概念であり、実際の法令では使われていません。実際の法令では、「処分」という用語が使われています。

3 行政行為の分類

まずは板書があるものを押さえよう

行政行為について古くからある分類法として、これをその性質から10程度に区分する分類があります。

法律行為的行政行為や形成的行為などの類型は理屈っぽい話になりますので、ここではあまり気にせずにさくさくと読み進めていきましょう。

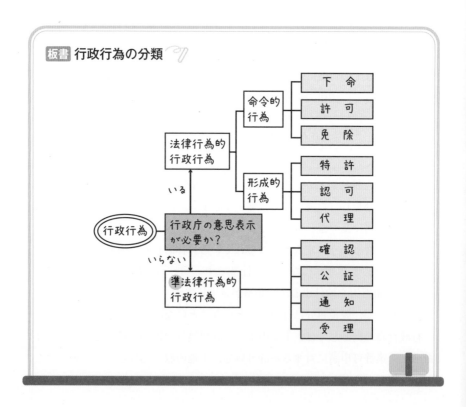

板書 行政行為の分類

❶ 命令的行為

下命（禁止）、許可、免除が含まれます。この中で重要度が高いのは、下命（禁止）と許可です。

下命とは、国民に対して一定の行為をするように（もしくは、しないように）命じる行為です。「しないように」命じる行為を特に**禁止**と呼んで区別する分類もあります。違法建築物の除却命令や課税処分がその例です。

許可とは、法令等で一般的に禁止されていることを、特定の場合に解除する行為です。自動車の運転免許や風俗営業の許可処分がその例です。

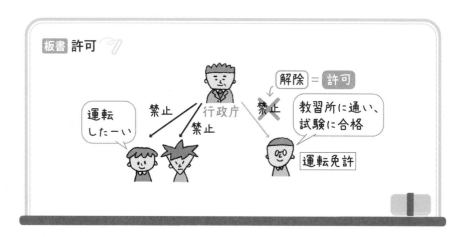

❷ 形成的行為

特許、認可、代理が含まれます。この中で重要度が高いのは、特許と認可です。

特許とは、特定人のために新しく権利を設定したり、法律上の力や地位を付与する行為です。道路・河川の占用許可や公有水面埋立の免許がその例です。

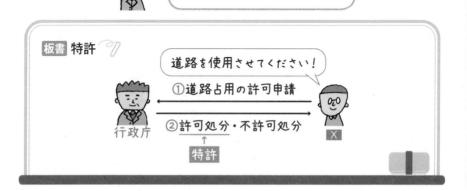

認可とは、当事者間の法律行為を補充して、その法律効果を完成させる行為をいいます。農地の権利移転の許可や公共料金値上げの認可がその例です。

「許可」も「特許」も何らかの行為をすることを許す、という意味では同じ性質をもちます。そのため「特許」に分類される具体例の中には、実際の法令では"許可"という用語が使用されているケースも多いです。
「許可」は、"本来国民の自由"である行為に対して、害悪の発生を防止するために一般的に禁止した上で、個別に許す行為です。
一方、「特許」は、"本来国民の自由ではない"行為を特定人にのみ特別に許す行為なのです（"あなたにだけ特別に許します"という意味で「特許」と名付けられているとイメージしておきましょう）。

4 行政行為の効力

4つの効力の内容を理解しよう

　行政行為には①公定力、②不可争力、③不可変更力、④執行力という効力が認められるとされています。

この中で最も重要なのは①の公定力です。次の 5 行政行為の瑕疵にも大いに関係します。

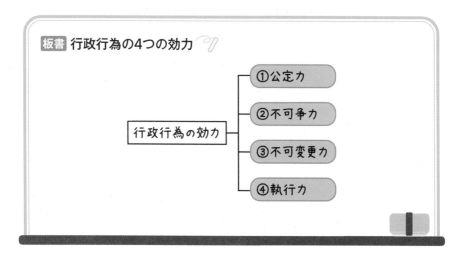

板書 行政行為の4つの効力

行政行為の効力 ─┬─ ①公定力
　　　　　　　　　├─ ②不可争力
　　　　　　　　　├─ ③不可変更力
　　　　　　　　　└─ ④執行力

❶ 公定力

公定力とは、瑕疵ある行政行為であっても、正当な権限のある機関によって取り消されない限り、一応有効として取り扱われる効力です。

ここで「瑕疵」とは違法性や不当性があることですが、"間違っている"行政行為のこと、という程度のイメージで○Kです。

したがって、間違った行政行為をされた私人は、積極的に争っていかなくてはいけないのです。

たとえば、税務署長がAさんに対してした課税処分に、税額が過大であったという間違いがあったとします。これをAさんが"間違いだろう"と勝手に判断し、過大な分を納付しなかったとすると、滞納していることになり、滞納処分を受けてしまうことになりかねません。

そこで、Aさんは、取消しを求めて（a）取消訴訟を起こすか、（b）不服申立てを行う必要があるのです。

実際には、最も簡単な方法として、税務署に問い合わせをして、間違いを認めてもらえば、税務署長が職権で取消しをしてくれます。したがって、争うしかない、というのは、税務署の側が間違いを認めないような場合ということになります。

❷ 不可争力

不可争力とは、瑕疵ある行政行為であっても、一定期間が経過すると、行政行為の相手方や利害関係人などの私人の側からは、行政行為の効力を争うことができなくなる効力です。

瑕疵ある行政行為には公定力がありますので、私人の側で争っていく必要があるわけですが、その争い方は2つに限定されています。それが（a）取消訴訟と（b）不服申立てです。そして、（a）（b）ともに期間制限がありますので、その期間が経過してしまうと、私人の側から争うことができなくなってしまうのです。これが不可争力です。

ただし、**不可争力**は私人の側に生じる効力です。行政庁の側では、期間経過後でも職権で取り消すことが可能です。

❸ 不可変更力

不可変更力とは、**行政庁が行った行政行為を、自らが変更することができなくなる効力**です。

ただし、行政行為全般に生じる効力ではなく、**審査請求の裁決** ➡P.217参照 など法律的な争いごとに対して行政機関が判定を下すような行為（争訟裁断的行政行為）にのみ生じる効力です。

❹ 執行力

執行力とは自力執行力ともいい、義務の履行がない場合に、行政庁が**裁判所の力を借りることなく、自力で強制的に行政行為の内容を実現できる効力**です。

私人間では自力救済の禁止から、かならず裁判所の手を借りる必要がありますので、行政行為に認められた特有の効力といえます。ただし、**法律の留保の原則** ➡P.162参照 から強制的な手段をとることを認める**根拠法が必要**とされています。

5 行政行為の瑕疵　　原則は取消しの対象となる

行政行為に"瑕疵がある"というのは、行政行為が違法な場合（法律に違反している場合）や行政行為が不当である場合（違法とまではいえないものの公益に反して不適切である場合）をいいます。

行政行為には、公定力がありましたね。したがって、取り消されるまでは有効として扱われるのが原則です。つまり、瑕疵ある行政行為は、"取消し"の対象となるのです。

これを、「瑕疵ある行政行為は、**原則として取消しうべき行政行為**となる」と表現します。

ただし、例外的に無効として処理される場合もあります。それは、行政行為の瑕疵が重大かつ明白な場合です。無効な行政行為には、公定力や不可争力が認められません。 ➡P.58参照

 そのため、無効を争う訴えである「無効等確認訴訟」 ➡P.239参照 には訴えを起こすことができる期間の制限がありません。

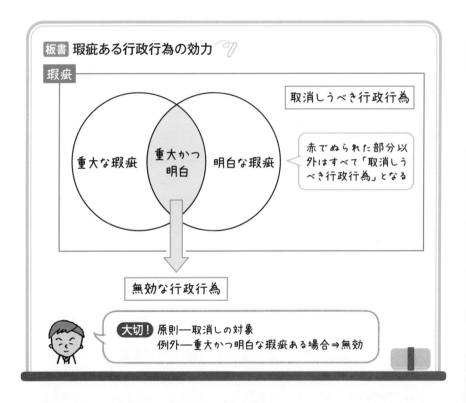

板書 瑕疵ある行政行為の効力

瑕疵

取消しうべき行政行為

重大な瑕疵　重大かつ明白　明白な瑕疵

赤でぬられた部分以外はすべて「取消しうべき行政行為」となる

無効な行政行為

大切! 原則—取消しの対象
　　　例外—重大かつ明白な瑕疵ある場合⇒無効

6 行政行為の取消し・撤回　取消しと撤回の違いに注意!

行政行為に瑕疵があると原則として「取消し」の対象となりますが、この取消しとは、行政行為の瑕疵を理由としてその効力を行政行為がなされた時にさかのぼってなかったものとすることです。

この「取消し」と似て非なるものに「撤回」という概念があります。

撤回とは、適法に成立した行政行為について、その後の事情（後発的事情）を理由に、その効力を将来に向かって失わせることです。

 **板書** 取消しと撤回

取消し

行政庁 → X

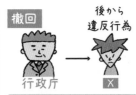

撤回

後から
違反行為

行政庁 → X

行政行為（処分）＝瑕疵あり

↑行政行為の**瑕疵**を理由として取消し

例 懲戒処分を受ける理由もないのにされた懲戒処分を取り消すこと

行政行為（処分）＝瑕疵なし

↑行政行為に瑕疵はないが**後発的事情**を理由として撤回（取消し）

例 道路交通法違反を理由に自動車の運転免許を取り消すこと

 取消し

さかのぼって効力がなかったことにする(遡及効)

X

行為　　　　　　　　取消し

撤回

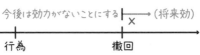

今後は効力がないことにする　　　　→ (将来効)

X

行為　　　　　　　　撤回

	取消し	撤回
原因	原始的瑕疵（最初から瑕疵あり）	後発的事情
取消しの効果	遡及効	将来効

大切！ 両者の違いは、①行われる原因と②効果の点にあります

「撤回」に該当するものでも、実際の法令では「取消し」と表現されている場合もあります。

7 行政裁量 — 行政庁に判断権がある場合

1 行政裁量とは？

「法律による行政の原理」を徹底するということであれば、行政の行為をすべて法律で一義的にしばるのが望ましいことになるでしょう。しかし、起こりうるすべてのケースを事前に想定して立法化しておくことは不可能です。また、個別の事情によっては妥当でない処理になってしまう可能性もあります。

そこで、柔軟かつ妥当な対応を可能とするために、法が行政庁にある程度幅のある判断権を与えるケースがあります。このように幅のある判断権が与えられていることを「裁量」と表現します。行政機関に与えられた裁量のことを「行政裁量」といいます。

国会が法律を作る際にどのような法律を制定するかについての裁量は「立法裁量」といいます。

2 司法審査の可否

行政庁に裁量が与えられている場合の行政行為については、裁判所は行政庁の判断を尊重し、原則として司法審査の対象となりません。

ただし、裁量権の逸脱・濫用があった場合には司法審査の対象となり、裁判所はその行政行為を取り消すことができます（行政事件訴訟法30条）。

行政行為以外の行政作用

ざっくり

テーマ5は こんな話

行政行為以外の行政作用としては、①行政立法、②行政計画、③行政指導、④行政契約、⑤行政調査がありますが、この中で、行政立法・行政指導が比較的重要度が高くなっています。

1　行政行為以外の行政作用　行政立法と行政指導がわりと重要

　行政作用の中心となるのは行政行為ですが、行政行為以外の行政作用としては、①行政立法、②行政計画、③行政指導、④行政契約、⑤行政調査が挙げられます。

【行政行為以外の行政作用】

①行政立法	行政機関が定めるルール
②行政計画	行政機関が将来の目標を設定し、その達成のために策定する計画
③行政指導	行政機関から相手方に対して任意の協力を求めて行われる働きかけ
④行政契約	行政主体を当事者の一方または双方とする契約
⑤行政調査	行政目的達成のために行われる情報収集活動

行政立法とは、行政機関が定めるルール（法規範）のことです。「命令」ともいいます。不特定多数を対象とする基準設定行為で、その点で個別的行為である「行政行為」と区別されます。

　行政立法は、国民の権利義務に直接影響を与える**法規命令**<ruby>ほうき<rt></rt></ruby>と、行政内部のルールであって国民の権利義務には直接影響を与えない**行政規則**に分けられます。また、法規命令は、さらに委任命令と執行命令に分けられます。

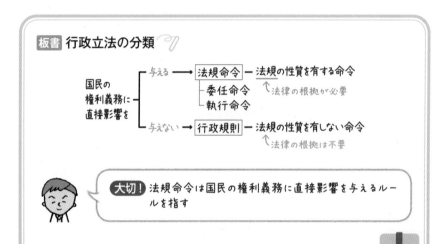

板書 行政立法の分類

国民の権利義務に直接影響を
- 与える → **法規命令** ― **法規の性質を有する命令**
　- 委任命令
　- 執行命令
　↑ 法律の根拠が必要
- 与えない → **行政規則** ― **法規の性質を有しない命令**
　↑ 法律の根拠は不要

大切！ 法規命令は国民の権利義務に直接影響を与えるルールを指す

1 法規命令

法規命令とは、私たち**国民の権利義務に直接影響を与えるルール**です。法律の留保の原則から、**法律の根拠が必要**と解されています。

具体的には、内閣が制定する「政令」や各省大臣の名で出される「省令」などを指します。

たとえば、私たちが車を運転していると信号の色によって行動がしばられますね。赤信号を無視して通行すると信号無視となり、交通違反になります。しかし、道路交通法自体には、「赤信号では通行してはいけない」とはどこにも書かれていません。赤信号では通行してはならない、と規定しているのは「道路交通法施行令」という政令です。

したがって、私たちの行動に直接影響を与えているのは「政令」の方ということになります。このようなルールが「法規命令」であり、これは**委任命令**の例になります。

> これは、道路交通法は「信号機の表示する信号の意味その他信号機について必要な事項は、政令で定める」と政令にまかせる規定（委任する規定）を置き、その具体的な内容について道路交通法施行令という政令で規定する形をとっているためです。

一方、**執行命令**とは、国民の権利義務の内容自体を規定するのではなく、その内容を実現するための手続を定める命令をいいます。

2 行政規則

行政規則は、**行政内部のルールであって国民の権利義務には直接影響を与えません**。国民の権利義務に直接影響を与えないことから、**法律の根拠は必ずしも必要としない**、とされています。

行政規則には、通達、訓令、告示といった種類があります。

3 行政計画　　　　行政が立てる計画のこと

行政計画とは、行政機関が将来の目標を設定し、その達成のために策定する計画のことです。

行政計画は、①国民の権利義務に直接影響を与える拘束的計画（例：土地区画整理事業計画）と②国民の権利義務に直接影響を与えない非拘束的計画（例：経済成長計画）に分けられます。

　①は、国民の権利義務に影響を与えるものなので法律の根拠が必要ですが、②は法律の根拠は不要です。

> 法律の留保の原則ですね。

4 行政指導

行政からの"お願い"に過ぎない

　行政指導とは、行政機関が、行政上の目的を達成するために、相手方たる国民の協力を求めて働きかける行為をいいます。

　あくまでも相手方の任意の協力を求めるものです。つまり、強制力はありません。その点で「非権力的な」行為といえます。

　また、行政指導が行われたことによって法的な効力は何ら生じません。その点で「事実行為」とされます。

> 「事実行為」というのは「法律行為」に対する概念です。
> とてもわかりにくい概念ですが、行政法ではよく登場します。
> そのような出来事があったという事実のみが残り、特にそれによって法的な効力（権利や義務の発生、法律関係の成立など）が生じない行為を指す概念です。

　たとえば、地方公共団体が、高層マンションの開発業者に対して付近住民に対する建築計画の説明を行うように求めたり、付近住民の同意を得ることを指導することなどが行政指導の具体例になります。

　行政指導は、"単なる行政側からの協力要請であって、強制力はない"とされています。しかし、現実には、事実上、強い強制力を持つともいわれてきました。そこで、行政手続法により、一定の法的規制が加えられるようになっています。 ➡P.204参照

5 行政契約　行政主体が当事者になる契約

　行政契約とは、行政主体をその一方または双方の当事者とする契約をいいます。たとえば、住民との水道水供給契約などがその具体例です。

　行政契約は、①私法上の契約と②公法上の契約に分けることができます。

　①私法上の契約の場合、民法などの私法が適用され、紛争が生じ訴訟になった場合には民事訴訟法が適用されます。

　一方、②公法上の契約の場合、紛争が生じ訴訟になった場合には、基本的には行政事件訴訟法が適用されることになります。

6 行政調査　任意的なものと強制的なものがある

　行政調査とは、行政の目的を達成するための情報収集活動の一環として行政権によって行われる調査活動のことです。

　行政調査は、①相手方の任意の協力の下で行われる任意的行政調査（任意調査）と②強制力を用いて行われる強制的行政調査（強制調査）に分けられます。①はその実施のために法律の根拠は不要です。一方、②は法律の留保の原則から、その実施には法律の根拠が必要です。

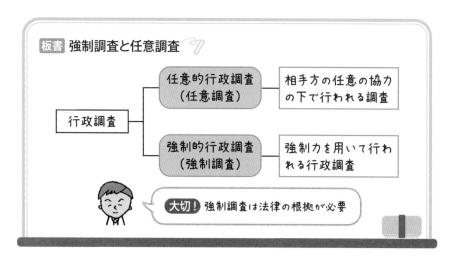

板書 強制調査と任意調査

行政調査 ─┬─ 任意的行政調査（任意調査） ─── 相手方の任意の協力の下で行われる調査

　　　　　 └─ 強制的行政調査（強制調査） ─── 強制力を用いて行われる行政調査

大切！ 強制調査は法律の根拠が必要

テーマ 6 行政強制・行政罰

教科書 Section 6

ざっくり テーマ6は こんな話

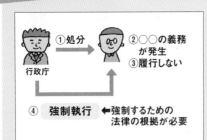

行政強制・行政罰は、行政が行政目的を達成するために用いる強制手段や制裁手段のことです。似たような用語が多く、用語を正確に覚えることが大切な分野です。

1 行政上の強制措置の全体像　　まずは分類を押さえよう!

　行政機関が行政目的を達成するためには、時として強制的な手段を用いる必要がある場合もあります。また、従わない場合に制裁を行うことが必要な場合もあるでしょう。

　履行を強制する手段を表す総称として**行政強制**という表現が使われることがあります。

　この**行政強制**には、①義務を課された国民がこれを任意に履行しない場合に強制的に義務を履行させる手段である**行政上の強制執行**と、②国民に義務を課す暇のない緊急事態において、義務を課すことなく強制的な措置をとる手段である**即時強制**があります。

　さらには、直接的に義務の履行を強制する手段ではなく、義務の不履行に対して制裁を課すことで間接的に義務の履行を確保する手段として**行政罰**があります。

　いずれにしても、このような行政上の強制措置を行う場合には、法律の留保の原則 ➡P.162参照 に基づき、**法律（個別法）の根拠が必要**となります。

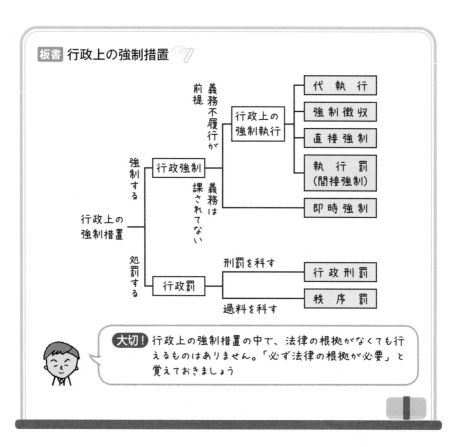

板書 行政上の強制措置

行政上の強制措置
　強制する
　　行政強制
　　　義務不履行が前提
　　　　行政上の強制執行
　　　　　代　執　行
　　　　　強制徴収
　　　　　直接強制
　　　　　執　行　罰（間接強制）
　　　義務は課されてない
　　　　即時強制
　処罰する
　　行政罰
　　　刑罰を科す
　　　　行政刑罰
　　　過料を科す
　　　　秩　序　罰

大切！ 行政上の強制措置の中で、法律の根拠がなくても行えるものはありません。「必ず法律の根拠が必要」と覚えておきましょう

2　行政上の強制執行　　義務の不履行に対する強制措置

　行政上の強制執行とは、行政上の「義務」を履行しない者がいる場合に、その義務の履行を強制力（実力）を用いて確保することをいいます。

　これは、行政行為の効力の1つである「（自力）執行力 ➡P.177参照」の具体的な表れです。

　「行政上の強制執行」には、①代執行（だいしっこう）、②強制徴収（きょうせいちょうしゅう）、③直接強制、④執行罰（しっこうばつ）の4種類があります。

【行政上の強制執行】

①代執行	**代替的作為義務**（第三者が代わって履行できる義務）が履行されない場合に、行政庁が自ら義務者のすべき行為をし、または第三者にこれをさせ、費用を義務者から徴収すること
②強制徴収	国や公共団体に対する**金銭債務**の履行がない場合に、行政庁が、強制手段によってその義務が履行されたのと同様の結果を実現すること
③直接強制	義務者の義務の不履行の場合に、直接、義務者の身体または財産に実力を加え、義務の履行があったのと同一の状態を実現すること
④執行罰	行政上の義務を相手方が履行しない場合に、その履行を強制するために課する金銭罰（**過料**）

行政上の強制執行を行うためには、必ず法律の根拠が必要です。代執行は一般法である「行政代執行法」がありますが、他の3類型については、一般法は存在しません。したがって、強制徴収、直接強制、執行罰はそれを許す個別法があって初めて実施可能となります。

板書 代執行

例 行政庁AがXに違法家屋の撤去を命じたにもかかわらず、Xが撤去義務を履行しない場合

行政庁A

①撤去を命じる（下命）

X

②撤去義務が発生
③履行しない

（代替的作為義務の不履行）

④代わりに撤去（強制）
＝義務を履行したこと
にしてしまう　←行政代執行法が根拠

大切！ 代執行ができるのは、代わりに履行できる義務（代替的作為義務）のみ

3 即時強制　　義務の不履行を前提としない強制措置

即時強制とは、義務の不履行を前提とせずに、直接に身体や財産に実力を加えて、行政上必要な状態を実現する行為をいいます。

目前急迫（もくぜんきゅうはく）の障害を除く必要があって、義務を命じる余裕がない場合に行われるものです。

> 直接強制と即時強制は非常によく似ています。外から見ている分には、まったく同じことが行われていますので区別がつきません。
> 違いは、直接強制は義務の不履行が前提となっている点、即時強制は義務の不履行が前提となっていない点です。

行政法

CH1
行政法の一般的な法理論

具体例として、消防法に基づく消火活動・延焼防止のための立入りや近隣家屋の倒壊（とうかい）（破壊消防）、感染症予防法に基づく強制入院を挙げることができます。

たとえば、火事が起こって周辺に延焼しそうな場合に、燃え移りそうな家屋などを壊して延焼を防ぐ措置を消防士が講ずるようなケースです。

この場合、所有者に壊す義務を課し、履行しない場合に強制的措置をとるという時間的余裕がありません。したがって、義務を課すことなくいきなり強制的な措置をとることができるのです。

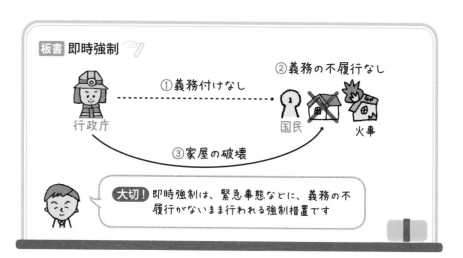

板書 即時強制

①義務付けなし　　　②義務の不履行なし

行政庁　　　　　　　　国民　　　　火事

③家屋の破壊

大切！ 即時強制は、緊急事態などに、義務の不履行がないまま行われる強制措置です

4 行政罰

行政罰とは、行政上の過去の義務違反に対して、制裁として科される罰のことです。

行政罰は、義務違反の重大度に応じて、①**行政刑罰**と②**秩序罰**に分けることができます。

❶ 行政刑罰

比較的重大な義務違反に対して科されるものであり、刑法に規定されている刑罰（懲役、禁錮、罰金、拘留、科料、没収）が科されるものです。原則として、刑事訴訟法の定める手続により裁判所で科されます。

❷ 秩序罰

届出義務違反のような比較的軽微な義務違反に対して科されるものであり、**過料**が科されます。

> 過料とは、金銭の納付を命じるものです。たとえば、戸籍法に基づく届出（死亡届など）を怠った者に対しては5万円以下の過料に処する（戸籍法135条）とされています。

行政罰の特徴として、その実効性を確保するために、違反行為者のほかに、事業主（法人・雇主など）も処罰する**両罰規定**が多いことが挙げられます。

また、行政罰と他の制裁手段（懲戒罰、課徴金の納付）や強制措置（執行罰など）との**併科**（合わせて科すこと）も許されています。

CHAPTER 1　行政法の一般的な法理論　過去問チェック！

問1　テーマ3 **1**

行政庁とは、行政主体の意思を決定し、これを外部に表示する権限を有する行政機関をいう。(H21-9-ア)

問2　テーマ4 **4**

行政行為は公定力を有するから、その成立に重大かつ明白な瑕疵がある場合でも正当な権限を有する行政庁又は裁判所により取り消されるまでは一応有効であり、何人もその効力を否定することはできない。(H11-34-1)

問3　テーマ4 **6**

行政行為の撤回は、処分庁が、当該行政行為が違法になされたことを理由にその効力を消滅させる行為であるが、効力の消滅が将来に向かってなされる点で職権取消と異なる。(H18-10-1)

問4　テーマ6 **2**

直接強制は、義務者の身体または財産に直接に実力を行使して、義務の履行があった状態を実現するものであり、代執行を補完するものとして、その手続が行政代執行法に規定されている。(R元-8-2)

問5　テーマ6 **2**

執行罰とは、行政上の義務の不履行について、罰金を科すことにより、義務の履行を促す制度であり、行政上の強制執行の一類型とされる。(H29-10-1)

問6　テーマ6 **3**

義務の不履行があった場合、直接に義務者の身体や財産に実力を加えることを即時強制という。(H21-10-1)

解答

問1 ○ 行政庁の定義として正しい。

問2 × 重大かつ明白な瑕疵のある行政行為は無効であり、公定力も認められない。

問3 × 撤回とは、瑕疵なく成立した行政行為の効力を、後発的な公益不適合状態を理由に将来に向かって失わせることである。違法になされた行政行為は「取消し」の対象となる。

問4 × 直接強制の定義は正しいが、直接強制は行政代執行法には規定されていない。

問5 × 執行罰によって科されるのは「過料」である。

問6 × 直接強制の説明になっている。即時強制は義務の不履行を前提としない。

テーマ
1

総則

ざっくり

テーマ1は こんな話

行政手続法が何のために制定された
のかを理解した上で、条文上規定さ
れている目的をきちんと押さえてお
く必要があります。もっとも重要な
のは規定の対象です。4つの規定対
象は完全暗記です！

行政法

CH2
行政手続法

---

1 行政手続法の概要

規定対象の4つは完全暗記

1 制定された理由

　行政手続法が制定されたのは、平成5年（1993年）です。行政書士試験で
出題対象になっている他の法律（行政事件訴訟法、行政不服審査法、国家賠償法な
ど）に比べると比較的新しい法律です。

　行政手続法が制定される以前から行政活動により国民の権利利益が侵害さ
れた場合は、事後的な救済手段として、①行政不服審査法・行政事件訴訟法
に基づいて取消しを求めることや、②国家賠償法に基づいて賠償を求めるこ
とは可能でした。

　しかし、行政行為（処分）に公定力 ➡P.176参照 があるため、いったん行政
行為（処分）がされてしまうと国民側には重い負担が生じます。また、いっ
たん生じた損害を填補するだけでは、人権保障としては不十分です。

　そこで、適正手続を保障する憲法31条の趣旨に基づき、処分が行われる
前に告知・聴聞の機会を付与したり、公正で透明性の高い行政活動が行われ
るようにするために規定されたのが行政手続法です。

つまり、**行政手続法**は、**事前の手続保障のための法律**です。

2 規定の対象

行政手続法は、行政の手続についてのルールを定めた一般法ですが、すべての行政手続を対象にしているわけではありません。

対象は、①**処分**、②**行政指導**、③**届出**、④**命令等制定**の手続の4つに限定されています。

つまり、行政計画や行政契約については対象外っていうことだね！

3 目的

行政手続法は1条で、その目的について、①**行政運営における公正の確保と透明性の向上を図ること**、②**国民の権利利益の保護に資すること**を挙げています。

4 行政手続法の全体像

板書 行政手続法の全体像

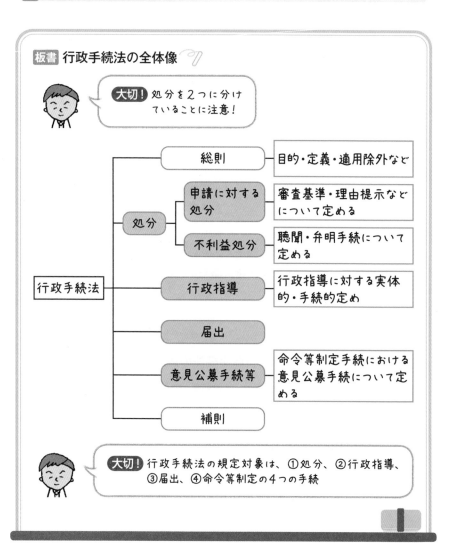

大切! 処分を2つに分けていることに注意!

行政手続法
- 総則 — 目的・定義・適用除外など
- 処分
  - 申請に対する処分 — 審査基準・理由提示などについて定める
  - 不利益処分 — 聴聞・弁明手続について定める
- 行政指導 — 行政指導に対する実体的・手続的定め
- 届出
- 意見公募手続等 — 命令等制定手続における意見公募手続について定める
- 補則

大切! 行政手続法の規定対象は、①処分、②行政指導、③届出、④命令等制定の4つの手続

行政手続法の適用が除外される事項が条文上列挙されています。

たとえば、3条1項では、処分について、国会の議決や裁判所の裁判によってされる処分や刑事事件に関して検察官がする処分、公務員の職務・身分に関してされる処分などが個別に列挙され、適用が除外されています。

しかし、より重要なのは、地方公共団体の機関が行う手続についての適用関係です。

地方公共団体の機関が行う手続については、行政手続法が当然に適用されるわけではありません。地方自治の尊重の観点から適用除外とする手続がある一方で、統一的な処理の要請から行政手続法が適用される手続も存在します。

具体的には、行政指導や命令等制定手続については一切適用されませんが、処分と届出については、それが法律・命令を根拠にするか、条例・規則を根拠にするかで分けられます。

板書 地方公共団体に対する行政手続法の適用

根　拠	処分	行政指導	届出	命令等制定
法 律 ・ 命 令	○	×	○	×
条 例 ・ 規 則	×		×	

○：適用される　×：適用されない

大切! 地方公共団体の機関が行う処分が法律・命令に根拠がある場合は、行政手続法が適用される

テーマ 2 処分

教科書　Section 2

ざっくり テーマ2は こんな話

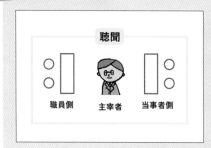

聴聞

職員側　　主宰者　　当事者側

処分を「申請に対する処分」と「不利益処分」に分けて手続を定めています。まずはこの区別をしっかり頭に叩き込んで下さい！　申請に対する処分では判断過程における公正性・透明性・迅速性を高める手続を整備することが意識されています。一方、不利益処分では、事前の手続保障が強く打ち出されています。

---

1 申請に対する処分　　審査基準の設定・公表は義務です

1 申請に対する処分とは？

　ここで「申請」とは、「法令に基づき、行政庁の許可、認可、免許その他の自己に対し何らかの利益を付与する処分（以下、「許認可等」という。）を求める行為であって、当該行為に対して行政庁が諾否の応答をすべきこととされているもの」（2条3号）と定義されています。

　この長い定義規定の中で重要なのは、「行政庁が諾否の応答をすべき」の部分です。つまり、応答することが予定されていないものは「申請」ではなく、後で登場する「届出」ということになります。

　何らかの利益を付与する処分を求める申請があってそれに対して返答をする行為、それが「申請に対する処分」です。したがって、具体的には、私人から出された営業許可の申請に対して、行政庁（大臣など）が出す許可処分（または不許可処分）などが該当します。

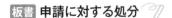

板書 申請に対する処分

 行政庁

①営業の許可申請

②許可処分・不許可処分
↑
申請に対する処分

 X

2 申請に対する処分に関する規定

申請に対する処分では、判断過程における公正性・透明性・迅速性を高めるための手続の整備を図る規定が設けられています。

❶ 審査基準（5条）

許認可等をするか否かを判断するための基準を審査基準といいますが、この審査基準の設定が義務付けられています。

また、設定した審査基準は、原則として、公表する義務があります。

板書 審査基準

法が許可制を採用

⬇

事前に審査基準を設定する義務

⬇

行政庁

営業の許可申請

X

大切！ 審査基準の設定は法的義務
（必ず設定しなければならない）

❷ 標準処理期間（6条）

　申請がその事務所に到達してから当該申請に対する処分をするまでに通常要すべき標準的な期間を**標準処理期間**といいますが、行政庁はこれを定めるように努めなければならないとされています。

> このように「努めなければならない」と規定されている義務を「努力義務」といいます。

　さらに、標準処理期間を定めた場合には公表することが義務付けられています。

❸ 理由の提示（8条）

　行政庁は、申請により求められた許認可等を**拒否する処分（不許可処分）**をする場合は、原則として、申請者に対して、同時にその**理由を示さなければなりません。**

　この理由の提示は、拒否処分を書面でするときには理由も書面で示す必要があります。

> この義務は「拒否処分」をするときに限定されていますので、許可処分をする際には、理由を提示する必要はありません。
> これは考えてみると当たり前のことですね。許可をしてもらう場合には、特に理由を聞きたいと思う人はいないでしょう。
> 理由を教えてくれ！　と思うのは、拒否された場合のみですよね。

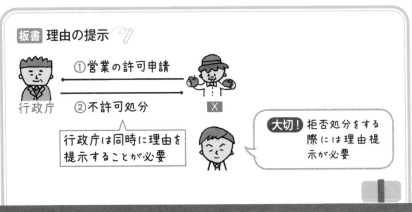

板書 理由の提示

①営業の許可申請

行政庁　②不許可処分　X

行政庁は同時に理由を
提示することが必要

大切！ 拒否処分をする
際には理由提
示が必要

1 不利益処分とは?

　不利益処分とは、「行政庁が、法令に基づき、特定の者を名あて人として、直接に、これに義務を課し、又はその権利を制限する処分」と定義されています（2条4号）。

> 「名あて人」とは、相手方のことです。

　つまり、不利益な効果を特定の私人に発生させる効果をもつ処分であり、具体的には、営業の停止処分や営業許可の取消処分が該当することになります。しかし、ここで注意が必要なのは、「申請により求められた許認可等を拒否する処分」が除外されていることです（2条4号ロ）。

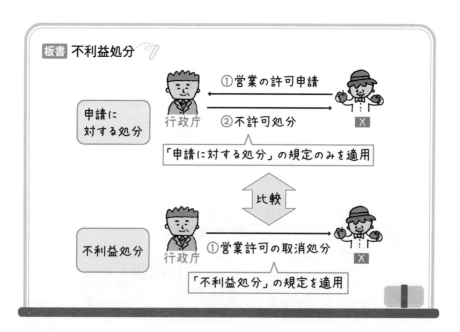

板書 不利益処分

- 申請に対する処分
  - 行政庁 ←①営業の許可申請— X
  - 行政庁 ②不許可処分→ X
  - 「申請に対する処分」の規定のみを適用

比較

- 不利益処分
  - 行政庁 ①営業許可の取消処分→ X
  - 「不利益処分」の規定を適用

「営業許可申請に対する不許可処分」は、内容的には不利益な処分ですが、「不利益処分」には該当しません。

2 不利益処分に関する規定

不利益処分では、相手方に不利益を与える処分が不意打ち的に行われないように、その相手方に対して自己の権利利益を守るための事前の手続的保障の機会を設けるという観点が重視された制度になっています。

❶ 処分基準（12条）

不利益処分をするかどうか、またはどのような不利益処分とするかについて判断するための基準を処分基準といいます。

行政庁は処分基準を定めるように努めなければなりません（努力義務）。

また、この処分基準を定めた場合の公表も努力義務となっています。

審査基準と異なり、処分基準の設定・公表は努力義務にすぎないことに注意しましょう。

❷ 不利益処分をしようとする場合の手続

行政庁は、不利益処分をしようとする場合には、不利益の程度の区分に従い、当該不利益処分の名あて人（相手方）となるべき者について、意見陳述のための手続をとらなければなりません。

意見陳述のための手続には、正式な手続である聴聞と簡略な手続である弁明の機会の付与があります。

板書 「意見陳述のための手続」の区別

意見陳述の機会の付与

↑ 処分が出される前に意見を述べる機会が与えられる

聴聞 ———————— 口頭審理 (正式)

例 営業許可の取消処分をしようとするとき＝不利益の程度が大きい

弁明の機会の付与 —— 書面審理 (略式)

例 営業停止の処分をしようとするとき＝不利益の程度が比較的軽微

大切！ 「営業許可の取消処分」を出す予定の場合は、「聴聞」を行うことになる

（a）聴聞

　許認可等の取消処分などを行う際に行われる**聴聞**は、処分の名あて人となるべき者（処分の相手方になる予定の者）を指定された場所に呼んで、その意見や反論などを聞く手続です。

　まず、処分を行う予定の行政庁は、処分の名あて人となるべき者に対して、聴聞の通知を行う必要があります。

　聴聞の場では**主宰者**が審理の進行を担います。主宰者とは聴聞の審理を主宰する者をいい、行政庁が指名する職員その他政令で定める者がなります。

　聴聞では、当事者は意見を述べ、証拠書類を提出することができます。また、行政庁の職員への質問権や文書等の閲覧権も認められています。

　行政庁は、聴聞の結果をもとに、最終的に不利益処分を行うかどうかを決定します。

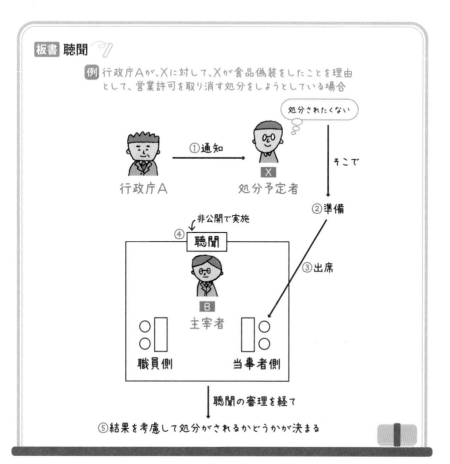

板書 聴聞

> **例** 行政庁Aが、Xに対して、Xが食品偽装をしたことを理由として、営業許可を取り消す処分をしようとしている場合

（b）弁明の機会の付与

　弁明の機会の付与は、聴聞よりも簡略化された手続です。原則として、口頭での審理は予定されておらず、**書面による審理**が行われます。

❸　不利益処分の際の理由の提示（14条）

　行政庁は、不利益処分をする場合には、原則として、その名あて人に対して、同時にその不利益処分の**理由を示す**必要があります。

　なお、不利益処分を書面でするときは、理由も書面により示す必要があります。

テーマ
3

行政指導、届出、命令等制定

教科書　Section 3

ざっくり
テーマ3は こんな話

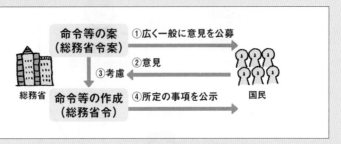

命令等の案
（総務省令案）　①広く一般に意見を公募

②意見

③考慮

総務省　命令等の作成
（総務省令）　④所定の事項を公示

国民

処分以外の残りの3つの手続については、概略を押さえておけば十分でしょう。

1　行政指導

行政指導のルールを明文化

　行政指導は、本来は強制力のない国民に対する協力要請に過ぎません。しかし、実際には、事実上の拘束力があるような運用がされてきました。さらに、行政手続法において処分についてのルールの厳格化を予定していたため、その潜脱手段として行政指導が多用される可能性も指摘されました。

　そこで行政手続法において、行政指導についての規則を明文化することになりました。

❶　定義の明確化

　行政指導とは、「行政機関がその任務又は所掌事務の範囲内において一定の行政目的を実現するため特定の者に一定の作為又は不作為を求める指導、勧告、助言その他の行為であって処分に該当しないもの」をいいます（2条6号）。

204

❷ ルールの明文化

法理論上では以前から言われていたルールを、一般原則（32条）として、以下のように明文化しています。

「行政指導に携わる者は、当該行政機関の任務または所掌事務の範囲を逸脱してはならず、行政指導の内容があくまでも相手方の任意の協力によってのみ実現されることに留意しなければならない」（32条1項）

「行政指導に携わる者は、その相手方が行政指導に従わなかったことを理由として、不利益な取扱いをしてはならない」（32条2項）

> 1項・2項ともに当然といえば当然のルールですが、これが明文化されたということは、いかに違法な行政指導が行われていたかの証拠ともいえるでしょう。

さらに、行政指導を行う際には、「行政指導に携わる者は、その相手方に対して、当該行政指導の趣旨および内容ならびに責任者を明確に示さなければならない」（35条1項）としています。

2 届出
規定されているのは1つの条文だけ

届出とは、「行政庁に対し一定の事項の通知をする行為（申請に該当するものを除く。）であって、法令により直接に当該通知が義務付けられているもの」をいいます（2条7号）。

届出については、適法な届出書が行政機関の事務所に到達したときには、届出義務が履行されたとする規定（37条）のみが置かれています。

3 命令等の制定
意見公募手続を見ておこう

1 命令等とは？

「命令等」とは、内閣または行政機関が定める、法律に基づく命令または規則、審査基準・処分基準・行政指導指針のことをいいます（2条8号）。

たとえば、内閣が定める命令である「政令」、各省大臣が定める「省令」

が含まれます。さらに、「審査基準 ➡P.198参照 」「処分基準 ➡P.201参照 」「行政指導指針」も命令等に含まれます。

したがって、命令等制定機関とは、政令の場合は「内閣」、省令の場合は「各省大臣」、審査基準や処分基準であれば「処分行政庁」ということになります。

2 意見公募手続の実施

行政手続法では、命令等を定める際に、事前に、その案を公表して、国民から意見を募る手続（意見公募手続）を設けることとしています。

> この手続のことをパブリックコメント手続ともいいます。

命令等制定機関は、命令等を定めようとする場合には、命令等の案およびこれに関連する資料をあらかじめ公示し、意見の提出先・意見提出期間を定めて広く一般の意見を求めなければなりません。

日本国民だけでなく、法人や外国人も意見を述べることができます。また、意見提出の期間は原則として30日以上とされています。

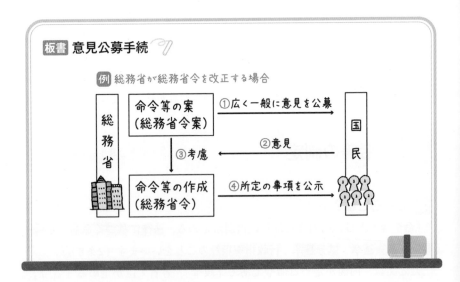

板書 意見公募手続

例 総務省が総務省令を改正する場合

総務省

命令等の案（総務省令案）　①広く一般に意見を公募

③考慮　②意見

命令等の作成（総務省令）　④所定の事項を公示

国民

問1　テーマ1　**1**

行政手続法は、行政運営における公正の確保と透明性の向上を図り、もって国民の権利利益の保護に資することを目的とする。(H21−12−2)

問2　テーマ1　**2**

行政手続法は、地方公共団体の機関がする処分に関して、その根拠が条例に置かれているものについても行政手続法が適用されると定めている。(R5−26−1)

問3　テーマ2　**1**

行政庁は、申請により求められた許認可等の処分をする場合は、申請者に対し、同時に、当該処分の理由を示すように努めなければならない。(R4−11−3)

問4　テーマ2　**2**

不利益処分について、処分基準を定め、かつ、これを公にしておくことは、担当行政庁の努力義務にとどまり、義務とはされていない。(H28−12−3)

問5　テーマ3　**1**

行政指導は、行政機関がその任務または所掌事務の範囲内において一定の行政目的を実現するため一定の作為または不作為を求める指導、勧告、助言その他の行為であって処分に該当しないものをいい、その相手方が特定か不特定かは問わない。(R元−11−2)

問6　テーマ3　**3**

意見公募手続の対象である命令等には、法律に基づく命令又は規則のほか、審査基準や処分基準など、処分をするかどうかを判断する基準は含まれるが、行政指導に関する指針は含まれない。(H27−11−5)

解答

問1 ○ （行政手続法1条1項）

問2 × 根拠が条例に置かれているものについては行政手続法は適用「しない」と定めている（行政手続法3条3項）。

問3 × 許認可を『拒否する』処分をする場合は、理由を『示さなければならない』（行政手続法8条1項）。

問4 ○ 処分基準の設定・公表は努力義務として規定されている（行政手続法12条1項）。

問5 × 行政指導の定義は正しいが、相手方が特定の者である（行政手続法2条6号）。

問6 × 行政指導指針も含まれている（行政手続法2条8号）。

テーマ

1

総則

ざっくり

テーマ1は こんな話

教科書　Section 1

行政不服審査法は平成26年（2014年）に大きな改正がありました。ここでは、行政不服審査法の概要と目的について押さえておきましょう。

1 概要　　行政に処分の取消しを求める手続

　行政不服審査法は、行政庁の処分等に**違法・不当**があることを理由として、国民が**不服を申し立てる手続**について規定した法律です。

　行政行為には公定力がありましたね。したがって、瑕疵ある行政行為（処分）がされた場合、私たち私人の側では、積極的に争って権限のある機関に取消しをしてもらう必要があります。

　その「取消し」をしてもらうための手続が、ここで学習する**行政不服審査法に基づく不服申立て**と次のCHAPTERで学習する**行政事件訴訟法に基づく取消訴訟**です。

　行政不服審査法や行政事件訴訟法のように、行政の行為によって権利を侵害された私人の権利の救済を図るための法律等を総称して、行政救済法といいます。

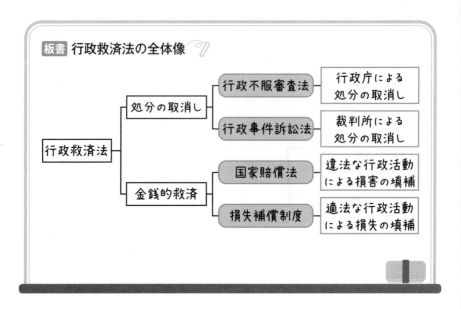

板書 行政救済法の全体像

行政救済法
├ 処分の取消し
│　├ 行政不服審査法 ─ 行政庁による処分の取消し
│　└ 行政事件訴訟法 ─ 裁判所による処分の取消し
└ 金銭的救済
　　├ 国家賠償法 ─ 違法な行政活動による損害の填補
　　└ 損失補償制度 ─ 適法な行政活動による損失の填補

　行政不服審査法は、平成26年（2014年）に全面的な改正がされています。

　改正の大きなポイントは、不服申立ての手続が「審査請求」に一本化されたことと、行政不服審査会への諮問が義務付けられたことです。

2 目的　　　　　　　　　　　　目的をきっちり理解しよう

　行政不服審査法は、「行政庁の違法又は不当な処分その他公権力の行使に当たる行為に関し、国民が簡易迅速かつ公正な手続の下で広く行政庁に対する不服申立てをすることができるための制度を定めることにより、簡易迅速な手続による国民の権利利益の救済を図るとともに、行政の適正な運営を確保することを目的」としています（1条1項）。

　行政不服審査法は、行政に対する不服申立ての手続に関する一般法です。

3 適用除外

一般概括主義が前提

行政不服審査法では、一般概括主義が採用されています。

これは、「処分」や「不作為」に該当する場合には、一般的に不服申立ての対象となることを認めた上で、適用を除外する事項を個別に明記していく考え方です。

> 行政不服審査法の前身である訴願法では、不服申立ての対象となる事項を列挙し、それ以外は不服申立てができないとする「列記主義」という考え方が採用されていました。

審査請求ができない処分としては、国会や裁判所の議決によってされる処分や税の犯則事件について税務署長がする処分、外国人の出入国に関する処分などが挙げられています。

行政法

CH3
行政不服審査法

テーマ 2 審査請求

テーマ 2 審査請求

教科書　Section 2

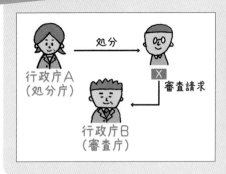

まずは審査請求先を押さえましょう。請求期間も覚えておく必要があります。また、審査請求の審理は、改正で大きく変更されています。審理員が置かれ、行政不服審査会への諮問が義務付けられています。

1 審査請求の対象と審査請求人　　対象は処分と不作為

1 対象

審査請求の対象となるのは、①処分と②不作為です。

❶ 処分

処分とは、行政庁の処分その他公権力の行使に当たる行為をいい、具体的には、不許可処分や営業停止処分などが含まれます。

❷ 不作為

不作為とは、法令に基づく申請に対して何らの処分もしないことをいい、営業の許可申請をしたにもかかわらず返答がない場合などを指します。

2 審査請求人

処分に対する審査請求は、「行政庁の処分に不服のある者」がすることができます。

 処分の相手方はもちろんですが、それに限られず、第三者であっても、不服申立てをするにつき法律上の利益のある者は審査請求人になることができます。

不作為に対する審査請求は、「処分についての申請をした者」に限られています。したがって、第三者が審査請求をすることはできません。

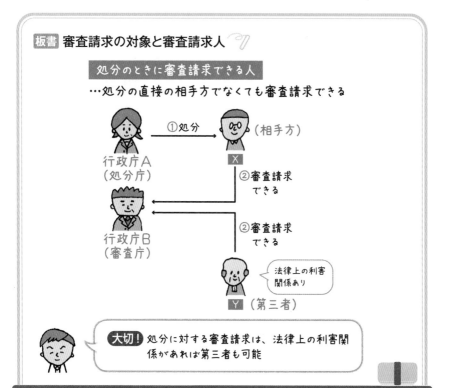

板書 審査請求の対象と審査請求人

処分のときに審査請求できる人

…処分の直接の相手方でなくても審査請求できる

①処分 （相手方）

行政庁A
（処分庁）

X

②審査請求
できる

②審査請求
できる

行政庁B
（審査庁）

法律上の利害
関係あり

Y （第三者）

大切！ 処分に対する審査請求は、法律上の利害関係があれば第三者も可能

2 審査請求先

審査請求先は、原則として、処分庁の最上級行政庁になります。この審査請求先となる行政庁のことを「審査庁」といいます。

しかし、例外的に、①処分庁に上級行政庁がない場合は、処分庁自身が審査請求先となります。たとえば、地方公共団体の長である知事や市長には上級庁がありませんので、知事や市長がした処分についての審査請求は、処分庁たる知事・市長に対して行うことになります。

> 改正前はこの形を「異議申立て」といいました。

また、②主任の大臣や庁の長が処分庁の場合も処分庁自身が審査請求先になります。さらに、③法律で審査請求先として第三者的行政庁が規定されている場合もあり、その場合は、その第三者的行政庁が審査請求先になります。

> たとえば、税務署長が国税に関する法律に基づく処分をした場合、本来は最上級行政庁である国税庁長官が審査請求先となるはずですが、国税通則法で「国税不服審判所」を審査請求先とするとされていますので、この規定に基づき「国税不服審判所」に審査請求することになります。

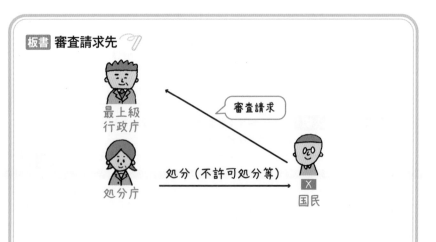

板書 審査請求先

最上級
行政庁

審査請求

処分庁

処分（不許可処分等）

国民

大切！ 原則 ― （最）上級行政庁
例外 ― 上級行政庁がない場合など⇒処分庁

3 審査請求期間　　　審査請求はいつまでできるか？

1 処分についての審査請求

処分についての審査請求は、正当な理由がある場合を除き、以下の場合には、することができなくなります。

① 処分があったことを知った日の翌日から起算して**3カ月**を経過したとき。

② 処分の日の翌日から起算して**1年**を経過したとき。

これは行政行為の効力で学習した「不可争力 ➡P.176参照」の表れです。

2 不作為についての審査請求

不作為についての審査請求には、特に期間制限はありません。不作為の状態が継続している限りは、審査請求をすることができます。

4 審査請求の審理　　　どのように審理するか？

1 審査の内容

行政不服審査法に基づく審査請求の審理では、行政事件訴訟法に基づく取消訴訟の審理とは異なり、処分の**違法性**だけでなく、**不当性**についても審査可能です。

2 審査の方式

　行政不服審査法は、その目的にもあるように「簡易迅速な救済の手続」です。したがって、原則としては、**書面による審理**（書面審理）が行われます。

3 審理員による審理と審理員意見書

　審査請求の審理自体は、審査庁自身が行うのではなく、**審理員**が行います。審理員は、「審査庁に所属する職員」から選ばれます。

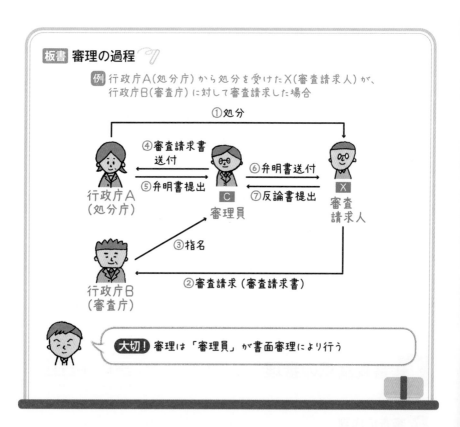

板書 審理の過程

例 行政庁A（処分庁）から処分を受けたX（審査請求人）が、行政庁B（審査庁）に対して審査請求した場合

①処分

④審査請求書送付
⑤弁明書提出
⑥弁明書送付
⑦反論書提出

行政庁A（処分庁）

C　審理員

X　審査請求人

③指名

行政庁B（審査庁）

②審査請求（審査請求書）

大切！ 審理は「審理員」が書面審理により行う

4 審理手続の終結

審理員は、必要な審理を終えたと認めるときは、審理手続を終結します。

審理手続が終結すると、審理員は遅滞なく、審査庁がすべき裁決に関する意見書（審理員意見書）を作成し、審査庁に提出します。

審理員意見書の提出を受けた審査庁は、最終結論を出す前に、原則として行政不服審査会等に諮問する（意見を求める）必要があります。

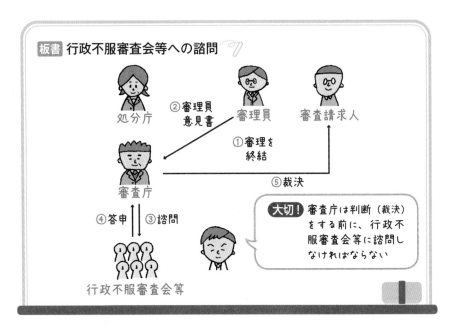

板書 行政不服審査会等への諮問

処分庁 ②審理員意見書 審理員 審査請求人

①審理を終結

審査庁 ⑤裁決

④答申 ③諮問

行政不服審査会等

大切！ 審査庁は判断（裁決）をする前に、行政不服審査会等に諮問しなければならない

5 審査請求の裁決　どのような判断を下すか？

審査庁が審査請求を審査して行う判定行為を裁決といいます。

裁決には、却下、棄却、認容の3種類があります。

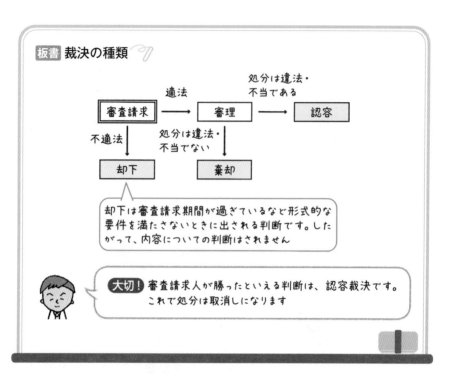

板書 裁決の種類

審査請求 → （適法）審理 → （処分は違法・不当である）認容

審査請求 → （不適法）却下

審理 → （処分は違法・不当でない）棄却

却下は審査請求期間が過ぎているなど形式的な要件を満たさないときに出される判断です。したがって、内容についての判断はされません

大切！ 審査請求人が勝ったといえる判断は、認容裁決です。これで処分は取消しになります

6 執行停止

執行は不停止が原則

　営業許可の取消処分を受けた者が審査請求をしたとしても、認容裁決により取消しがされるまでは処分の効力は生じたままです（執行不停止の原則：25条1項）。

　しかし、それでは後に認容裁決（取消し）がされたとしても、取返しのつかない状況になってしまう場合もあり得ます。

　そこで、例外的に処分の効力等を停止することが認められています。これが執行停止の制度です。

　執行停止は、審査庁が処分庁の上級庁（もしくは処分庁自身）の場合には職権で行うことができます（25条2項）。また、審査請求人の申立てがあり、処分等により生ずる重大な損害を避けるために緊急の必要がある場合には、原則として、審査庁は執行停止をしなければなりません（25条4項）。

テーマ 3

審査請求以外の不服申立て

教科書 Section 3

ざっくり テーマ3は こんな話

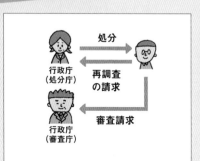

処分

行政庁（処分庁）

再調査の請求

行政庁（審査庁）

審査請求

平成26年（2014年）の改正で新設された制度である「再調査の請求」が、どのような場合に可能かを理解しておきましょう。

1 再調査の請求　　法律に規定がある場合に可能

再調査の請求とは、処分庁に対して行う不服の申立てです。

再調査の請求は、①法律（個別法）に再調査の請求をすることができる旨の定めがあり、②行政庁の処分について処分庁以外の行政庁に対して審査請求をすることができる場合において、③まだ審査請求をしていないとき、にすることができます。

つまり、上級庁や第三者的行政庁などが審査請求先になっており、本来は処分庁以外の行政庁に審査請求をすべき場合に、処分庁に再考を促すための手段です。

不作為は、再調査の請求の対象になりません。

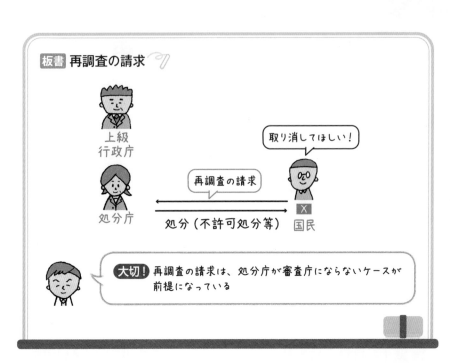

板書 再調査の請求

上級
行政庁

処分庁

取り消してほしい！

再調査の請求

処分（不許可処分等）　国民
X

大切！ 再調査の請求は、処分庁が審査庁にならないケースが
前提になっている

2　再審査請求　　　　　　　　　　再度の審査請求

　再審査請求とは、法律（個別法）に再審査請求をすることができる旨の定
めがある場合にすることができるものであり、審査請求の裁決が出た後に、
再度の審査請求として、法律に定める行政庁に対して行われるものです。

再審査請求ができる場合であっても、再審査請求をすることは義務
ではないので、再審査請求をせずに取消訴訟を起こすことも自由で
す。

テーマ
4

きょう じ
教示

ざっくり
テーマ4は こんな話

教科書　Section 4

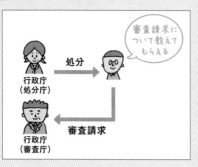

審査請求について教えてもらえる

いくら不服申立て制度がきちんと整備されていても、それを国民が知らなければ利用できません。そこで、処分をする際に、処分庁が、処分の相手方に不服申立てが可能であることを教えてあげる制度が作られました。それが"教示制度"です。

1　必要的教示　　教示が義務付けられる場合

　行政庁は、審査請求をすることができる**処分を書面でする場合**には、処分の相手方に対し、

①　当該処分につき不服申立てをすることができる旨
②　不服申立てをすべき行政庁
③　不服申立てをすることができる期間

を**書面で教示**（教え示すこと）しなければなりません。

この義務は、書面で処分をする場合に生じる義務です。口頭で処分をする場合には、教示義務は生じません。その場合は、求められた場合のみ教示すれば足りることになります（⇒ **2** 請求による教示）。

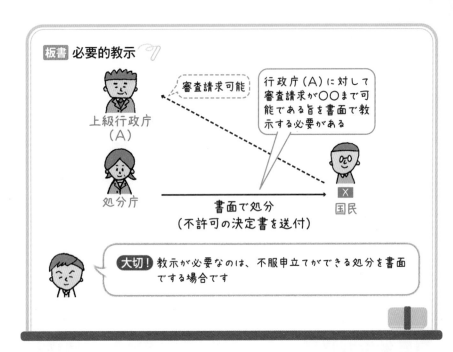

板書 必要的教示

審査請求可能

上級行政庁
（A）

行政庁（A）に対して審査請求が〇〇まで可能である旨を書面で教示する必要がある

処分庁

書面で処分
（不許可の決定書を送付）

X
国民

大切！ 教示が必要なのは、不服申立てができる処分を書面でする場合です

2 請求による教示　　求められたら教示すればよい場合

　行政庁は、利害関係人から、不服申立てができるかどうか等（**1**の必要的教示事項①②③と同内容）について教示を求められたときは、当該事項について教示しなければなりません。

　教示を求めた者が書面による教示を求めたときは、行政庁は、当該教示を書面でしなければなりません。

CHAPTER 3　行政不服審査法　過去問チェック！

問1　テーマ1 **3**

全ての行政庁の処分は、行政不服審査法または個別の法律に特別の規定がない限り、行政不服審査法に基づく審査請求の対象となる。(H29-14-1)

問2　テーマ2 **5**

処分についての審査請求が不適法である場合や、審査請求に理由がない場合には、審査庁は、裁決で当該審査請求を却下するが、このような裁決には理由を記載しなければならない。(H28-16-1)

問3　テーマ3 **1**

個別の法律により再調査の請求の対象とされている処分は、行政不服審査法に基づく審査請求の対象とはならない。(H29-14-5)

問4　テーマ4 **2**

処分庁は、処分の相手方以外の利害関係者から当該処分が審査請求のできる処分であるか否かについて教示を求められたときは、当該事項を教示しなければならない。(H26-15-ウ)

解答

問1　○　行政不服審査法では一般概括主義が採られているので、原則として全ての処分が対象となる（行政不服審査法 7 条 1 項）。

問2　×　「不適法な場合」は「却下」されるが、「理由がない場合」は「棄却」される（行政不服審査法45条）。

問3　×　再調査の請求が認められている場合でも、再調査の請求を行うか、審査請求を行うかは自由選択できる（行政不服審査法 5 条 1 項）。

問4　○　請求による教示の制度である（行政不服審査法82条 2 項）。

テーマ 1

行政事件訴訟の類型

ざっくり
テーマ1は こんな話

行政事件訴訟の代表は取消訴訟ですが、それ以外にもたくさんの訴訟類型が行政事件訴訟法には登場します。どのような類型があるかの概要をつかんでから細かい規定に入っていくことにしましょう。

1 行政事件訴訟法の概要

行政訴訟における一般法

行政事件訴訟法は、行政訴訟についての一般法です。したがって、特別法があればそれが優先適用されます。

また、行政事件訴訟法は、民事訴訟法の存在を前提に条文が作られており、民事訴訟法と共通のルールについてはわざわざ条文を置かない構成がとられています。

そこで、「行政事件訴訟法に定めがない事項については、民事訴訟の例による」（7条）とする一文を置いて、民事訴訟法の規定を使うことにしています。

2 行政事件訴訟の類型

訴訟の名称を覚えよう

まずは、行政事件訴訟の全体像（類型）を確認しましょう。

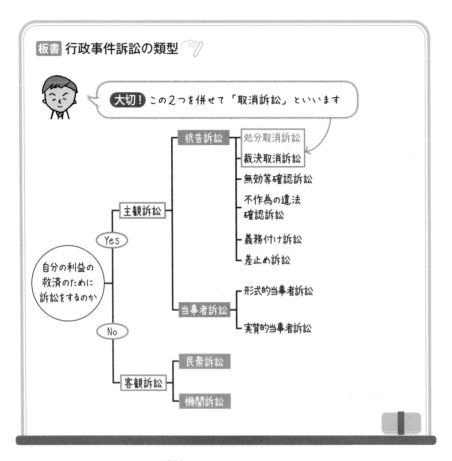

行政事件訴訟の中心は、抗告訴訟であり、なかでも取消訴訟がより重要です。抗告訴訟とは、行政庁の公権力の行使に関する不服の訴訟をいいます。

なお、主観訴訟とは、個人の権利利益の保護のための訴訟であり、訴えを起こせるのは、法律上の利益を有する者に限られます。一方、客観訴訟とは、個人の権利利益の保護とは関係なく、法の正しい運用を目的とする訴訟であり、自己の法律上の利益と関係なく、法律に定められている者が訴えを起こすことができます。

> 主観訴訟は、憲法で学習した「法律上の争訟 ➡P.43参照」に該当します。一方、客観訴訟は、「法律上の争訟」ではないものの、訴訟を起こすことを法が明文で認めた訴訟ということになります。

取消訴訟

教科書　Section 2

ざっくり
テーマ2は こんな話

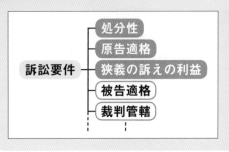

訴訟要件
- 処分性
- 原告適格
- 狭義の訴えの利益
- 被告適格
- 裁判管轄

行政事件訴訟法の中心は取消訴訟です。内容量も多いですが、重要なのは、訴訟要件（処分性・原告適格・狭義の訴えの利益）の部分です。この分野は判例からの出題が多いです。

1 行政不服審査法との関係　　審査請求と取消訴訟は自由選択

1 行政不服審査法との相違点

　行政不服審査法による審査請求も行政事件訴訟法による取消訴訟も処分の取消しを求める点では共通ですが、以下のような違いがあります。

板書 行政不服審査法と行政事件訴訟法の比較

	行政不服審査法による審査請求	行政事件訴訟法による取消訴訟
審査機関	行政機関	裁判所
審査対象	違法・不当	違法
特徴	簡易・迅速	慎重・公正
手続方式	原則：書面審理	原則：口頭審理

大切！ 取消訴訟で審査対象となり得るのは「違法」のみ

2 審査請求と取消訴訟の選択

審査請求も取消訴訟も同じように処分の取消しを求めるものです。

両方とも選択可能な場合、処分について審査請求を行うか、処分の取消しの訴えを提起するかは、原則として自由に選択できます（自由選択主義）。

審査請求を行った後に取消訴訟を起こすことも、両者を同時に行うことも可能です。

板書 審査請求と取消訴訟の選択—自由選択主義

例 行政庁Aから処分を受けたXが、処分の取消しを求めて争う場合、行政不服審査法により行政庁Bに審査請求することと行政事件訴訟法に基づき地方裁判所Cに取消訴訟を提起することの関係

行政庁A（処分庁） → ①処分 → X

②審査請求　②取消訴訟

行政庁B（審査庁） ← 自由選択 → 地方裁判所C

大切！ 審査請求を行うか、取消訴訟を提起するかは原則、自由に選択できる

ただし、例外的に、個別の法律に当該処分についての審査請求に対する裁決を経た後でなければ取消訴訟を提起できない旨の定めがあるときは、審査請求の裁決を経た後でなければ取消訴訟を提起できません（審査請求前置）。

その場合は、審査請求⇒裁決⇒取消訴訟という順番を踏まなければなりません。

　処分に対する審査請求がされ、その裁決に不服があり取消訴訟の提起を考えている場合、処分の取消しの訴え（処分取消訴訟）と裁決の取消しの訴え（裁決取消訴訟）のどちらを選択すべきかについて見ていきましょう。

板書 裁決取消訴訟と処分取消訴訟

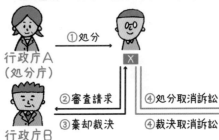

例　行政庁Aから処分を受けたXが、行政庁Bに審査請求したが棄却裁決を受けた場合、Xが、行政庁Aからの処分の違法性を主張して処分の取消しを求める方法

行政庁A（処分庁）
①処分
X

行政庁B（審査庁）
②審査請求
③棄却裁決
④処分取消訴訟
④裁決取消訴訟
裁判所

 大切！ 処分取消訴訟を提起するか、裁決取消訴訟を提起するかは原則、自由に選択できる（自由選択主義）

しかし

 大切！ 原処分主義という考え方により、選択した訴訟によって法廷で主張できる理由に制限が加わる

 裁決も性質上は"処分"であることから、この事例では、2つの"処分"が存在していることになります。そこで、最初に行われた処分（不許可処分など）のことを「原処分」と呼んで区別しています。

原処分主義とは、裁決の取消しの訴えにおいては、処分の違法を理由として取消しを求めることができないことです。

処分取消訴訟では、原処分の違法性のみ
裁決取消訴訟では、裁決固有の違法性（裁決に理由が欠けているなど）のみ
を主張することができるということです。

したがって、訴えを提起する側としては、自由選択といっても法廷で何を主張したいかにより、それに応じた訴訟を選択していく必要があります。

3 要件審理 　　　　　　　訴訟として成立するかどうかの要件

1 訴訟要件とは？

裁判所で主張内容について審査判断してもらう前提として、その訴訟が訴訟として成立する要件を満たしているかがチェックされます。この要件のことを**訴訟要件**といい、訴訟要件が満たされているかの審査のことを**要件審理**といいます。訴訟要件を満たしていない場合、内容面の審査判断をしてもらうことはできず、**却下判決**が出て訴訟は終了になります。

【訴訟要件の種類】

	名称	内容
①	処分性	対象とされる行為に「処分」としての性質があるか
②	原告適格	取消しを求めて出訴できる資格はあるか
③	狭義の訴えの利益	処分・裁決を取り消してもらう実益は残っているか
④	被告適格	被告とする者は正しいか
⑤	裁判管轄	訴訟を提起する場所（裁判所）は正しいか
⑥	出訴期間	出訴期間内の出訴か
⑦	訴えの形式	選択した訴えの類型に誤りはないか
⑧	当事者能力・訴訟能力	当事者となる能力・訴訟能力はあるか
⑨	不服申立前置	不服申立前置のケースではないか

訴訟要件の中で、④の被告適格や⑥の出訴期間はわかりやすいので、簡単に説明しておきましょう。

取消訴訟の相手方（被告）は、原則として当該処分をした行政庁の所属する国または公共団体になります。

また、取消訴訟は、処分または裁決があったことを知った日から**6カ月**を経過したとき、もしくは、処分または裁決があった日から**1年**を経過したときには提起できなくなります。➡P.176参照

これらの要件も訴訟要件の1つですから、間違った場合には却下になります。たとえば、処分があった日から2年後に、訴訟を提起した場合、本案審理に進むことなく、却下判決で終わりになってしまうということです。

この訴訟要件の中で特に重要なのは、①**処分性**、②**原告適格**、③**狭義の訴えの利益**です。

> ①②③の訴訟要件は、④や⑥のように形式的に判断できるものではなく、その有無についてある程度事案の内容に即した吟味検討を行って初めて判断できるものです。したがって、法廷での審理を行って判定されることになります。

2 処分性

❶ 処分性とは？

処分の取消しの訴えは「行政庁の処分その他公権力の行使に当たる行為」を対象とすると規定されています（3条2項）。

したがって、取消訴訟を提起するためには、「行政庁の処分その他公権力の行使に当たる行為」である必要があり、この性質を有することを"**処分性がある**"と表現します。

判例では、「(a)公権力の主体たる国または公共団体が行う行為のうち、(b)その行為によって、直接国民の権利義務を形成し、またはその範囲を確定することが法律上認められているものをいう」と定義されています。

処分性の有無は、この(a)(b)の視点から判断されることになります。

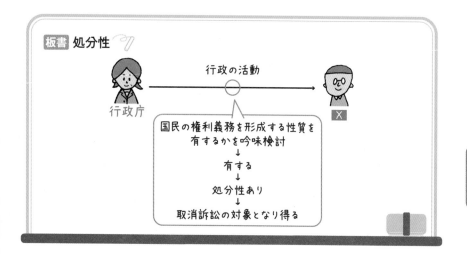

❷　行政行為の処分性

行政行為は、(a)(b)を満たすので、「処分」に含まれると考えられます。

❸　行政行為以外の行政活動の処分性

問題は行政行為以外の行政活動が含まれるかどうかです。この点は個別に判定していくことになります。

たとえば、行政指導は、法的効力のない事実行為にすぎないとされています。したがって、「処分」には該当しないと考えられます。しかし、医療法に基づく病院開設中止の勧告については、事実上の拘束力の強さに鑑みて、例外的に「処分」に該当すると判断されています。

> この勧告は行政指導なので、無視して開設すること自体は可能です。しかし、この勧告を無視して開設すると、相当の確実さをもって保険医療機関の指定を受けることができなくなるとされています。そのため事実上開設自体を中止せざるを得なくなるのです。

また、行政計画についても、以前は拘束的な行政計画も含めて処分性はないと判断されてきました。しかし、予定地域の住民に対して拘束力の強い土地区画整理事業計画について、判例変更を行い、処分性を認めるに至っています。

板書 処分性の有無

処分

行政指導

行政行為

行政計画

行政指導や行政計画など行政行為ではない行政活動もその内容によっては「処分」に含まれ得る

行政行為はまるっと処分に含まれている

大切！ 行政行為は「処分」に含まれる
行政指導は原則として含まれない（例外あり）
行政計画は拘束力の強いものは含まれる

3 原告適格

❶ 原告適格とは？

　訴訟を提起できる資格のことを原告適格といい、この資格があるのは法律上の利益を有する者に限られています。つまり、取消訴訟は「法律上の利益を有する者」でなければ提起することができないということです。

　この点、不許可処分や営業許可の取消処分の相手方が「法律上の利益を有する者」であることは間違いありません。

❷ 処分の相手方以外の者の原告適格

　問題になるのは、処分の相手方以外の者に原告適格があるかどうかです。

　判例は、法律上の利益を有する者とは、「当該処分により自己の権利もし

くは法律上保護された利益を侵害され又は必然的に侵害されるおそれのある者」であるとしています。

したがって、このような立場に置かれている者であれば、処分の相手方以外の第三者も原告適格を有していることになります。

たとえば、都市計画法に基づく知事の鉄道事業に対する認可処分の取消訴訟において、周辺住民のうち当該事業が実施されることにより著しい被害を直接的に受けるおそれのある者（騒音や振動による被害を受ける可能性のある付近住民）には、取消訴訟を提起する法律上の利益があると認定されています。

一方、質屋営業法に基づく営業許可処分については、既存の営業者（ライバル店など）には取消訴訟を提起する法律上の利益はないとされています。

このような判断の違いは、処分の根拠となる法令等の解釈によって決まると考えられます。
つまり、許可制や認可制を設けた法律等が何を保護するためにそのような制度を設けたかによって判断されるということです。

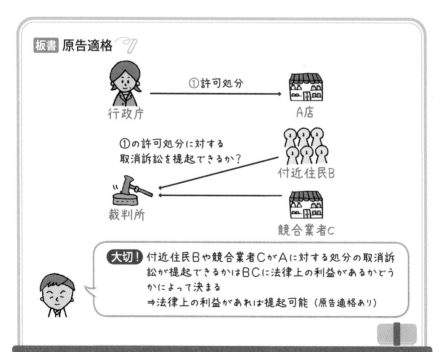

板書 原告適格

行政庁 ──①許可処分──→ A店

①の許可処分に対する
取消訴訟を提起できるか？

付近住民B

裁判所

競合業者C

大切！ 付近住民Bや競合業者CがAに対する処分の取消訴訟が提起できるかはBCに法律上の利益があるかどうかによって決まる
⇒法律上の利益があれば提起可能（原告適格あり）

233

4 狭義の訴えの利益

❶ 狭義の訴えの利益とは?

狭義の訴えの利益とは、処分を取り消してもらうことにより得られる実益のことです。

時の経過による状況変化により、もはや処分を取り消してもらうことにより得られる実益がなくなった場合に、内容的な審査を継続して最終判断を示すことは単なる裁判制度の無駄使いになりかねません。

そこで、処分を取り消してもらう実益(=狭義の訴えの利益)が消滅した場合には、却下の判決を出して、訴訟を終結させることができることになります。

❷ 狭義の訴えの利益が失われる場合

たとえば、隣家の建築確認が違法であるとして取消訴訟を提起しようとした場合を考えてみましょう。

仮に建築工事が完了してしまうと、今さら建築確認を取り消してもらっても特に意味はないと考えられています(建築確認は単に着工できるという効果を持つものであり、その効果は工事完了により完全に失われるからです)。したがって、工事完了後には、建築確認の取消しを求める狭義の訴えの利益は失われます。

❸ 狭義の訴えの利益がある場合

たとえば、懲戒免職処分を受けた公務員が取消訴訟を提起して、裁判で争っている間に亡くなったとします。当人が死亡してしまった以上、免職処分が取り消されたとしても公務員に戻ることは不可能なので、取消しを求める実益はなくなるようにも思えます。

しかし、免職処分が取り消されれば、受け取ることができなかった退職金などの請求権を遺族が得ることができます。したがって、この場合には、狭義の訴えの利益は失われず、遺族は訴訟を継続することができるのです。

> 狭義の訴えの利益の有無の判断には、処分が取り消されることによって「回復すべき法律上の利益」がある場合も含まれます。

4 本案審理 <u>主張内容についての審理</u>

　訴訟要件が満たされている場合は、主張内容についての審理に入ります。これを「本案審理」といいます。

1 民事訴訟のルールの適用

　行政事件訴訟法に規定のない事項については、民事訴訟法を適用することになっています（7条）。

　このことから、次のような民事訴訟法上の原則が、行政事件訴訟にも適用されることになります。

❶ 処分権主義

　訴訟を提起するか、やめるかについては、当事者の判断にゆだねられるとする原則のことです。

❷ 弁論主義

　裁判の基礎となる資料の収集を、当事者の権能かつ責任とする原則のことです。

> この原則から、裁判は当事者の弁論（主張・立証）を通じてのみ行われ、裁判所は弁論で示された主張と資料（証拠）にのみ基づいて判断を下すのが原則となります。
> つまり、裁判所は原則としてレフェリー役に徹するということです。

2 原告の主張制限

　取消訴訟においては、<u>自己の法律上の利益に関係のない違法</u>を理由として、取消しを求めることはできません（10条1項）。

　したがって、原告は、処分を違法とする理由について第三者に対する権利侵害などを主張することができないことになります。

1 判決の種類

　判決の名称自体は、行政不服審査法の裁決 ➡P.217参照 と同じであり、却下、棄却、認容の３種類があります。

　棄却は取消しを求める原告（私人）の敗訴、認容は取消しを求める原告（私人）の勝訴ということになります。

　認容判決が出されると、処分は取消しになります。

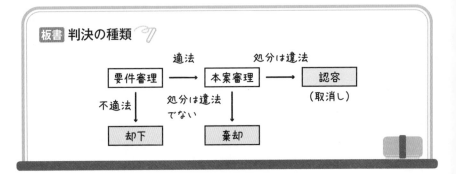

板書 判決の種類

```
             適法           処分は違法
   要件審理 ─────→ 本案審理 ─────→   認容
                                   （取消し）
   不適法│     処分は違法│
         │     でない    │
         ↓            ↓
       却下          棄却
```

2 判決の効力

❶ 既判力（きはんりょく）

　判決の種類に関係なく確定判決に生じる効力として、既判力があります。

　これは、いったん判決が確定すると、当事者および裁判所はその判決に拘束され、同一事項について確定判決と矛盾する主張・判断を後の訴訟においてすることができなくなるという効力で、紛争の蒸し返しを防止するために認められている効力です。

　　既判力とは、"既に判断済み"ということから生じる力という意味合いです。

❷ 形成力

認容判決（取消しの判決）に生じる効力として、形成力があります。

形成力とは、認容判決が出ることによって、行政庁が取消しを行うまでもなく、さかのぼって処分の効力が消滅する効力です。

> 判決のみで、法律関係を作り出す（形成する）力があるということです。

この形成力（法律関係を作り出す力）は、訴訟の当事者だけでなく第三者にも及ぶとされています。

> これを指して「第三者効がある」と表現します。
> "第三者にも及ぶ"というのは、行政事件訴訟法だけを勉強していると当たり前に思えてしまいますが、訴訟制度としては例外的な取扱いといっていいでしょう。実際、民事訴訟法では相対効（当事者にのみ効力が生じる）というのが原則になっています。

❸ 拘束力

次に、認容判決（取消しの判決）に生じる効力として、拘束力があります。

拘束力とは、処分行政庁その他の関係行政庁は、認容判決に拘束され、この判決の趣旨に反する処分をすることができなくなる効力です。

したがって、不許可処分の取消訴訟において認容判決が出された場合、同一の理由に基づき再度不許可処分をすることは許されなくなります。

> ただし、絶対に許可処分が出るとは限りません。
> なぜなら、あくまでも"同一の理由によって"再度不許可処分を出すことが許されないだけであって、異なる理由に基づき不許可処分を出すことは許されているからです。

板書 判決の効力

既判力	判決が確定することによって、同一の事項について確定判決と矛盾する主張・判断を後の訴訟において争うことができなくなる効力
形成力	取消判決により、処分の効力は失われ、最初からなかったことになる効力
第三者効	形成力は第三者に対しても及ぶ
拘束力	取消判決が関係行政庁を拘束する効力 →判決の趣旨に従い、改めて申請に対する処分をしなければならない。 ↖処分庁は、同一事情の下においては、判決の趣旨に反する処分をすることができなくなる

大切！ 既判力－判決の種類に関係なく確定判決に生じる効力
形成力・拘束力－認容判決（取消判決）にのみ生じる効力

6 執行停止

考え方は行政不服審査法とほぼ同じ

行政不服審査法と同様、行政事件訴訟法でも執行不停止が原則です（**執行不停止の原則**：25条1項）が、「執行停止」の制度も設けられています。

原告からの執行停止の申立てがあったことを前提に、裁判所は、**重大な損害を避けるため緊急の必要がある場合**には、原則として、執行停止をしなければなりません（25条2項）。

行政不服審査法と異なり、裁判所が職権で執行停止をすることはできないので注意！

なお、行政事件訴訟法の執行停止には、**内閣総理大臣の異議**の制度（27条）があります。これは、内閣総理大臣が執行停止に対する異議を述べると、裁判所が執行停止できなくなる制度です。

テーマ
3

取消訴訟以外の訴訟

ざっくり
テーマ3は こんな話

行政事件訴訟法には、取消訴訟以外にもたくさんの訴訟類型があります。どのような訴訟があるのか、その概要を見ていきます。

1 取消訴訟以外の抗告訴訟　まずは名称を覚えよう

1 無効等確認訴訟
（む こうとうかくにん そ しょう）

「処分・裁決の存否又はその効力の有無の確認を求める訴訟」です。
（そんぴ）

　重大かつ明白な瑕疵ある行政行為は無効となりますが、その無効の判定を裁判所に求めるのが無効等確認訴訟です。

"等"となっているのは、無効だけでなく、行政行為の"不存在"についても対象となっているからです。

　ただし、実際には、無効な行政行為だからといって常に無効等確認訴訟が起こせるわけでありません。補充性の原則が採用されており、他の訴訟（現在の法律関係に関する訴え）で解決することができない場合のみ、無効等確認訴訟を提起することができます。

2 不作為の違法確認訴訟

行政庁が法令に基づく申請に対し、相当の期間内に何らかの処分・裁決をすべきであるにもかかわらず、これをしないことについての違法の確認を求める訴訟をいいます。

> 簡単にいうと、申請したのに返事をくれない場合に、返事をくれないのはおかしい！ と言って起こす訴訟です。

この訴訟が提起できるのは、申請をしている者に限定されています。

3 義務付け訴訟

平成16年（2004年）の改正によって追加された比較的新しい訴訟類型です。

義務付け訴訟には、①非申請型義務付け訴訟と②申請型義務付け訴訟という2つの類型があります。

❶ 非申請型義務付け訴訟

行政庁に対して規制権限の発動を求める訴訟です。

たとえば、違法な営業活動をしている業者に対して、監督官庁が営業停止処分等を出すべきであるにもかかわらず、出さない場合に、被害を受けている者が営業停止処分を出すように求める訴訟です。

❷ 申請型義務付け訴訟

許認可等の申請者が、(a)不許可処分を出された場合や(b)返答がなかった場合に、許可処分等をすべき旨を命ずることを求める訴訟です。

> 従来、(a) のケースについては取消訴訟で、(b) のケースは、不作為の違法確認訴訟で争うことは可能でした。
> しかし、その訴訟で勝訴した後に不許可処分が出ない保証はありません。そこで、紛争を一度で解決するために設けられたのが②の申請型義務付け訴訟です。

4 差止め訴訟

これも義務付け訴訟と一緒に平成16年（2004年）改正で追加された訴訟類型です。

行政庁が処分をすべきでないにもかかわらず、その処分を出そうとしている場合に、行政庁がその処分をしてはならない旨を命ずることを求める訴訟です。

たとえば、営業許可の取消処分が出されそうになっている業者が、聴聞 ➡P.202参照 の通知がきたことでそのことを知った際に、取消処分が出てしまってからでは大変なので、行政庁が処分を出さないように裁判所から命じてもらうために起こす訴訟です。

2 抗告訴訟以外の訴訟類型 今は存在を認識しておくだけで十分

1 当事者訴訟

当事者訴訟には、①実質的当事者訴訟と②形式的当事者訴訟の２つの類型があります。

❶ 実質的当事者訴訟

「公法上の法律関係に関する確認の訴えその他の公法上の法律関係に関する訴訟」をいいます。

具体例としては、無効な懲戒免職処分を受けた公務員による地位確認訴訟を挙げることができます。

> 公法上の法律関係であっても、民間に類似した当事者間の対等性が見いだせるケースについての紛争に関する訴訟が "当事者訴訟" です。

❷ 形式的当事者訴訟

「当事者間の法律関係を確認・形成する処分に関する訴訟で、法令の規定によりその法律関係の当事者の一方を被告として提起できる訴訟」のことを

指します。

具体的には、土地収用における補償金 ➡P.250参照 が少ないとして起業者を被告として起こす増額訴訟が挙げられます。

土地収用における補償金増額訴訟は、収用処分と同時に一方的に収用委員会によって決定された補償金の多寡を争う訴訟です。実際には、一方的決定に対して抵抗する訴訟ですから、本来は抗告訴訟としての性格を有しています。しかし、土地収用法という法律で、起業者を被告として訴訟を提起するよう定め、当事者間で争わせる形にしていることから、"形式的"当事者訴訟と呼ばれています。

2 民衆訴訟

国または公共団体の機関の法規に適合しない行為の是正を求める訴訟です。

具体例としては、公職選挙法の選挙無効・当選無効訴訟や地方自治法の住民訴訟 ➡P.257参照 を挙げることができます。

3 機関訴訟

国または公共団体の機関相互間における権限の存否またはその行使に関する紛争についての訴訟です。

具体例としては、地方公共団体において、議会の議決につき長と議会が対立した場合に裁判所に出訴できる場合の訴訟などを挙げることができます。

テーマ 4　教示

行政不服審査法の教示制度 ➡P.221参照 をまねる形で行政事件訴訟法にも平成16年（2004年）改正で教示制度が導入されています。ただし、請求による教示の制度や誤った教示がされた場合の救済規定が基本的にない点が、行政不服審査法と異なっています。

1　取消訴訟における教示　処分を書面でする場合に教示義務あり

　行政庁は、取消訴訟を提起できる処分を書面でする場合には、処分の相手方に対して、①被告とすべき者、②出訴期間を書面で教示しなければなりません。

> この義務は、行政不服審査法同様、書面で処分をする場合に生じる義務です。口頭で処分をする場合には、教示義務は生じません。

板書 教示制度

> 行政主体（A）を被告として取消訴訟の提起が○○まで可能である旨を書面で教示する必要がある

処分庁 —— **書面で処分**
（不許可の決定書を送付） → X 国民

裁判所

取消訴訟提起可能

大切！ 教示が必要なのは、取消訴訟が提起できる処分を書面でする場合です

2 行政不服審査法の教示制度との違い 救済規定なし

　行政不服審査法には、請求による教示の制度がありましたが、行政事件訴訟法にはその規定がありません。

　また、誤った教示をした場合や教示をしなかった場合についての救済規定も特に設けられていません。

問1　テーマ2 **3**

医療法の規定に基づき都道府県知事が行う病院開設中止の勧告は、行政処分に該当しない。(H24-18-1)

問2　テーマ2 **5**

不利益処分の取消訴訟において原告勝訴判決（取消判決）が確定した場合、処分をした行政庁は、判決確定の後、判決の拘束力により、訴訟で争われた不利益処分を職権で取り消さなければならない。(H22-18-ア)

問3　テーマ4 **2**

誤った教示をした場合、または教示をしなかった場合についての救済措置の規定がおかれている。(H18-19-5)

解答

問1　×　行政指導は原則として処分性がないが、例外的に病院開設中止の勧告は処分性が認められている（判例）。

問2　×　取消判決（認容判決）には形成力があるので、処分庁が職権で取り消すことなく、処分は効力を失う。

問3　×　行政事件訴訟法では行政不服審査法と異なり、救済規定は置かれていない。

テーマ 1

国家賠償法

ざっくり

テーマ1は こんな話

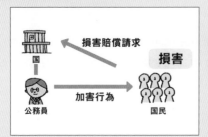

国家賠償制度は、国家活動によって損害を被った国民に対して金銭的な救済を図るための制度であり、憲法17条の国家賠償請求権 →P.28参照 を具体化したものです。

公務員の不法行為に基づく1条責任と公の営造物の設置・管理の瑕疵に基づく2条責任があります。

1 国家賠償法1条の責任　　公務員が不法行為をした場合

　国や公共団体の公権力の行使にあたる公務員が、その職務を行うについて、故意または過失によって違法に他人に損害を加えた場合、国または公共団体が被害者に賠償する責任を負います（1条）。

　公務員が国民に不法行為を行った場合に生じる責任です。

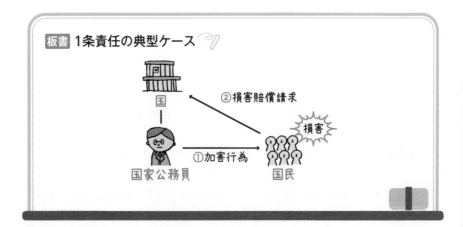

板書 1条責任の典型ケース

国家賠償法1条の責任が国・地方公共団体に生じるためには次の要件を満たす必要があります。

【1条責任の要件】

> ①　「公権力の行使」にあたる行為であること
> ②　「公務員」の行為であること
> ③　「職務を行うについて」発生した損害であること
> ④　公務員に「故意または過失」があること
> ⑤　「違法」に加えられた損害であること

❶ 「公権力の行使」にあたる行為であること

純粋な私経済活動と、2条の対象となる公の営造物の設置管理作用を除く、すべての作用を含むとされています。したがって、公務員の不作為や国公立学校での教育活動、司法権・立法権による行為も含まれる幅広い概念です。

> ここまでの学習では、「公権力の行使」というのは権力的な行為（一方的、命令的、強制的な性質を有する行為）に限定されていました。しかし、国家賠償法ではこのような限定的な用語としてではなく、"公務の遂行"程度の広い意味で使用されています。したがって、これまでは非権力的な行為とされてきた行政指導等も含まれます。

❷ 「公務員」の行為であること

公務員法にいう公務員に限らず、公務を遂行していれば、民間人の不法行為も対象になり得ます。

❸ 「職務を行うについて」発生した損害であること

必ずしも職務を遂行している必要はなく、客観的に職務執行の外形を備えていればよいとされています。

> 非番中の警察官が、制服・制帽を着用して、職務質問を装い強盗殺人を犯したケースで、警察官が所属する都に対する国家賠償請求が認められています。

国・地方公共団体の国家賠償責任は、加害公務員の責任を肩代わりしたも

のと考えられています（代位責任）。

　また、国・地方公共団体が国家賠償責任を負う場合、加害公務員個人に対する賠償請求は認められません。ただし、被害者に賠償をした国・地方公共団体は、故意または重過失がある加害公務員に対して求償（肩代わりして支払った賠償金を返済するように求めること）をすることができます。

2 国家賠償法2条の責任　　公物から被害が生じた場合

　道路、河川等の公の営造物（公物）の設置・管理に瑕疵があったために国民に損害を生じた場合、設置・管理者である国・公共団体が賠償責任を負います（2条）。

「公の営造物」とは、公物とほぼ同じ意味で使われています。道路、公園などの人工公物と河川、海浜などの自然公物に分類できます。

　ここでいう瑕疵とは、通常有すべき安全性が欠けていることをいい、客観的に瑕疵が存在していれば、無過失であっても、国・公共団体は賠償責任を負うことになります（無過失責任）。

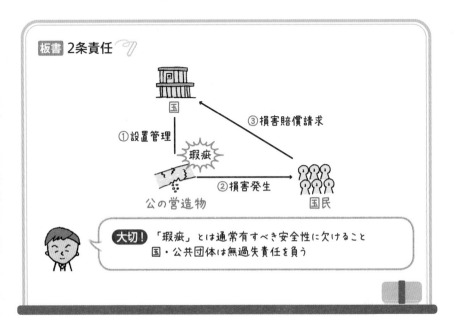

板書 2条責任

国

③損害賠償請求

①設置管理

瑕疵

②損害発生

公の営造物　　　　　　国民

大切！　「瑕疵」とは通常有すべき安全性に欠けること
　　　　国・公共団体は無過失責任を負う

テーマ **2**

損失補償

教科書　Section 2

ざっくり
テーマ2は こんな話

適法な国家活動によって損失を被った国民を救済する制度が損失補償制度です。憲法29条3項で保障する損失補償請求権を具体化する制度です。したがって、憲法の学習とかなりの部分が重なります。

➡️ P.25参照

　行政目的を達成するためには、時に国民に損失を生じさせる活動をしなければならない場合もあります。損失補償制度は、そのような**適法な行政活動**によって国民に損失が発生した場合に、その損失を補償することで、損失の公平な分担を図るための制度です。

　損失補償をする必要があるのは、財産権の制限・剥奪によって**特定の個人に特別な犠牲**を生じさせた場合とされています（**特別犠牲説**）。

　損失補償制度については、国家賠償制度における「国家賠償法」のような**一般法が存在していません**ので、個別の法律を根拠に行われるのが一般的です。その代表的な法律が「土地収用法」になります。土地収用法は、公共的な事業を遂行するために土地を収用する場合の損失補償についての規定を置いています。

　また、仮に損失補償請求をするための根拠となる個別法がない場合であっても、**憲法29条3項を直接根拠にして補償請求**をすることが可能と考えられています（判例）。

問1　テーマ1 **1**

都道府県の（非番中の）警察官が制服制帽を着用して職務行為を装い強盗した場合、被害者に対し当該都道府県が国家賠償責任を負うことがある。(H23−20−エ)

問2　テーマ1 **1**

公務員個人は、国または公共団体がその責任を負担する以上、被害者に対して直接責任を負うことはない。(H16−11−5)

問3　テーマ1 **2**

(国家賠償法2条にいう) 公の営造物の設置又は管理の瑕疵とは、公の営造物が通常有すべき安全性を欠いていることをいうが、賠償責任が成立するのは、当該安全性の欠如について過失があった場合に限られる。(H21−19−2)

解答

問1　○　客観的に職務執行の外形をそなえていれば国家賠償法の対象となる（判例）ので、本ケースも他の要件を満たせば都道府県に国家賠償責任が生じる。

問2　○　公務員個人は被害者に対して直接責任は負わない。

問3　×　国家賠償法2条の責任は、無過失責任であり、安全性の欠如について過失がなかった場合も賠償責任は成立する。

テーマ 1 地方公共団体

ざっくり
テーマ1は こんな話

教科書 Section 1

```
        ┌ 普通地方 ┌ 都道府県
        │ 公共団体 └ 市町村
地方公共団体 ┤
        │ 特別地方 ┌ 特別区
        │ 公共団体 ├ 地方公共団体の組合
        └         └ 財産区
```

地方自治の本旨の意義をきちんと押さえましょう。地方自治の事務の名称と地方公共団体の種類は基本事項です。正確に覚えておきましょう。

1 地方自治制度の意義と目的　　住民自治と団体自治がある

　地方自治については、憲法が「地方公共団体の組織及び運営に関する事項は、地方自治の本旨に基づいて、『法律』でこれを定める。」（92条）と規定しています。これを受けて制定されたのが地方自治法です。

　ここで重要なのが「地方自治の本旨」の意義です。

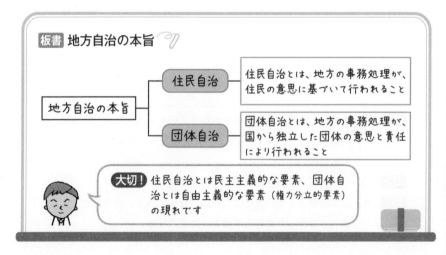

板書 地方自治の本旨

地方自治の本旨 ┬ 住民自治 ── 住民自治とは、地方の事務処理が、住民の意思に基づいて行われること

　　　　　　　 └ 団体自治 ── 団体自治とは、地方の事務処理が、国から独立した団体の意思と責任により行われること

大切！ 住民自治とは民主主義的な要素、団体自治とは自由主義的な要素（権力分立的要素）の現れです

2 地方公共団体の種類と事務　　種類を覚えよう

1 地方公共団体の種類

　地方公共団体には、①普通地方公共団体と②特別地方公共団体の2種類があります。

❶ 普通地方公共団体

都道府県と市町村があります。

　市町村は基礎的な地方公共団体で、都道府県はそれを包括する広域の地方公共団体を指します。

❷ 特別地方公共団体

特別区、地方公共団体の組合、財産区があります。

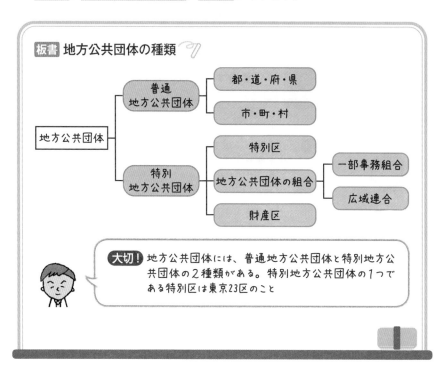

板書 地方公共団体の種類

大切！ 地方公共団体には、普通地方公共団体と特別地方公共団体の2種類がある。特別地方公共団体の1つである特別区は東京23区のこと

2 地方公共団体の事務の区分

地方公共団体の事務には、①**自治事務**と②**法定受託事務**の2種類があります。

板書 地方公共団体の事務

自治事務	法定受託事務以外の事務
	例 小中学校の設置管理、市町村長選挙の事務
法定受託事務	**第1号法定受託事務**
	国が本来果たすべき役割に係るものであるが、法令により、都道府県・市区町村が実施するものとされている事務
	例 戸籍事務、国政選挙の事務
	第2号法定受託事務
	都道府県が本来果たすべき役割に係るものであるが、法令により、市区町村が実施するものとされている事務
	例 県知事選挙の事務

大切！自治事務は、本来、地方公共団体が果たすべき役割に係る事務といえます。一方、法定受託事務は、国等の事務を任されてやっている事務ということです

住民の権利

ざっくり
テーマ2は こんな話

住民の権利としては、直接請求制度が重要です。これは、有権者の署名を集めて請求する制度です。また、地方公共団体の財務会計上の行為については、住民監査請求が可能です。

1 直接請求制度　　　　　署名を集めて請求する制度

　地方公共団体の住民が有権者の署名（しょめい）を集めて、地方公共団体に請求をする制度を**直接請求制度**といいます。
　連署数（れんしょすう）というのは、署名の数で、分母は有権者数になります。

板書 直接請求の種類①

有権者の50分の1以上の署名を集めてする請求

	連署数	請求先	請求後の処理
条例の制定・改廃請求	50分の1以上	長	長は議会を招集して、付議し、結果を公表
事務監査請求	50分の1以上	監査委員	監査結果を代表者に送付し、公表。議会・長などに提出

板書 直接請求の種類②

有権者の3分の1以上の署名を集めてする請求

	連署数	請求先	請求後の処理
議会の解散請求	3分の1以上	選挙管理委員会	住民投票で過半数の同意があれば解散
議員・長の解職請求	3分の1以上	選挙管理委員会	住民投票で過半数の同意があれば失職
(副知事・副市町村長等の) 役員の解職請求	3分の1以上	長	議会で議員の3分の2以上の者が出席し、その4分の3以上の者の同意で失職

2 住民監査請求と住民訴訟　　一連の流れで行われる

1 住民監査請求

　住民監査請求は、地方公共団体の住民が、その地方公共団体の違法または不当な財務会計上の行為について、是正を求めて監査委員に請求します。

　監査委員が監査の結果、請求人の主張に理由があると認めた場合、長や職員に対し必要な措置を講ずべきことを勧告することになります。

板書 住民監査請求

例 A市の職員Bが違法な公金支出をしていることを発見したXが、住民監査請求をする場合

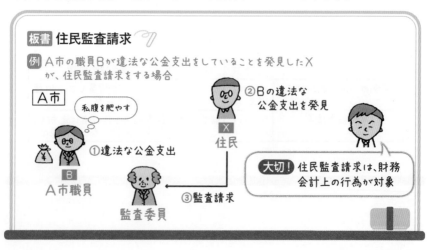

2 住民訴訟

住民監査請求をしたとしても、監査委員が必ずしも監査請求をした住民の主張を認めてくれるとは限りませんし、監査委員の勧告に長等が従わないこともあり得ます。

そこで、住民監査請求の結果に不服がある場合には、住民監査請求をした住民は、裁判所に訴訟を起こすことができます。これが住民訴訟です。

住民訴訟はいきなり提起することはできず、住民監査請求を提起した者のみが提起できます（住民監査請求前置）。

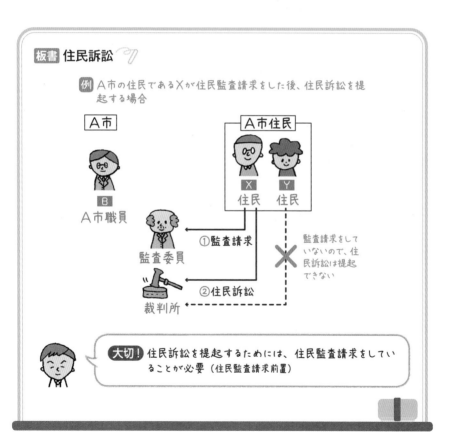

板書 住民訴訟

例 A市の住民であるXが住民監査請求をした後、住民訴訟を提起する場合

A市
B
A市職員

A市住民
X 住民
Y 住民

監査委員
①監査請求

②住民訴訟
裁判所

監査請求をしていないので、住民訴訟は提起できない

大切！住民訴訟を提起するためには、住民監査請求をしていることが必要（住民監査請求前置）

テーマ 3　地方公共団体の機関

教科書　Section 3

地方公共団体には、議会および長などの執行機関が置かれています。議会と長の関係では、議会による長の不信任決議と、長の議会解散権の行使が重要です。

1　議会　　　　　国会との違いを意識しよう

1　組織と権限

都道府県・市町村には、議会が設置されます。ただし、町村は、条例により議会を置かず選挙権を有する者の総会（町村総会）を設けることもできます。

都道府県・市町村の議会の議員の定数は、条例で定められます。

議員の任期は、原則として選挙の日から4年です。

議会の権限は、条例を制定することや予算を定めることなど、多岐にわたります。また、各種の調査権限ももっています。

2　招集と会期（しょうしゅう　かいき）

議会は、長が招集します。

議会の会期としては、定例会と臨時会があります。また、条例により、会期制を採用せず、常設制を採用することも可能になっています。

2 執行機関 (しっこう)

長や委員会が置かれる

　地方公共団体において事務を管理・執行する機関を**執行機関**といい、執行機関として**長**、**委員会**（行政委員会）等が置かれています。

　長として都道府県に**知事**、市町村には**市町村長**が置かれます。

　長も住民の選挙で選ばれ、任期は原則として**4年**です。

　さらに、長を補佐するために**副知事・副市町村長**が置かれています。

　また、行政委員会としては、**教育委員会**や**選挙管理委員会**などが置かれています。

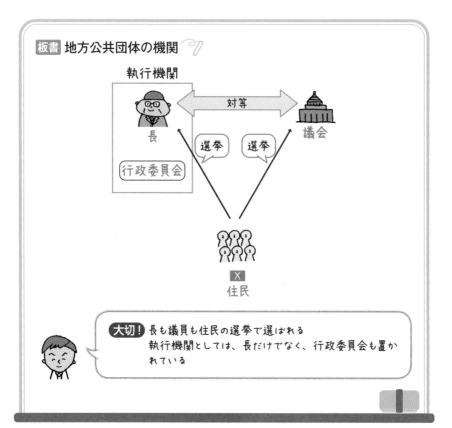

板書 地方公共団体の機関

執行機関

長

行政委員会

対等

議会

選挙　選挙

X
住民

大切！長も議員も住民の選挙で選ばれる
執行機関としては、長だけでなく、行政委員会も置かれている

長も議会も住民の選挙で選ばれており、住民の支持を受けている存在です。そのため、地方自治法は、両者の間に対立が生じた場合の処理についても規定を設けています。それが長の拒否権や議会の不信任決議・長の解散権です。

1 長の拒否権

長は、議会の議決に対して拒否権を有しています。

板書 長の拒否権

	行使できる場合	長の対応
一般的拒否権	議会の議決について異議があるとき	再議に付すことができる（任意的）
特別的拒否権	違法な議決・選挙	再議（または再選挙）に付さなければならない（義務的）
	義務費の削除・減額の議決	
	非常費の削除・減額の議決	

大切！ 一般的拒否権は長が任意で行使するものであるが、特別的拒否権は義務的なもの

---

2 不信任と解散

議会は長に対して不信任決議をすることができます。それに対抗して、長は議会を解散することも可能です。不信任決議の日から10日以内に解散しない場合には、長は失職することになります。

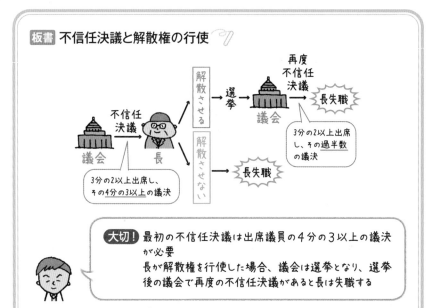

板書 不信任決議と解散権の行使

大切！ 最初の不信任決議は出席議員の４分の３以上の議決が必要
長が解散権を行使した場合、議会は選挙となり、選挙後の議会で再度の不信任決議があると長は失職する

テーマ 4 条例・規則

教科書　Section 4

ざっくり
テーマ4は こんな話

地方公共団体の自主立法として、条例と規則があります。条例は地方議会で制定されます。規則は、長が制定するものです。

議会
条例

長
規則

1 条例
法令に違反しない限りで制定できる

憲法では「地方公共団体は、……**法律の範囲内で条例を制定する**ことができる。」（94条）と規定し、地方公共団体の自治立法権を保障しています。

これを受けて、地方自治法は、普通地方公共団体は、**法令に違反しない限り**において、**条例を制定する**ことができる（14条1項）としています。

条例を制定する範囲は、**自治事務**だけでなく、**法定受託事務**についても含まれます。

また、法律による授権があれば、条例に**罰則**を規定することもできます。

2 規則
長が制定するもの

長も、自主立法としての**規則**を制定することができます。その際、条例による授権や議会の同意は不要です。

規則は、**法令に違反しない限り**において、**長の権限に属する事務**に関し、制定することができます。

CHAPTER 6　地方自治法　過去問チェック！

問1　テーマ1 **2**

特別地方公共団体である特別区としては、都に置かれる区のみがあり、固有の法人格を有する。(H25−23−5)

問2　テーマ2 **1**

事務監査請求は、当該普通地方公共団体の住民であれば、日本国民であるか否か、また選挙権を有するか否かにかかわらず、これを請求することができる。

(R5−23−1)

問3　テーマ3 **3**

当該地方公共団体の議会が長の不信任の決議をした場合において、長は議会を解散することができ、その解散後初めて招集された議会においては、再び不信任の議決を行うことはできない。(H26−21−イ)

問4　テーマ4 **1**

地方公共団体の条例制定権限は、当該地方公共団体の自治事務に関する事項に限られており、法定受託事務に関する事項については、及ばない。(H26−23−3)

解答

問1　○　東京23区は特別区であり、これ以外の特別区は存在しない。

問2　×　事務監査請求は、有権者の署名を集めて行うものであり、選挙権を有する日本国民でなければ請求できない（地方自治法74条1項、75条1項）。

問3　×　再び不信任の議決を行うことも可能（地方自治法178条2項参照）。

問4　×　条例制定の対象は、自治事務に関する事項に限られるわけではなく、法定受託事務に関する事項についても制定可能である（地方自治法14条1項、2条2項）。

第4編

商　法

CHAPTER 1　商法

CHAPTER 2　会社法

商法・会社法とは？

テーマ 0

1 商法の特徴

商法は民法の特別法

商法は、ビジネス上の行為（商事）に適用される法律です。

民法は私人間の法律関係に適用される一般法ですが、特にビジネス上の行為（商事）に限定して適用される**特別法が商法**です。

商事に関する法律上の問題が発生した場合は、特別法優位原則 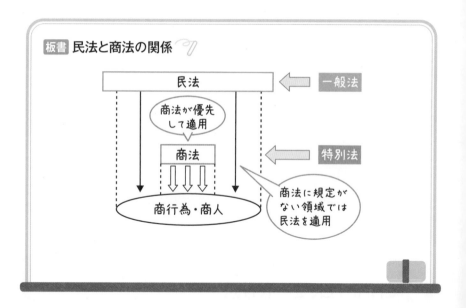 により、民法よりも商法が優先して適用されます。

板書 民法と商法の関係

- 民法 ← 一般法
- 商法が優先して適用
- 商法 ← 特別法
- 商行為・商人
- 商法に規定がない領域では民法を適用

2 会社法の特徴

会社の類型を覚えよう

会社法は、商法の特別法として「会社」に適用される法律です。

「会社」とは、会社法の規定によって設立された、**営利を目的とする法人**をいいます。

266

1 会社の類型

会社法上の「会社」には、①株式会社、②合名会社、③合資会社、④合同会社の4種類があります。

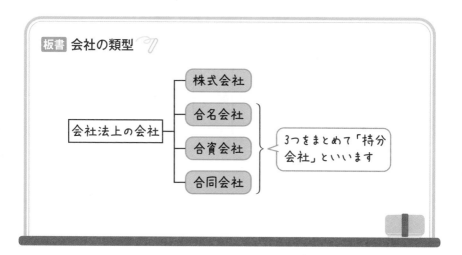

板書 会社の類型

会社法上の会社 ── 株式会社
　　　　　　　　── 合名会社
　　　　　　　　── 合資会社 } 3つをまとめて「持分会社」といいます
　　　　　　　　── 合同会社

商法

2 会社の性質

会社は、一般的に①営利性と②法人性の2つの性質を備えています。

❶ 営利性

営利性とは、対外的な活動によって利益を得て、その利益を出資者に分配することをいいます。

会社の出資者のことを「社員」といいます。日常用語的には、その会社で働く人（従業員）のことを社員といいますが、会社法で「社員」といった場合、従業員ではなく出資者を指す用語として使われるので注意しましょう。また、株式会社では、この出資者（＝社員）のことを特に「株主」といいます。

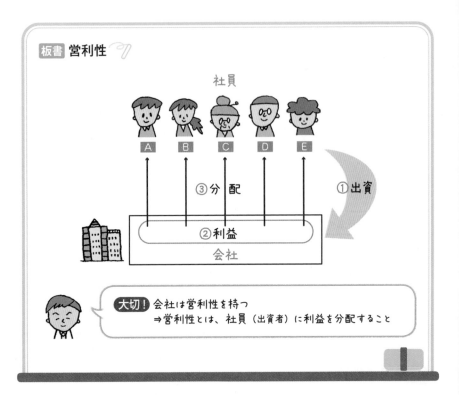

板書 営利性

社員

A B C D E

③分配　　　①出資

②利益

会社

大切！ 会社は営利性を持つ
⇒営利性とは、社員（出資者）に利益を分配すること

---

❷ 法人性

　法人性とは、その団体自身が権利・義務の帰属主体となる地位を有することをいいます。つまり、法人は出資者たる社員とは**別個独立の法人格**をもちます。

　会社は、法人格をもち、会社自身の名で権利を取得し義務を負担します。しかし、そこには一定の制約もあります。たとえば、法令による制限の他に、<ruby>定款<rt>ていかん</rt></ruby>所定の目的による制限があります。

定款とは、会社の組織や活動を定めた根本規則のことです。この定款にはその会社の「目的」を記載する必要があり、法人はこの目的の範囲内の行為しかできないという制限があります。

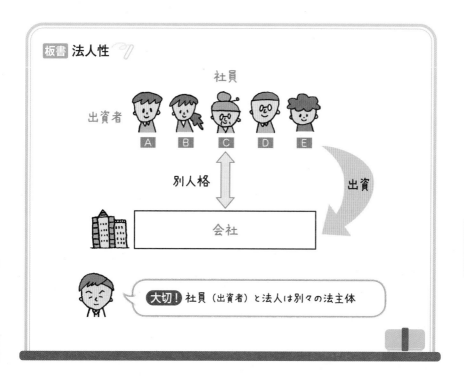

3 株式会社とは？

間接有限責任と株式が二大要素

　会社には4種類がありますが、その中心は株式会社であり、会社法の規定の多くも株式会社に関する規定で構成されています。

　株式会社では、**株式**といわれるものが発行され、出資者たる社員はこれを引き受けるので**株主**といわれます。

　株式とは、**株主としての地位を細分化した割合的単位**のことです。株式会社は、株主が会社に対し各自の保有する**株式の引受価額を限度とする出資義務を負うだけ**（間接有限責任：会社法104条）で、会社債権者に対しては何らの責任も負わない会社のことです。

　この株式会社という会社形態が考え出されたのは、株主が**間接有限責任**しか負わず、リスクが事前に計測できることによって出資がしやすくなり、その結果大規模資本の結集が可能となるからです。

このように、株式会社は、間接有限責任社員のみで構成され、その社員の地位が株式という形をとっている点に特徴があります。さらに、資本金制度、所有と経営の分離、株式譲渡自由の原則なども株式会社の特徴です。

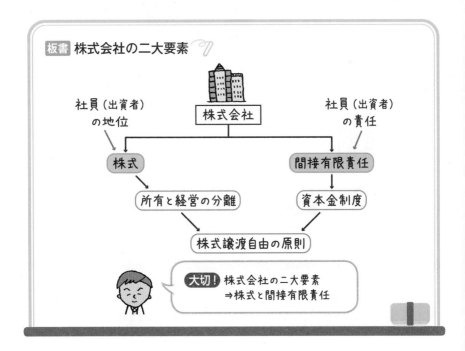

板書 株式会社の二大要素

社員（出資者）の地位

株式会社

社員（出資者）の責任

株式

間接有限責任

所有と経営の分離

資本金制度

株式譲渡自由の原則

大切！ 株式会社の二大要素
⇒株式と間接有限責任

テーマ
1

商法総則
そうそく

ざっくり
テーマ1は こんな話

個人事業主
（個人商店）

商法が適用される対象は、商行為と商人です。ここでは、商行為や商人という概念がどのように決まるかを学習します。

1　商法の適用

商行為・商人に適用される

　商法は民法の特別法です。特定の分野においては民法よりも商法が優先的に適用されます。

　したがって、商法が適用される対象（特定の分野）が何かということが問題となります。

　商法の適用対象となるのは、**商行為**や**商人**です（1条1項）。

　これらの概念の定義の仕方については、大きく分けて2つの立場があります。

　1つ目は、商行為とは何かを明確にし、その商行為を行った者を商人とする考え方です。これを**商事法主義**（商行為法主義）といいます。

　2つ目は、商人とは何かを明確にし、その商人の行った行為を商行為とする考え方です。これを**商人法主義**といいます。

　さらに、一方の考え方を原則として採用しつつ、他方の考え方も加味するという考え方もあり、これを折衷主義といいます。
せっちゅう

　日本の商法では、どちらか一方の考え方だけでいこうとすると不都合が生じるので、**商事法主義**（商行為法主義）を原則とし、それで足りない部分について商人法主義を加味していくという折衷主義が採用されています。

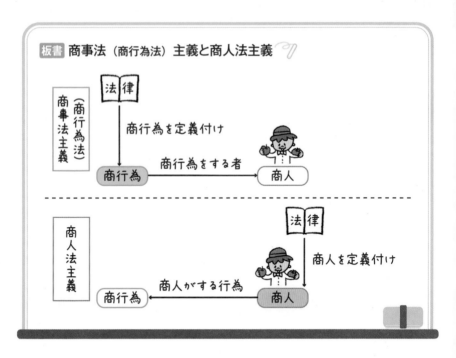

板書 商事法（商行為法）主義と商人法主義

商事法主義（商行為法）

法律 → 商行為を定義付け

商行為 → 商行為をする者 → 商人

商人法主義

法律 → 商人を定義付け

商行為 ← 商人がする行為 ← 商人

---

2 商行為

商法が適用される行為

　商行為には、①絶対的商行為と②営業的商行為、および③附属的商行為があります。

　①②をあわせて基本的商行為といいます。

❶ 絶対的商行為

　行為自体の客観的性質から高度の営利性が認められるため、商行為とされるものをいいます。商人以外の者が１回限り行った場合でも常に商行為とされます。絶対的商行為とされるものは、商法501条に４種類の行為が列挙されています。

❷ 営業的商行為

　営業としてするときに初めて商行為となるものをいいます。ここで「営業

として」というのは、営利目的で反復継続して行うことをいいます。営業的商行為とは、商法502条に列挙されている13種類の行為をいいます。

❸ 附属的商行為

　商人がその営業のために行うことによって商行為となるものをいいます（次の**3**商人の概念を前提に導き出すものです）。

3 商人 　　　固有の商人と擬制商人がいる

　自己の名をもって**基本的商行為**（絶対的商行為と営業的商行為）を行うことを業（なりわい）とする者が「商人」です。

この意味での商人のことを特に「固有の商人」といいます。他に「擬制商人」とよばれる商人がいますが、本書では省略します。

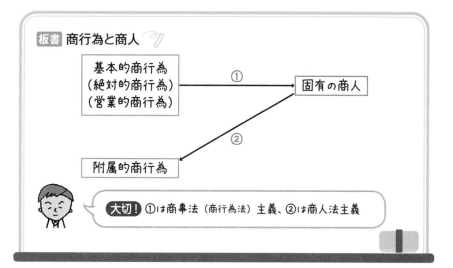

板書 商行為と商人

```
基本的商行為
（絶対的商行為）  ──①──→  固有の商人
（営業的商行為）
                     ↘②
附属的商行為  ─────────
```

大切！ ①は商事法（商行為法）主義、②は商人法主義

4 商業登記

商業登記とは、商法、会社法その他の法律の規定により商業登記簿に行う登記をいい、商人に関する取引上重要な一定の事項を公示するものです。

登記には、①一般的効力と②不実登記の効力があります。

❶ 一般的効力

登記すべき事実が発生しているにもかかわらず未登記の場合、その登記をすべき者は、善意の第三者に対して、登記事項の存在を対抗することができない効力であり、一方、登記した後は、善意の第三者にも対抗できる効力です（9条1項）。

❷ 不実登記の効力

登記申請者が故意または過失によって不実の登記を行った場合、登記申請者は、その登記事項が不実である（真実でない）ことを、善意の第三者に対抗することができない効力です（9条2項）。

5 支配人

支配人は、最も広い代理権が与えられている商業使用人（雇用契約により商人に従属する使用人）のことです。

支配人か否かは、「支配人」という名称が付されているか否かは関係なく、商人（オーナー）や会社から包括的な代理権である支配権が与えられているかどうかによって決まります。

支配人は、商人・会社に代わってその営業・事業に関する一切の裁判上または裁判外の行為をする権限を有しています（21条1項）。

テーマ 2　商行為

教科書　Section 2

ざっくり テーマ2は こんな話

商法では、民法とは異なるルールが採用されています。代表的なものを見ておきましょう。

商法 ⟷ 民法

何が違うの？

1　商行為の代理

民法と違って顕名は不要

1 非顕名主義

民法では、代理の有効要件として「顕名」（＝代理であることを示すこと）が要求されていました。しかし、商行為では迅速性が要求されるので、商法では、原則として非顕名主義が採用されています（商法504条本文）。したがって、顕名がなくても原則として有効な代理となります。

2 代理権の消滅事由

民法では、本人の死亡は代理権の消滅事由になっています（民法111条1項1号）。しかし、商法では、本人の死亡は代理権の消滅事由になっていません（商法506条）。したがって、本人が死亡しても当然には代理権は消滅せず、代理人は有効に代理権を行使することができます。

2 商事債権の担保

1 債務者が複数の場合

　民法では、債務者が複数の場合、分割債務になるのが原則です（民法427条）。しかし、商法では債務者が複数の場合、連帯債務になるのが原則となっています（商法511条1項）。

つまり、民法と商法では、原則と例外が逆転していることになります。

2 保証の場合

　民法では、保証は、特約がない限り、単純保証となるのが原則です。しかし、商法では特約がない限り連帯保証になるのが原則となっています（商法511条2項）。

ここでも、民法と商法では、原則と例外が逆転しています。

3 民法と商法の相違

　民法とその特別法である商法との主な違いをまとめると次のようになります。

【民法と商法の違い】

	民法	商法
代理の要件	顕名主義（民法99条）	非顕名主義（商法504条）
代理権の消滅事由	本人の死亡（民法111条1項1号）	本人の死亡によっては消滅しない（商法506条）
債務者が複数	分割債務（民法427条）	連帯債務（商法511条1項）
債務の保証	単純保証	連帯保証（商法511条2項）

CHAPTER 1　商法　過去問チェック！

問1　テーマ1 **1**

商人の営業、商行為その他商事については、他の法律に特別の定めがあるものを除くほか、商法の定めるところによる。(H28−36−1)

問2　テーマ2 **2**

数人の者がその一人または全員のために商行為となる行為によって債務を負担した場合、その債務は、各自が連帯して負担する。(H18−37−イ改)

解答

問1　○　（商法1条1項）

問2　○　商法では連帯債務となる（商法511条1項）。

テーマ 1 総論

ざっくり
テーマ1は こんな話

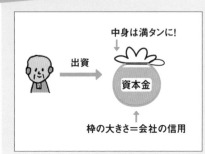

中身は満タンに！

出資

資本金

枠の大きさ＝会社の信用

株式会社における大きな特徴が間接有限責任と資本金制度です。どのような制度なのか理解しておきましょう。さらに、株式会社制度において、公開会社か非公開会社かで仕組みを分けていることが多いので、前提知識として公開会社と非公開会社の区別を知っておく必要があります。

1 間接有限責任

株主は出資したら責任なし

　株式会社において出資者たる株主は、**間接有限責任**しか負いません。

　この「間接有限責任」の具体的な意味は、「株主は、会社に対し各自の保有する**株式の引受価額を限度とする出資義務を負うだけ**で、会社債権者（会社に対して債権をもっている者）に対しては何らの責任も負わないという原則」をいいます。

> 会社債権者に対して直接の責任を負わない⇒「間接責任」、引受価額を限度⇒「有限責任」、ということです。引受価額とは、"株式を手に入れる際に出したお金"というくらいに考えておきましょう。

　たとえばAさんがX社の株主になるケースを考えてみましょう。

　Aさんは、X社の株式を100株取得する代わりに100万円を出資しました（100万円の現金をX社に拠出しました）。その後、X社は経営がうまくいかず、倒産してしまった場合、株式は紙くずになり、Aさんが出資した100万円も戻ってこないことになります。しかし、Aさんはそれ以上の損失を被ることはありません。このように、株主の責任は出資額が限度となります。

これは、株主が被る最大の損失が出資額に限定されることによって、株主になろうとする人が出資をしやすくすることを狙った仕組みです。

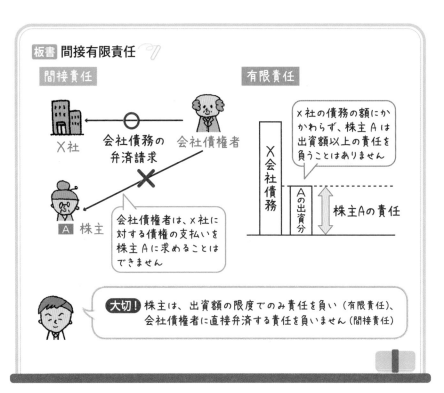

板書 間接有限責任

間接責任

X社 ← ─○─ 会社債権者
会社債務の弁済請求

A 株主 ✕

会社債権者は、X社に対する債権の支払いを株主Aに求めることはできません

有限責任

X社債務

Aの出資分

X社の債務の額にかかわらず、株主Aは出資額以上の責任を負うことはありません

株主Aの責任

大切! 株主は、出資額の限度でのみ責任を負い（有限責任）、会社債権者に直接弁済する責任を負いません（間接責任）

2 資本金制度 （し ほんきん）
会社債権者保護の制度

　株主が間接有限責任を負うにすぎないことから、会社債権者が返済の原資としてあてにできるのは会社自身の財産だけになります。

　そこで、会社債権者保護の見地から設けられたのが**資本金制度**です。

　会社は資本金の額を定めますが、資本金の額以上の会社財産を確保しない限り、株主に対して利益の分配（配当）ができないという形で資本金制度は働きます。

株主が出資した金額（払込金額）が、基本的には、資本金の額になります。

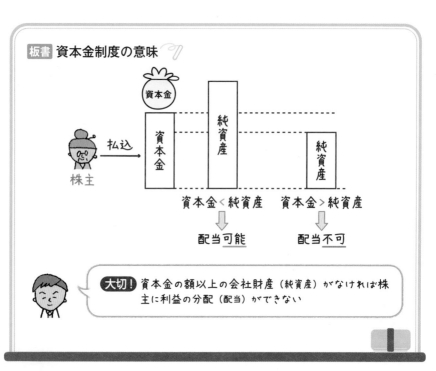

板書 資本金制度の意味

資本金

払込　→　資本金　純資産　純資産

株主

資本金＜純資産　資本金＞純資産

配当可能　配当不可

大切！ 資本金の額以上の会社財産（純資産）がなければ株主に利益の分配（配当）ができない

3 公開会社と非公開会社 　株式の譲渡制限の有無で区別

　株式の譲渡は、原則として自由ですが、株式会社では、株式の譲渡による取得について会社の承認を必要とする旨の定めを設けることができます。これを株式の譲渡制限とよびます。

　発行する全部の株式について譲渡制限がされている会社を非公開会社、それ以外の会社を公開会社といいます。

つまり、一部でも譲渡制限のない株式を発行している会社は「公開会社」といわれることになります。

証券取引所に上場しているか否かと、公開会社か否かは直接関係しないので注意しましょう。ただし、上場されているということは譲渡制限がない株式が発行されているということなので、上場している会社は公開会社ということになるでしょう。

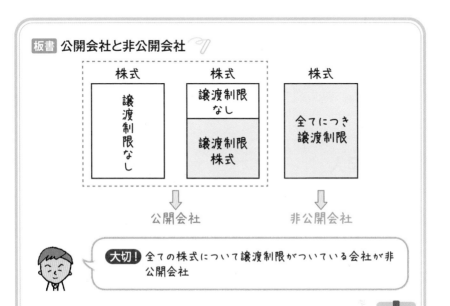

板書 公開会社と非公開会社

株式	株式	株式
譲渡制限なし	譲渡制限なし / 譲渡制限株式	全てにつき譲渡制限

公開会社　　　　　　非公開会社

大切! 全ての株式について譲渡制限がついている会社が非公開会社

テーマ 2　会社の設立

ざっくり
テーマ2は こんな話

ここでは会社（株式会社）の設立方法について学習します。株式会社の設立方法には発起設立と募集設立の2つがあります。

1　発起人　　　　　　　　　　　　　　　会社設立の企画者

発起人とは、会社設立の企画者のことであり、正確には、定款に発起人として署名または記名押印した者をいいます（26条1項）。

発起人となる資格に特に制限はありません。したがって、行為能力が制限されている者であっても、法人であっても発起人になることができます。

また発起人の数についても特に制限はなく、1人でも複数でも構いません。

2　発起設立　　　　　　　　　　　　　　発起人だけが株主になる

発起設立とは、設立に際して発行する株式の全部を発起人が引き受けて会社を設立する方法です（25条1項1号）。

会社設立を企画すると、まず行われるのが定款の作成です。

定款とは会社の組織および活動を定める根本規則のことをいい、発起人が作成します。発起人が作成した定款は、公証人の認証を受ける必要があります。

発起設立では、発起人がすべての株式を引き受け、出資を履行することになります。

そして、設立時の取締役などの設立時役員も発起人が選任します。

その後、設立の登記をすることによって会社は正式に設立されたことになります。

 株式会社は、その本店の所在地において、設立の登記をすることによって成立します（会社法49条）。

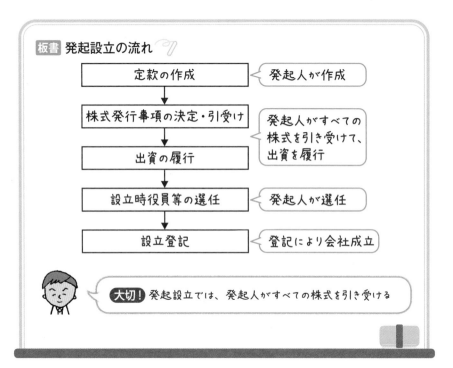

板書 発起設立の流れ

```
定款の作成              ← 発起人が作成
    ↓
株式発行事項の決定・引受け      発起人がすべての
    ↓                株式を引き受けて、
出資の履行               出資を履行
    ↓
設立時役員等の選任        ← 発起人が選任
    ↓
設立登記              ← 登記により会社成立
```

大切！ 発起設立では、発起人がすべての株式を引き受ける

3 募集設立

発起人以外の人も株主になる

募集設立とは、設立に際して発行する株式の一部（最低でも1株）を発起人が引き受けますが、残余については発起人以外から引受人を募集して会社を設立する方法です（25条1項2号）。

基本的な流れは発起設立と同じですが、株式引受人を募集し、創立総会を

開催する点が異なります。

　創立総会とは、株式引受人全員で構成される設立中の会社の最高意思決定機関です。設立時の取締役などの設立時役員は、この創立総会で選任されます。

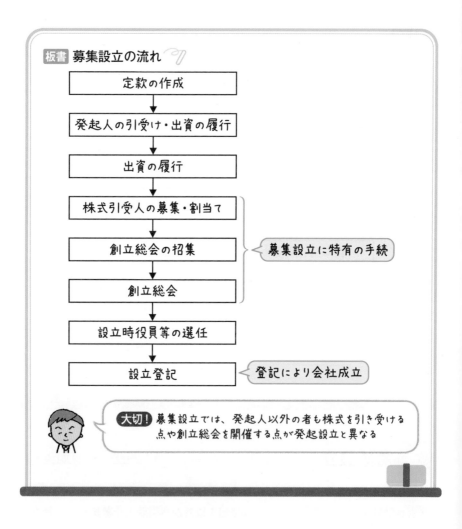

テーマ 3 株式

教科書 Section 3

ざっくり
テーマ3は こんな話

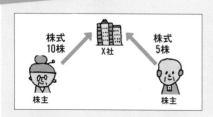

株式は株式会社制度の大きな特徴の1つです。ここでは、株式を持つ株主の権利の内容と株主平等原則について学習します。

1 株式の意義
株式は社員の地位を表すもの

株式とは、細分化された割合的単位の形をとる株式会社の社員たる地位のことです。

会社の持ち主（社員）としての地位を同じ大きさに細かく分けて、少ない額の出資でも社員になれるようにしています。さらに、すべてを同じ大きさにすることによって、1つ1つの株式の価値を均一化し、権利の内容を明確化しているのです。

このようにすることで、大規模資本の結集を可能としています。

2 株主
株主の権利には自益権と共益権がある

1 株主の責任

株式会社では、間接有限責任の原則（104条）➡P.269参照 が採用されていますので、株式を引き受けた際に出資を履行した株主は、追加的に責任を負わされることは一切ありません。

つまり、株主は、株主となった後は会社に対する責任は特に負わず、会社

に対して権利だけを有していることになります。

2 株主の権利

株主の権利には、①自益権（じえきけん）と②共益権（きょうえきけん）があります。

❶ 自益権

株主が会社から経済的利益を受けることを目的とする権利です。具体的には、剰余金配当請求権（じょうよきんはいとう）（105条1項1号）などです。

❷ 共益権

会社の経営に参加する権利です。具体的には、株主総会の議決権（105条1項3号）などです。

さらに、これらの権利が1株の株式を有する持主でも行使できるか、ある一定の割合以上の株式を有する株主だけが行使できるかによって単独株主権と少数株主権に分類することも可能です。

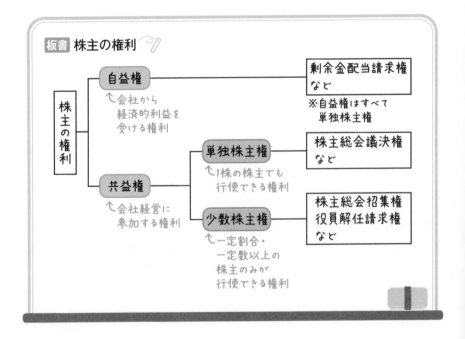

3 株主平等原則

株主平等原則とは、株主は株主としての資格に基づく法律関係については、その**保有株式の内容および数に応じて、平等に取り扱われなければならない**とする原則（109条1項）です。

株主平等原則に反する会社の行為は無効となります。たとえば、100株未満しか保有していない株主には配当を行わないという決定を会社がしたとしても、この決定は無効となります。

ただし、次のような例外もあります。

①不利益を受ける株主の承諾がある場合と、②明文の規定がある場合です。

たとえば、明文の規定のある場合として、「非公開会社において、定款に定めることで、剰余金の配当や議決権につき、株主ごとに異なる取扱いができる（109条2項）」とする規定があります。

---

3 株式の譲渡

譲渡は自由が原則

1 株式譲渡自由の原則

株式譲渡自由の原則とは、**株主は株式を自由に譲渡できるとする原則**です（127条）。

株主は間接有限責任しか負わないため、会社債権者が返済の原資として当てにできるのは会社財産だけです。そこで、会社債権者保護の見地から**資本金制度**が設けられており、出資の払戻しによる退社制度は存在しません。そこで、**株主が会社に投下した資本を回収する方法**として、株式の譲渡を原則として自由にしておく必要があります。

一方、通常、株主同士の間には面識がなく、同じ会社の株主であるといっても、個人的信頼関係があるわけではありません。また、**所有と経営の分離**が図られている株式会社においては、株主の自由な交代を認めても特に不都合はないので、株式の譲渡は原則として自由にすることが可能です。

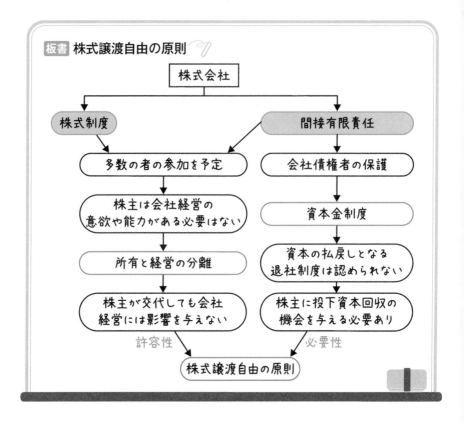

板書 株式譲渡自由の原則

```
                    ┌──────────┐
                    │  株式会社  │
                    └──────────┘
            ┌───────────┴───────────┐
            ▼                       ▼
       ╭────────╮              ╭──────────╮
       │ 株式制度 │              │ 間接有限責任 │
       ╰────────╯              ╰──────────╯
            │                       │
            ▼                       ▼
    ╭──────────────╮        ╭──────────────╮
    │ 多数の者の参加を予定 │        │  会社債権者の保護  │
    ╰──────────────╯        ╰──────────────╯
            │                       │
            ▼                       ▼
    ╭──────────────╮        ╭──────────────╮
    │  株主は会社経営の  │        │    資本金制度    │
    │ 意欲や能力がある必要はない│        ╰──────────────╯
    ╰──────────────╯                │
            │                       ▼
            ▼                ╭──────────────╮
    ╭──────────────╮        │  資本の払戻しとなる │
    │  所有と経営の分離  │        │ 退社制度は認められない│
    ╰──────────────╯        ╰──────────────╯
            │                       │
            ▼                       ▼
    ╭──────────────╮        ╭──────────────╮
    │ 株主が交代しても会社 │        │ 株主に投下資本回収の │
    │ 経営には影響を与えない│        │  機会を与える必要あり │
    ╰──────────────╯        ╰──────────────╯
         許容性                    必要性
            └───────────┬───────────┘
                        ▼
                ╭──────────────╮
                │  株式譲渡自由の原則  │
                ╰──────────────╯
```

2 株式譲渡自由の制限

　株式の譲渡は自由なのが原則ですが、例外的にそれが制限されている場合があります。

❶ 法律による制限

　権利株譲渡制限、株券発行前の譲渡制限、自己株式の取得制限、子会社による親会社株式取得禁止などがあります。

❷ 定款による制限

　定款に規定することにより、譲渡による株式の取得につき会社の承認を要する株式である譲渡制限株式を発行することができます。

会社の機関

テーマ
4

ざっくり
テーマ4は こんな話

会社が意思決定をしていくためには、そのための機関を置く必要があります。株式会社に必須の機関としては、株主総会と取締役があります。

1 所有と経営の分離

> 経営は取締役に任せる

　会社は法人であり、その権利義務は、出資者たる社員とは別人格の法人自身に帰属します。しかし、権利義務が法人に帰属するといっても、実際に法人自身に頭や手足があるわけではありません。したがって、意思決定をする主体としての人間が必要です。それが会社の**機関**です。

　出資者たる社員自身が会社の機関になるという仕組みも考えられます。実際にも合名会社や合資会社などの持分会社はその仕組みを採用しています。

　しかし、株式会社では、その出資者である株主は、間接有限責任しか負いません。その結果、出資が促進される一方で、会社経営の意思も能力もない多数の者が参加することになります。このような会社経営の意思も能力もない者に会社経営を任せたのでは、会社の合理的経営に反するおそれがでてきます。

　そこで、会社所有者と会社経営者の地位を分離して、会社経営は経営能力を有する者に任せた方がよいと考えられます。

　したがって、株式会社の場合、会社の所有者である株主が、業務執行する経営者としての取締役などを選任し、原則として、この**取締役が経営上の意思決定と業務執行を行う**こととしています。

　このように、所有者の地位と経営者の地位が制度上分離していることを**所**

有と経営の分離といいます。

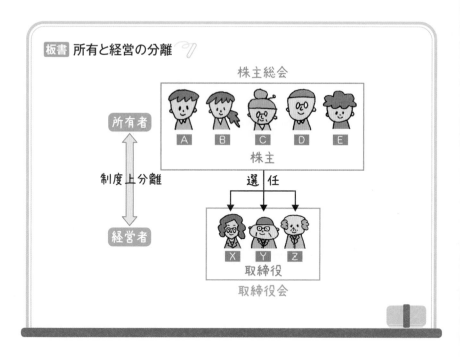

板書 所有と経営の分離

株主総会

所有者

A B C D E

株主

制度上分離

選任

経営者

X Y Z

取締役

取締役会

2 機関設計

さまざまな形態が可能

　どのような機関を設置するかについて、会社法では、各株式会社がそれぞれの実態に応じた機関設計ができるように、最低限度の枠組みを規定し、一定のルールの下で各株式会社が任意に各機関を設置できる仕組みを採用しています。

　したがって、具体的な機関設計のあり方については多様であり、すべての株式会社に必置の機関は、株主総会と取締役だけとなっています。

　最も簡易な機関設計としては、①株主総会と取締役のみを置く形です。そして、最もポピュラーな機関設計としては、②株主総会と取締役会（取締役）および監査役を置く形があります。

板書 機関設計

① 株主総会と取締役のみを置く形態

② 株主総会と取締役会（取締役）および監査役を置く形態

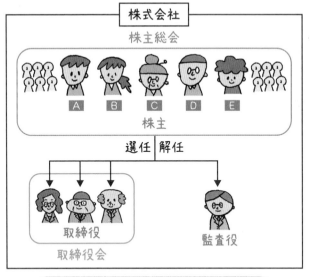

 大切! 多様な機関設計が許されているが、
株主総会と取締役は必置

3 株主総会

会社の最高意思決定機関

株主総会とは、株主によって構成される、会社の意思を決定する必要的機関です（295条）。

株主総会での決定事項を執行していくのが、取締役・取締役会になります。

株主総会は、会社所有者である株主によって構成される機関です。したがって、本来は、会社に関する一切の事項について決定できるはずです。しかし、全てを株主総会の決定事項とすると、「所有と経営の分離」によって合理的経営を図ろうとした会社法の趣旨に反する結果となります。

そこで、取締役会非設置会社では、株主総会は万能の機関であり、一切の事項について会社の意思を決定できる（295条1項）ことにする一方で、取締役会設置会社では、株主総会は万能の機関ではなく、会社法と定款に規定された事項についてのみ決定できることとしています（295条2項）。

板書 株主総会の権限

取締役会設置会社の場合	会社法と定款で規定された事項のみ決定できる
取締役会非設置会社の場合	会社に関する一切の事項を決定できる

大切！ 取締役会設置会社では、株主総会の権限は会社法と定款に規定された事項に限定されている

取締役会設置会社において株主総会の権限とされているものには、定款変更や合併、取締役や監査役の選解任などがあります。

4 取締役・取締役会

とりしまりやく

業務を執行する機関

1 取締役

　取締役は、取締役会が設置されているかどうかによってその位置付けが異なります。

　取締役会非設置会社の取締役は、**会社の業務を執行する機関**です（348条1項）。定款に別段の定めがある場合を除き、取締役自身が、株式会社の業務執行権を有しています。

　一方、取締役会設置会社の取締役は、あくまでも**取締役会の構成員の1人に過ぎません**。会社の業務執行の決定や取締役の職務執行の監督は取締役会の権限であり、取締役は取締役会の一員としてそれに参与することになります（362条1項）。

取締役会設置会社では、代表取締役に会社の代表権および業務執行権が与えられています。代表取締役以外の取締役には、当該会社の代表権も業務執行権も当然には与えられていません。

　また、会社の合理的経営の観点から、株式会社では、所有と経営が制度的に分離されています。

　そのため、**公開会社**においては、「取締役は必ず株主の中から選任しなければならない」という趣旨の定款規定を設けることはできません。

　しかし、**非公開会社**においては、所有と経営は事実上一致しています。そこで、非公開会社においては、「取締役は必ず株主の中から選任しなければならない」という趣旨の定款規定を設けることもできることになっています。

取締役の員数については、取締役会非設置会社では1人以上いればOKですが、取締役会設置会社では、3人以上である必要があります。

2 取締役会

取締役会は、取締役全員によって構成される合議体です。

取締役会は、会社の業務執行の意思決定と取締役の職務執行の監督をする権限を有する機関です（362条1項・2項）。

なお、公開会社においては、取締役会を必ず設置する必要がありますが（327条1項1号）、非公開会社では必ずしも設置する必要はありません。

3 代表取締役

代表取締役は、対内的には業務を執行し、対外的には会社を代表する権限を有する機関です。

取締役会設置会社では、必ず代表取締役を置く必要があります。

取締役会設置会社の業務執行に関する意思決定は取締役会によって行われます。しかし、合議体である取締役会は代表行為を行うには適していません。そこで、代表行為は代表取締役に行わせることにしています（349条4項、363条1項）。

CHAPTER 2　会社法　過去問チェック！

問1　テーマ2 2 3

複数の発起人がいる場合において、発起設立の各発起人は、設立時発行株式を1株以上引き受けなければならないが、募集設立の発起人は、そのうち少なくとも1名が設立時発行株式を1株以上引き受ければよい。(H27-37-イ)

問2　テーマ3 2

公開会社ではない株式会社が、剰余金の配当を受ける権利に関する事項について、株主ごとに異なる取扱いを行うことは、定款の定めを必要としない。(H26-40-1)

問3　テーマ4 2

取締役会または監査役を設置していない株式会社も設立することができる。

(H19-38-5)

問4　テーマ4 3

取締役会設置会社の株主総会は、法令で規定される事項または定款に定められた事項に限って決議を行うことができる。(H26-39-1)

解答

問1　×　募集設立においても各発起人が必ず1株以上は引き受ける必要がある（会社法25条2項）。

問2　×　本肢の場合、定款の定めが必要である（会社法109条2項）。

問3　○　最も簡易な機関設計としては、株主総会と取締役が設置されていればよい。

問4　○　取締役会設置会社においては、株主総会の決議事項は限定されている（会社法295条2項）。

第5編

基礎法学

基礎法学とは？

　基礎法学の内容は非常に多岐にわたりますが、行政書士試験で出題される対象は、大きく①法学分野と②裁判制度にかかわる分野に分けることができます。

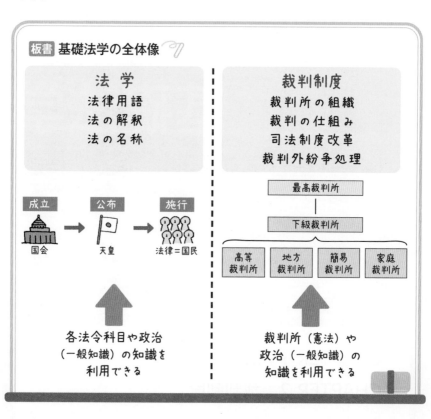

板書 基礎法学の全体像

法学	裁判制度
法律用語 法の解釈 法の名称	裁判所の組織 裁判の仕組み 司法制度改革 裁判外紛争処理

最高裁判所

下級裁判所

| 高等
裁判所 | 地方
裁判所 | 簡易
裁判所 | 家庭
裁判所 |

成立 国会 → **公布** 天皇 → **施行** 法律＝国民

各法令科目や政治
（一般知識）の知識を
利用できる

裁判所（憲法）や
政治（一般知識）の
知識を利用できる

　基礎法学では、法学分野から1問、裁判制度にかかわる分野から1問がそれぞれ出題される傾向がありますが、対象が多岐にわたるため事前の学習でカバーするのは難しい科目です。

　出題対象を完全にカバーするよりも、出題可能性の高そうな分野だけをピンポイントで拾っていくのが効率的な学習といえるでしょう。

法律用語

ざっくり
テーマ1は こんな話

法の優先関係では、特別法優位の原則を理解しておきましょう。さらに、条文を読む際に、最低限必要な法律用語についても見ておきます。

1 法の優先関係

特別法が優先適用

1 上位法（じょういほう）と下位法（かいほう）の優先関係

　法の形式には、形式ごとにそれぞれ上下関係が決まっています。そして、**上位法は下位法に優先**します（上位法優位原則）。

2 特別法と一般法の優先関係

　一般法とは、ある事項について一般的に規定した法令をいいます。

　特別法とは、特定の場合や特定の人、地域に限定して適用される法令をいいます。

　一般法と特別法の規定内容の間に矛盾や抵触があるときは、**特別法が一般法に優先**して適用されます（特別法優位原則）。

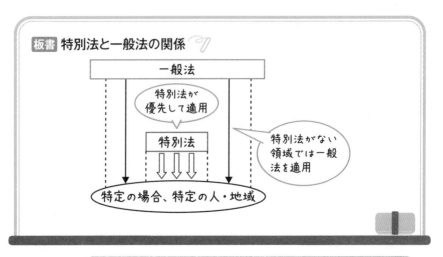

なお、時間的に前後して制定された、内容的に矛盾する2つの法律がある場合、「新法は旧法に優先」します。つまり後に制定された方（新しい方）が優先適用されます。

2 法律用語

他の科目でも役立つ知識

1 「準用」
じゅんよう

「準用する」とは、ある事項に関する規定を、それと類似する他の事項についても適用する場合に用いられる用語です。

他の事項に関する規定と同じルールを採用したい場合に、同じ内容の条文を置くこともできますが、その代わりに「第○○条を準用する」とすることで、同じルールとすることができます。そのための法律用語が「準用」です。

なお、個々の条文規定ではなく、他の事項における制度全体をそのまま使いたい場合に用いられるのが「例による」という用語です。

2 「みなす」と「推定する」
すいてい

「みなす」とは、ある事柄についてたとえ事実とは異なっている場合でも

300

その事実と同様に取り扱うことを意味します。事実とは関係なく、そのように取り扱うという処理をする際に使われる用語です。したがって、反証（反対の証拠を挙げて間違っていると証明すること）などは許されません。

> 民法886条1項は、胎児は相続については既に生まれたものと「みなす」と規定しています。これは（まだ生まれていない）胎児であっても、生まれたものとして取り扱う（相続権を認める）ということであって、「まだ生まれていない（したがって相続権はない）」という反論をすることは許されないことになります。

「推定する」とは、法律上とりあえず、そのように扱っていく、ということを意味します。したがって、反証が出るとその取扱いを改め、事実に即した取扱いをすることになります。

3 法の解釈 類推解釈は覚えておこう

法律の文章がどのような意味をもっているか、その意味内容を解明する作業を一般に「法の解釈」といいます。

1 文理解釈

法律の意味内容を文法的規則に従って確定し、文字通りに理解することを文理解釈といいます。

しかし、文字通りに読むことで、今問題となっている事柄に適用すべきルールが確定できるとは限りません。

たとえば、「AはXをすることができない」という規定しか法律にない場合に、「AはXをすることができない」ことは読めばわかりますが、BはXをすることができるのかできないのか不明です。また、AはYをすることができるのかできないのかも不明です。さらに、そもそも「X」が何を指すのが明確でない場合もあり得ます。

2 論理解釈

上記のような場合であっても、裁判官は「自分もよくわかりませんので、

判断できません」というわけにはいきません。そこで登場するのが、**論理解釈**といわれる解釈手法です。

「論理解釈」とは、他の関係法規との関連や法体系全体の中でその法規が占める位置、さらには法の趣旨・目的などを考慮しながら行われる解釈のことをいいます。

この論理解釈の代表的なものが、「拡張解釈（かくちょう）」「縮小解釈（しゅくしょう）」または「類推解釈（るいすい）」「反対解釈」などです。

まず、**拡張解釈**は条文の文言をその言葉のもつ通常の意味よりも拡げて解釈するものであり、逆に**縮小解釈**は狭く解釈するものです。

また、**類推解釈**（類推適用）は、ある事項に関して規定が存在しない場合に、類似の事項に関する規定を適用して処理していく解釈方法をいいます。

板書 論理解釈の具体例

牛も通れない？

類推解釈

「車馬通行止」という規定を類推解釈すると、
「牛は、馬ではないが4本足の大きな動物であって
似ているから、通行できない」
という解釈になる

↕ 比較

反対解釈

「車馬通行止」という規定を反対解釈すると、
「牛は、馬ではないから、通行できる」
という解釈になる

テーマ
2

法の名称

ざっくり
テーマ2は こんな話

法の分類として、成文法⇔不文法の区別、公法⇔私法の区別を覚えておきましょう。また、法規範の間における上下関係についても頭に入れておくと、他の科目の理解の助けとなります。

1　法の分類

判例は不文法

　法には、存在形式における区別として**成文法**と**不文法**の区別があります。また、規定対象による区別として、**公法**と**私法**による区別があります。

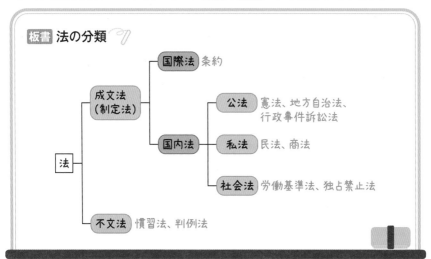

板書 法の分類

法 ─┬─ 成文法（制定法）─┬─ 国際法　条約
　　│　　　　　　　　　　└─ 国内法 ─┬─ 公法　憲法、地方自治法、行政事件訴訟法
　　│　　　　　　　　　　　　　　　　├─ 私法　民法、商法
　　│　　　　　　　　　　　　　　　　└─ 社会法　労働基準法、独占禁止法
　　└─ 不文法　慣習法、判例法

基礎法学

CH 1
法学

1 成文法と不文法

　成文法とは、文書の形式をとる法をいいます。法律や条約が成文法です。

　不文法とは、文書の形式をとらない法をいいます。慣習法や判例法がその例になります。

2 公法と私法

　公法とは、国家・公共団体の内部関係および国家・公共団体と私人との関係を規律する法をいいます。憲法や行政事件訴訟法などがその例になります。

　私法とは、私人と私人との関係を規律する法をいいます。民法や商法がその例になります。

2 法の名称　　　　　　　　上下関係はしっかり覚えておこう

　日本における法の名称（存在形式）としては、憲法・条約・法律・命令・条例等があります。この順序で効力が強いものとなっています。

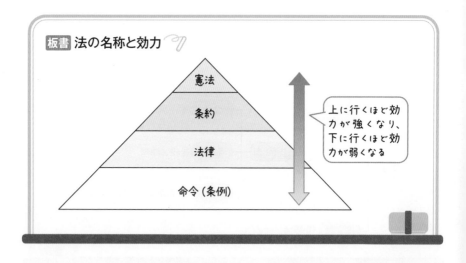

板書 法の名称と効力

憲法
条約
法律
命令（条例）

上に行くほど効力が強くなり、下に行くほど効力が弱くなる

問1　テーマ1 ■

ある事項について一般的に規定した法令がある場合に、同じ事項について、そのうちの特定の場合を限って又は特定の人若しくは地域を限って適用されるところの、この法令と異なる内容を定めた法令があるときは、後者が前者に優先して働く。

(H11−47−エ)

問2　テーマ1 ② ③

法令に「適用する」とある場合は、その規定が本来の目的としている対象に対して当該規定を適用することを意味し、「準用する」とある場合は、他の事象に関する規定を、それに類似する事象について必要な修正を加えて適用することを意味する。なお、解釈により準用と同じことを行う場合、それは「類推適用」と言われる。(H26−2−4)

解答

問1　○　特別法優位原則である。

問2　○　「適用する」「準用する」「類推適用」のいずれも正しい。

テーマ **1**

裁判所

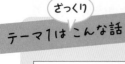

ざっくり
テーマ1は こんな話

教科書　Section 1

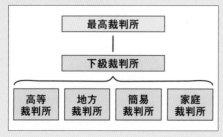

裁判所の組織についての基本的な枠組みを見ておきます。最高裁判所を頂点として、三審制が採用されています。

1　裁判所の組織

三審制が採用されている

　裁判所の組織は、**最高裁判所**を頂点として、その下に高等裁判所・地方裁判所・家庭裁判所などの**下級裁判所**が置かれています。

　日本の裁判制度では、3回審判を受けることができるという**三審制**がとられています。

　一般的には、地方裁判所⇒高等裁判所⇒最高裁判所という順番で3回審判を受けることが可能であり、最終的には最高裁判所の判断を受けることができます。最高裁判所が下した判断を特に「判例」といいます。

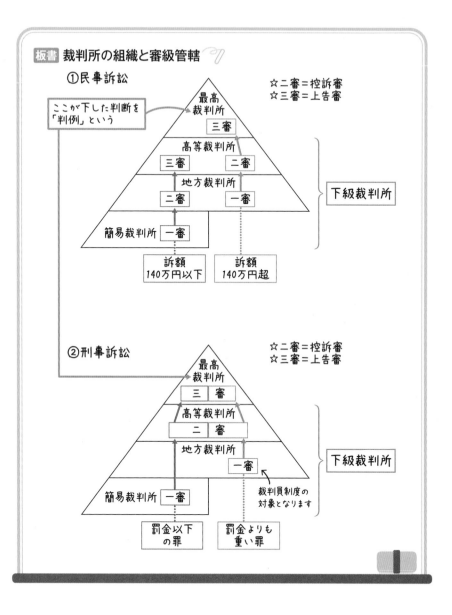

板書 裁判所の組織と審級管轄

①民事訴訟

ここが下した判断を「判例」という

最高裁判所
三審

☆二審＝控訴審
☆三審＝上告審

高等裁判所
三審　二審

地方裁判所
二審　一審

簡易裁判所　一審

下級裁判所

訴額
140万円以下

訴額
140万円超

②刑事訴訟

最高裁判所
三　審

☆二審＝控訴審
☆三審＝上告審

高等裁判所
二　審

地方裁判所
一審

簡易裁判所　一審

下級裁判所

裁判員制度の対象となります

罰金以下の罪

罰金よりも重い罪

2 裁判所（裁判官）の判断の種類　<small>3種類の違いを知ろう</small>

　裁判所や裁判官が出す判断には、「**判決**」「**決定**」「**命令**」の区別があります。その区分に応じて、誰が出すか（裁判所として出す判断か、裁判官が出す判断かという違い）、どのような審理を経て出される判断か（口頭弁論が必要か否かという違い）、不服がある場合の上訴の名称の違いが出てきます。

❶ 判決

　「裁判所」が行う重要事項に対する判断です。**口頭弁論を経る必要**があります。

> 口頭弁論とは、法廷を開いて行われる正式な審理手続のことです。

　この「判決」に不服がある場合の上訴は、**控訴・上告**といわれます。

> 一審⇒二審への上訴を「控訴」、二審⇒三審への上訴を「上告」といいます。

❷ 決定

　「裁判所」が行う付随事項に対する判断です。必ずしも口頭弁論を経る必要はありません。この「決定」に不服がある場合の上訴は、抗告・再抗告といわれます。

❸ 命令

　「裁判長・裁判官」が行う付随事項に対する判断のことです。決定同様、必ずしも口頭弁論を経る必要はなく、不服がある場合の上訴も抗告・再抗告といわれます。

裁判外紛争処理（ADR）

教科書　Section 2

ざっくり
テーマ2は こんな話

近年、裁判による解決は、関係当事者にとってコストのかかる処理であることが意識されるようになってきました。そこで、裁判外で紛争を解決するための手続の利用が推進されるようになってきています。その代表が調停・仲裁といった制度です。

基礎法学

CH 2
裁判制度

1　裁判外紛争処理（ADR）の推進　　裁判を使わない解決法

　裁判による判決によって紛争解決を図るのではなく、それ以外の代替的な手続によって紛争の解決を図る手続の推進が図られています。このような**裁判外紛争処理の手続**のことを略称で「**ADR**」といいます。

　2004年には、裁判外紛争解決手続の拡充・活性化を図るために裁判外紛争解決手続利用促進法（ADR基本法）が成立しています。

　ADRの利点としては、一般に①手続が簡易・迅速で費用が低廉であること、②非公開の手続によりプライバシーや営業秘密が保たれること、③個別の紛争の実態に即した解決が期待できること、④裁判所の負担を軽減することができることなどが挙げられます。

2　調停・仲裁　　概要を知っておけば十分！

　裁判外紛争処理（ADR）の代表例として、①調停・②仲裁を挙げることができます。

❶ 調停

民間人の調停委員2人が裁判官とともに調停委員会を構成して非公開で当事者の言い分も聞き、解決策を探るものです。調停案には拘束力はなく、当事者双方が受諾しなければ成立しません。

❷ 仲裁

当事者の事前の合意に基づいて、仲裁人という第三者の判断（仲裁判断）によって紛争を解決しようとする手続です。仲裁判断には確定判決と同様の効力が認められています。

CHAPTER 2 　裁判制度　過去問チェック！

問1 　テーマ1 1

民事訴訟および刑事訴訟のいずれにおいても、簡易裁判所が第1審の裁判所である場合は、控訴審の裁判権は地方裁判所が有し、上告審の裁判権は高等裁判所が有する。（R元−2−ア）

問2 　テーマ1 2

「判決」とは、訴訟事件の終局的判断その他の重要な事項について、裁判所がする裁判であり、原則として口頭弁論（刑事訴訟では公判と呼ばれる）に基づいて行われる。

(H27−2−1)

解答

問1 　× 　民事訴訟においては正しいが、刑事訴訟の控訴審は高等裁判所、上告審は最高裁判所となる。

問2 　○ 　「判決」についての正しい記述である。

第6編

基礎知識

基礎知識とは？

　試験上の科目名は「行政書士の業務に関し必要な基礎知識」とされています。出題分野としては、①政治・経済・社会の一般知識、②行政書士法などの業務関連法令、③情報通信・個人情報保護、④文章理解、の４つの分野から出題されています。

板書 基礎知識の全体像

一般知識

政治	経済	社会
選挙制度	国の財政	環境問題
政治資金	地方財政	社会保障
行政改革	日本銀行	雇用・労働
国際機関	国際貿易	

基礎知識

業務関連法令	情報通信・個人情報保護	文章理解
行政書士法	情報通信 　　個人情報	並べ替え問題
戸籍法	関連用語 　　保護法	空欄補充問題
住民基本台帳法	情報公開法	脱文挿入問題

政治・経済・社会の一般知識は、範囲が膨大で得点効率は悪い分野です。ある程度絞り込んだ学習ができる情報通信・個人情報保護や業務関連法令、文章理解でしっかりと得点を確保できるように学習を進め、一般知識でプラスαを狙うというのが合理的と考えられます。

1 一般知識の特徴 　範囲がかなり広い

　一般知識は、政治・経済・社会の分野から成り立っています。

　政治の分野からは、選挙制度、各国の政治制度、行政改革などが出題されています。

　経済の分野からは、国家財政・地方財政といった財政問題からの出題が多いです。それに加えて日本銀行や金融政策、国際貿易なども押さえておく必要があります。

　社会の分野からは、環境問題、社会保障制度などが出題されています。環境問題では、国内的な取組みと国際的な取組みの両方を押さえる必要があります。社会保障制度では、介護保険制度、年金制度、生活保護制度などが重要です。

基礎知識

2 業務関連法令の特徴 　令和6年度試験から新たに出題される分野

　令和6年度試験より新たに出題対象となった分野です。行政書士法を中心に、戸籍法や住民基本台帳法などが出題されると考えられます。他にも行政書士が業務を遂行する上で必要な法令が出題の対象として想定されます。

　まずは行政書士法をきちんと押さえておくことが重要になります。

3 情報通信・個人情報保護の特徴　個人情報保護法が中心

　個人情報保護制度が頻出度の高い分野です。個人情報保護法を結構細かく勉強していくことが必要になります。

　さらに、情報通信関連の用語や情報公開法を押さえていきましょう。

4 文章理解の特徴　いわゆる国語のテストが出題される

　並べ替え問題の比重が高くなっています。近年では3問中2問が並べ替え問題になっている場合もあります。

　次によく出題されているのが空欄補充問題です。

　要旨把握問題、下線部解釈問題や内容合致問題は、近年出題されなくなってきています。

国内の政治

ざっくり

テーマ1は こんな話

衆議院・参議院で各々どのような選挙制度がとられているかを覚えましょう。政治資金については政治資金規正法の基本的な規定と政党助成法について押さえておきましょう。

1　選挙

選挙の仕組みを押さえよう

1　選挙制度

選挙とは、主権者たる国民が投票によって代表者を選出することです。

選挙制度としては、①**選挙区制**と②**比例代表制**に分けることができますが、選挙区制は、1つの選挙区から選出する議員の数によって（a）**小選挙区制**、（b）**大選挙区制**に分類できます。

❶　選挙区制

（a）小選挙区制

1つの選挙区から**1人の議員**を選出するものです。二大政党制を促進する効果があるとされていますが、得票数第1位の者のみが当選するため**死票が多く**なることやゲリマンダーの危険があることという短所があります。

死票とは、落選者に投じられた票のことです。
ゲリマンダーとは、選挙区割りを政権党に有利なように行うことです。

（b）大選挙区制

　1つの選挙区から2人以上の議員を選出するものです。死票は少なくなりますが、同一政党から複数候補者がでることになり争点がわかりにくくなるという短所があります。

1994年に小選挙区制が導入される前の衆議院議員選挙では、1つの選挙区から2名〜5名の議員を選出する仕組みがとられており「中選挙区制」と呼ばれていましたが、これは大選挙区制の一種です。

❷　比例代表制

　得票数に比例した議員を選出する仕組みであり、政党単位で行われます。民意が議席割合に忠実に反映される点が長所ですが、小党が乱立し、政治が不安定になるという短所があります。

板書 選挙制度

種類		定義	長所	短所
選挙区制	小選挙区制	1つの選挙区から1人の議員を選出	二大政党制の形成を促進し、政治が安定する	死票が多いゲリマンダーの危険がある
	大選挙区制	1つの選挙区から2人以上の議員を選出	死票が少ない	同一政党から複数候補者がでる結果、争点がわかりにくい（派閥が形成される）
比例代表制		得票数に比例した議員を選出	民意が議席割合に忠実に反映される	小党が乱立し、政治が不安定になる

大切！ 小選挙区制は死票が多く、逆に大選挙区制は死票が少ない。比例代表制は小党が乱立し政治が不安定になる傾向がある

2 わが国の選挙制度

❶ 衆議院議員選挙

衆議院議員選挙は、小選挙区制と比例代表制の両方を並立する形で行われます（小選挙区比例代表並立制）。

小選挙区と比例代表の両方に立候補する重複立候補が認められています。小選挙区で落選しても、比例代表の方で復活当選できる場合があります。

重複立候補者は複数人を同一順位に並べることができますが、その中で誰が当選するかは、惜敗率（落選者の得票数を当選者の得票数で割ったもの）で決まります。

比例代表は、全国を11のブロックに分け、ブロックごとに政党の得票数に応じて政党の獲得議席が決まります。政党が獲得した議席は立候補者名簿の順に配分される拘束名簿式が採用されています。

政党への議席配分はドント式といわれる方式によって行われます。この点は参議院の比例代表も同じです。

❷ 参議院議員選挙

参議院議員選挙は、都道府県単位の選挙区制と比例代表制の両方が並立する形で行われています。

選挙区は各都道府県に1つ置かれていましたが、2015年改正で2つの県を併せて1つの選挙区とする合区も導入されています。

比例代表は全国を1単位として行われます。また、2000年に拘束名簿式から非拘束名簿式に移行しています（ただし、2018年の公職選挙法改正により、政党が優先的に当選させたい候補者を決められる特定枠の制度が導入されています）。

板書 衆議院と参議院の選挙制度

①衆議院

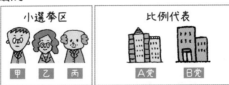

| 小選挙区 | 比例代表 |
| 甲 乙 丙 | A党 B党 |

投票方法	有権者は個人名を記入して投票	有権者は政党名を記入して投票
開票結果	当選 1位 丙 2位 乙 3位 甲 ←	A党20議席獲得 甲…A党名簿順位 単独1位 復活当選

小選挙区で当選

小選挙区では落選したものの、重複立候補した比例代表では名簿順位1位なので当選

②参議院

| 選挙区 | 比例代表 |
| X Y Z | A党 B党 甲 乙 丙 |

投票方法	有権者は個人名を記入して投票	有権者は政党名または政党所属の個人名を記入して投票 ↑

参議院の比例代表では、個人名を記入して投票することもOK（政党の獲得票数は政党名での得票に政党所属の個人名での得票を合算して計算する）

大切！ 衆議院と参議院ともに、選挙区制と比例代表制の並立制が採用されています

318

1 政党と圧力団体

政党とは、政治上の主義主張を同じくする人々が、政権の維持・獲得を目指して組織する団体です。

一方、圧力団体とは、政府・政党等に働きかけ、特殊利益（特定の人の利益）の追求を目的とする団体のことです。

板書 政党と圧力団体

	政党	圧力団体（利益集団）
定義	政治上の主義主張を同じくする人々が、政権の維持・獲得を目指して組織する政治団体	政府・政党等に働きかけ、特殊利益の追求を目的とする団体
目的	政権の獲得	特殊利益の追求
目的達成手段	議会で多数派を占める	政党や政府・各省庁に働きかける
擁護利益	一般国民の利益	構成員等の特定人の利益
代表例	自由民主党、日本共産党	日本経済団体連合会（日本経団連）、日本商工会議所（日商）

大切！ 政党と圧力団体の大きな違いは、政権獲得を目的としているか否かです

基礎知識

CH 1 一般知識

2 政治資金

政党や政治家が活動するためには資金が必要です。しかし、ルールがないと金権政治になってしまう可能性があります。そこで、政治資金を規正するための法律として政治資金規正法が制定されています。

政治資金規正法は1948年に制定された法律です。1975年改正では、企業・団体献金の上限枠を定める総量規制、1994年改正では、政治家個人への企業・団体献金の禁止が定められました。

また、政治資金を国の予算から支出する仕組として1994年に政党助成法が制定されています。これにより一定の要件を満たした政党は、政党交付金を受け取ることができるようになりました。

3 行政

行政改革の歴史は長い

1 行政組織の形態

行政組織では官僚制といわれる形態が発展してきました。

官僚制とは、比較的規模の大きい社会集団や組織における管理・支配のシステムです。その特徴としては、規則に基づいた形式面を重視した運営スタイル、上意下達の指揮命令系統を持つ点が挙げられます。

戦前から戦後にかけて日本においても官僚中心の行政権優位の政治構造が続きました。その結果、議会制民主主義が形骸化しかねないという問題が生じたため、官僚主導から政治主導への転換が叫ばれるようになりました。

2 行政改革の流れ

戦後、福祉国家の理念が取り入れられるようになると、行政の役割が増大し、行政組織が肥大化する行政国家現象が生じてきました。

このような流れと政治主導の動きとが相まって、省庁再編・内閣機能の強化・行政のスリム化などの行政改革への取組みがされるようになりました。

板書 行政改革の流れ

①第2次臨時行政調査会 (1981～1983年)

②行政改革会議 (1996～1998年)

③行政改革推進法 (2006年)

④行政改革推進本部

> 民主党政権下では、行政刷新会議が設置されました。事業仕分けで有名です

> **大切！** ①電電公社、専売公社、国鉄の民営化
> ②中央省庁再編、内閣機能強化について議論
> ③政策金融改革、特別会計改革等について基本方針を策定
> ④行政改革推進法に基づき設置

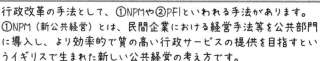

> 行政改革の手法として、①NPMや②PFIといわれる手法があります。①NPM（新公共経営）とは、民間企業における経営手法等を公共部門に導入し、より効率的で質の高い行政サービスの提供を目指すというイギリスで生まれた新しい公共経営の考え方です。
> 一方、②PFIとは、公共施設等の建設や運営に民間の資金やノウハウを活用する手法のことです。

テーマ **2** 国際政治

教科書 Section 2

各国の政治体制の特徴をつかんでおきましょう。大統領制と議院内閣制の違いをきちんと押さえておくことが大切です。国際連合などの国際組織についても学習していきます。

1 各国の政治体制

大統領制と議院内閣制の違いを押さえる

1 大統領制と議院内閣制

議会制民主主義の国家における政治体制は、行政の長を議会が選出する①議院内閣制と、行政の長を国民が選出する②大統領制に大きく区分することができます。

❶ 議院内閣制

議会が内閣創設の基盤となり、政府の存立の基盤が議会の支持の上に置かれる政治形態です。

わが国では、憲法でも学習したように議院内閣制 ➡P.42参照 が採用されています。

❷ 大統領制

行政府の長である大統領を民選とし、議会から独立させる政治形態です。

板書 議院内閣制と大統領制の比較

	議院内閣制（イギリス型）	大統領制（アメリカ型）
機関の性質	合議制	独任制
権力分立との関係	緩やかな分離	厳格な分離
選出過程	首相は議会から選出（間接民主制）	大統領は国民が直接選出（直接民主制）
誰に対して責任を負うか	議会に対して負う	国民に対して負う
議会との関係が破綻した場合	不信任制度と解散権	不信任制度・解散権なし
議会との関係	大臣は議員の中から選出可 議会での出席権・出席義務有	議員との兼職禁止 議会での出席権・出席義務無

（注）一般的な概念の比較

大切！ 議院内閣制は首相を議会が選出しますが、大統領制では大統領は国民が選出します

2 アメリカ合衆国の政治体制

　三権を厳格に分立させる大統領制が採用されており、国民からの間接選挙（形式上は間接選挙ですが、実質的には国民によって直接選ばれているといえる仕組みです）で行政の長である大統領が選出されます。50の州からなる連邦国家であり、各州の権限が強く認められ、連邦政府の権限は外交・国防などに限定されています。

　議会は、上院と下院から成る二院制が採用されており、上院は各州から2名ずつ選出、下院は小選挙区制で選出されます。現在は、民主党と共和党の二大政党制です。

　連邦議会は大統領の不信任決議権をもちません。一方、大統領は議会の解

散権、法案提出権はありませんが、議会が可決した法案に対する法案拒否権を有しています。

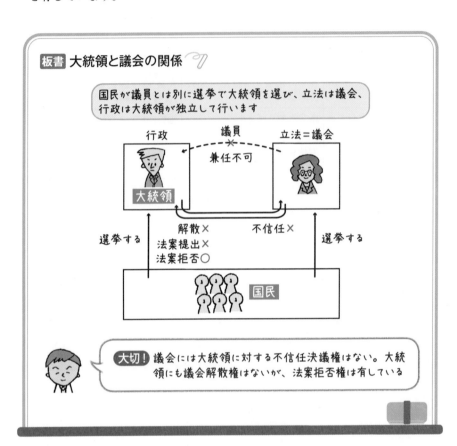

板書 大統領と議会の関係

国民が議員とは別に選挙で大統領を選び、立法は議会、行政は大統領が独立して行います

行政　　　　議員　　　立法＝議会
　　　　　　　兼任不可
大統領

選挙する　　解散×　　不信任×　　選挙する
　　　　　　法案提出×
　　　　　　法案拒否○

国民

大切！ 議会には大統領に対する不信任決議権はない。大統領にも議会解散権はないが、法案拒否権は有している

3 イギリスの政治体制

イギリスは議院内閣制が採用されている代表的な国です。

議会は二院制が採用されていますが、下院優越の原則が確立されています。下院（庶民院）は民選で小選挙区制がとられています。一方、上院（貴族院）は、民選ではありません。

下院には内閣不信任決議権がある一方、内閣にも下院の解散権が与えられています。

なお、イギリスは、2020年1月にEU（欧州連合）から離脱しています。

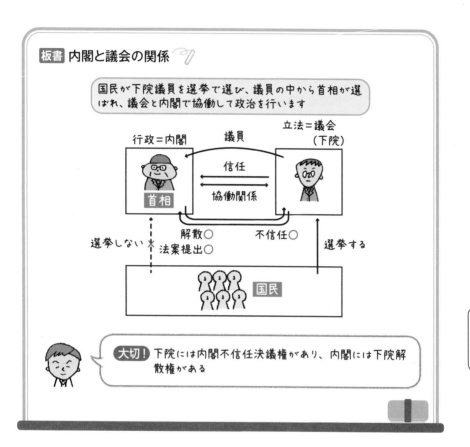

板書 内閣と議会の関係

国民が下院議員を選挙で選び、議員の中から首相が選ばれ、議会と内閣で協働して政治を行います

行政＝内閣　　議員　　立法＝議会（下院）

信任

協働関係

首相

解散○　　　不信任○
選挙しない　法案提出○　　　　　選挙する

国民

大切! 下院には内閣不信任決議権があり、内閣には下院解散権がある

2 国際連合

国際連合と国際連盟の違いを押さえる

1 国際連合の設立

　1941年の大西洋憲章による国際協調の構想に基づいて、1945年サンフランシスコ会議で国際連合憲章（国連憲章）が採択され、これにより51カ国を原加盟国として国際連合が設立されました。本部はニューヨークに置かれています。

板書 国際連合の設立

1941年8月	大西洋憲章で戦後国際秩序構想の合意
1944年8月	ダンバートン=オークス会議で、国際連合憲章の草案作成
1945年4〜6月	サンフランシスコ会議で国際連合憲章を採択
1945年10月	国際連合成立。本部をニューヨークに設置
1956年12月	日本の国連加盟承認

2 国際連合と国際連盟の比較

第2次世界大戦前には、国際機関として国際連盟がありました。

国際連合では、国際連盟が第2次世界大戦を防げなかった反省に基づき、国際連盟とは異なる制度が採用されている部分があります。

板書 国際連盟と国際連合の比較

国際連合		国際連盟
1945年	設立	1920年
ニューヨーク	本部	ジュネーブ
国際連合憲章	設立条約	ベルサイユ条約
英・米・仏・ロ・中	常任理事国	(当初) 英・仏・伊・日
総会ー多数決 安全保障理事会ー多数決 (常任理事国に拒否権あり)	表決	総会・理事会ー全会一致
経済制裁＋軍事制裁	制裁	経済制裁中心 (軍事制裁は不可)

 大切！ 国際連合では軍事制裁可能。また、安全保障理事会では常任理事国に拒否権が認められている

テーマ 3 財政

教科書 Section 3

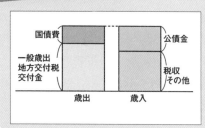

財政の機能は大筋を理解しておけば十分です。国家財政では、租税と財政投融資、地方財政では、地方交付税や地方債の仕組みを学習していきましょう。

1 財政の機能

3つの機能がある

　財政とは、国民や企業から租税によって資金を調達し、公共のために支出する経済活動のことです。国家財政と地方財政に分けられます。

　財政には、次の3つの機能があります。

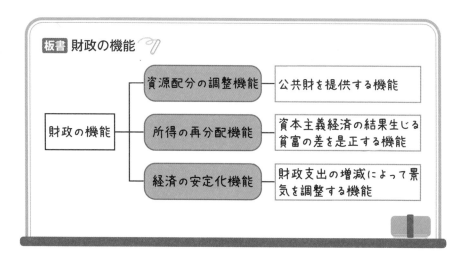

板書 財政の機能

財政の機能	資源配分の調整機能	公共財を提供する機能
所得の再分配機能	資本主義経済の結果生じる貧富の差を是正する機能
経済の安定化機能	財政支出の増減によって景気を調整する機能

基礎知識

CH1

一般知識

1 国の予算と会計

　国の財政は、予算に基づき行われます。

　予算は、1会計年度（4月1日〜翌年3月31日）における国の歳入と歳出の見積もりです。財政民主主義の観点から、内閣が作成し国会に提出して、国会の議決を経なければならないことになっています（憲法86条）。

　ある会計年度の支出（歳出）は、当該会計年度の収入（歳入）で賄わなければなりません。これを会計年度独立の原則といいます。

> 会計年度独立の原則の例外として、継続費（数年度にわたって支出する費用）があります。

　会計には、一般会計と特別会計の区別があります。

　一般会計とは、国の一般の歳入歳出を経理する会計のことです。

　一方、特別会計は、国が特定の事業を行う場合などに、一般の歳入歳出とは分けて会計をするために設けられる会計です。特別会計に関する法律により設けられます。

> 特別会計の例としては、年金特別会計や財政投融資特別会計などがあります。

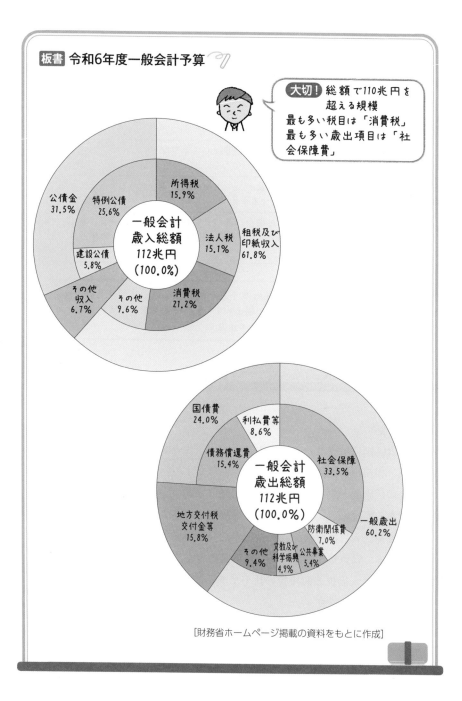

板書 令和6年度一般会計予算

大切! 総額で110兆円を
超える規模
最も多い税目は「消費税」
最も多い歳出項目は「社
会保障費」

**一般会計
歳入総額
112兆円
(100.0%)**

公債金
31.5%

特例公債
25.6%

所得税
15.9%

建設公債
5.8%

その他
収入
6.7%

その他
9.6%

消費税
21.2%

法人税
15.1%

租税及び
印紙収入
61.8%

**一般会計
歳出総額
112兆円
(100.0%)**

国債費
24.0%

利払費等
8.6%

債務償還費
15.4%

社会保障
33.5%

地方交付税
交付金等
15.8%

その他
9.4%

文教及び
科学振興
4.9%

公共事業
5.4%

防衛関係費
7.0%

一般歳出
60.2%

[財務省ホームページ掲載の資料をもとに作成]

2 予算の種類

予算には、**本予算**のほか、**暫定予算**（ざんてい）、**補正予算**（ほせい）があります。

板書 予算の種類

本予算	国会の審議・議決を経て原則として年度開始前に成立することが予定されている予算
暫定予算	年度開始までに本予算が成立しなかった場合に、とりあえず一定期間のみについて作成する予算
補正予算	予算作成後に生じた事由に基づき特に必要となった経費の支出や債務の負担を行うため必要な予算の追加を行う場合に、年度途中で作成する予算

大切！ 暫定予算は本予算が成立しない場合に予算の空白を防ぐために組まれる予算。補正予算は景気対策などのために組まれる追加の予算

---

3 国税

国税は、国に納付される税金のことです。代表的な国税としては、所得税、法人税、相続税、消費税、酒税などがあります。

租税の区別として、担税者（租税を負担する者）と納税義務者（納める者）が同じである**直接税**と、両者が異なる**間接税**があります。

所得税や法人税は直接税、消費税や酒税は間接税になります。

戦後日本では直接税の比率が高い時代が続きましたが、消費税の導入もあり、近年では直接税と間接税の比率である**直間比率**（ちょっかんひりつ）（直接税：間接税）は6：4程度となっています。

4 国債（こくさい）

国債とは、国の財源が足りないときに国がお金を借りるために発行される

債券のことです。

　本来は、国の歳出は、公債または借入金以外の歳入をもってその財源とするのが健全です。しかし、社会資本（インフラ）整備については、その効果が長期的なので、財政法に基づき建設国債が発行可能です。

　しかし、赤字国債については、財政法には発行根拠がなく、毎年特例法を制定して発行しています。

板書 国債の種類

建設国債	道路・上下水道などの社会資本建設のための公共事業費・出資金・貸付金の財源に充てるために発行される国債
赤字国債	一般会計予算の歳入の不足を補うために発行される国債
借換債	国債の償還財源を調達するために発行される国債
財投債	財政融資資金を調達するために発行される国債

大切！ 建設国債は財政法に基づき発行できますが、赤字国債を発行するためには毎年特例法を制定する必要があります

5 財政投融資
（ざいせいとうゆうし）

　財政投融資とは、国が発行する「財投債」（ざいとうさい）（国債の一種）などによって集められた資金を財源として、長期間にわたるプロジェクトや地方公共団体、利益の薄い中小企業への融資など、民間企業が手を出しにくい分野に資金を供給するものです。

　資源の配分機能や景気の調整機能を担い、その規模の大きさから「第二の予算」ともいわれています。

1 地方財政の概要

都道府県や市町村は、学校教育や福祉・衛生、警察・消防、道路、下水道などの整備といったさまざまな行政分野を担っており、国民生活に大きな役割を果たしています。

地方公共団体の収入には、地方税、地方債による収入の他、国から交付される地方交付税、国庫支出金といった収入があります。

一方、支出としては、一般行政経費、給与関係経費、公債費（地方債の償還費）があります。

> 地方公共団体の財政上の問題として、義務的経費の増大による財政の硬直化が指摘されています。

2 地方公共団体の収入

❶ 地方税

最も大きな割合を占めているのは地方税で、地方財政の収入全体の50％程度を占めています。

地方税は地方公共団体がその課税権に基づき賦課徴収する自主財源です。住民税や事業税、固定資産税などがあります。

また、地方公共団体の一般財源に充てられる普通税と特別の経費に充てるために徴収され、使途が特定されている目的税の区別があります。

❷ 地方交付税

地方交付税とは、国が国税収入の一定割合を地方公共団体へ交付するものです。地方財政の収入全体の20％程度を占めています。

地方交付税は、一般財源として交付されるので、使途は地方公共団体の自由です。

地方交付税には、普通交付税と特別交付税の２種類があります。普通交付

税は、財源不足額に見合った額を算定して交付されます。

したがって、計算上、財源不足額がないとされる東京都などは交付対象となりません。

❸　国庫支出金

国庫支出金は、使途を特定して国庫から地方公共団体に交付されるものです。義務教育負担金や生活保護負担金などが主な国庫支出金です。

地方財政の収入全体の16％程度を占めています。

❹　地方債

地方債は、地方公共団体が借入のために発行するものです。通常、政府や銀行などの金融機関が借入先になります。

地方財政の収入全体の8％程度を占めています。

以前は、地方債の発行には総務大臣または都道府県知事の許可が必要でしたが、2006年度から許可制度は原則として廃止され、協議制に移行しています。さらに、2012年度から一定の基準を満たす地方公共団体については、協議を不要とする事前届出制が導入されています。

テーマ 4 経済

ざっくり
テーマ2は こんな話

物価や景気の安定のために行われるのが金融政策です。この金融政策を行う主体が日本銀行です。金融政策の内容と日本銀行について学習していきます。

1 日本銀行と金融政策

金融政策は3種類ある

1 日本銀行の役割

　日本銀行は、通貨・金融の調節を担当する中央銀行として1882年に設立されました。日本の金融制度の中心的役割を担う機関です。

> 日本銀行法によって認められた認可法人です。出資証券を発行している会社であり、資本金1億円のうち55％を政府が出資しています。

　日本銀行の総裁は、両議院の同意を得て内閣が任命します。

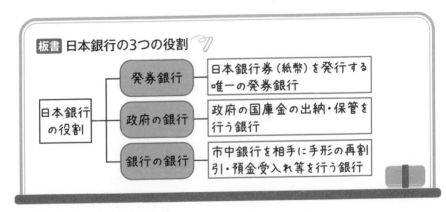

板書 日本銀行の3つの役割

日本銀行の役割	発券銀行	日本銀行券（紙幣）を発行する唯一の発券銀行
	政府の銀行	政府の国庫金の出納・保管を行う銀行
	銀行の銀行	市中銀行を相手に手形の再割引・預金受入れ等を行う銀行

日本銀行は、「物価の安定を図ることを通じて国民経済の健全な発展に資すること」を理念としています。そのため、その運営に政治的な影響力が入ることは好ましくありません。そこで、1998年の日本銀行法の改正により、日本銀行の、政府からの独立性を高める改正がされています。

2 金融政策

日本銀行のような中央銀行は、通貨量（マネーストック）を調整することで、物価安定、景気調整、外国為替の安定などを行っています。このような中央銀行の政策のことを金融政策といい、以下の３つの施策があります。

① 基準割引率および基準貸付利率（旧公定歩合）操作（金利政策）

② 公開市場操作（オープンマーケットオペレーション）

③ 支払準備率操作（預金準備率操作）

近年は金利が非常に低い水準にあるため、中心は②になっています。

板書 金融政策

基準割引率および基準貸付利率操作	中央銀行が民間の金融機関に対して行う貸出しの利率を上下させる政策 不況対策：下げる 景気過熱対策：上げる
公開市場操作	中央銀行が金融市場において債券等の売買を行って直接的に通貨量の調節を図ろうとする政策 不況対策：買いオペレーション（買いオペ） 景気過熱対策：売りオペレーション（売りオペ）
支払準備率操作	民間の金融機関が中央銀行へ預け入れることを義務づけられている準備金の預金に対する比率を上下させる政策 不況対策：下げる 景気過熱対策：上げる

大切！ 日銀が債券（国債）を売却するのが売りオペで好況時に行われ、購入するのが買いオペで不況時に行われる

1 ブレトン・ウッズ協定

　戦後の国際通貨の体制は、1944年のブレトン・ウッズ協定によって、アメリカの通貨であるドルを基軸通貨として、ドルと金の兌換（交換）を保証する金為替本位制が採用されたところから始まります。

2 国際通貨基金（IMF）体制

　1945年、固定相場制の下での為替相場の安定による貿易拡大と、加盟国の雇用・所得の向上を目的に設立されたのが国際通貨基金（IMF）です。

　加盟各国が出資し、国際収支上の問題を是正するために加盟国に金融支援を行います。

3 通貨体制の変遷

　ブレトン・ウッズ協定で採用されたドルを基軸とする固定相場制は、ドル・ショック（＝ニクソン・ショック）以降、紆余曲折を経て、キングストン会議で正式に変動相場制に移行しました。

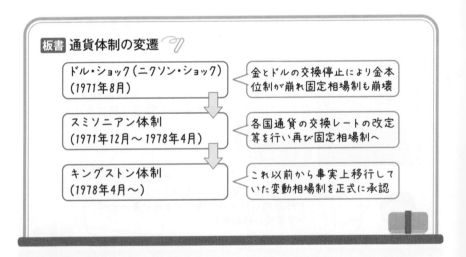

板書 通貨体制の変遷

ドル・ショック（ニクソン・ショック） （1971年8月）	金とドルの交換停止により金本位制が崩れ固定相場制も崩壊
スミソニアン体制 （1971年12月〜1978年4月）	各国通貨の交換レートの改定等を行い再び固定相場制へ
キングストン体制 （1978年4月〜）	これ以前から事実上移行していた変動相場制を正式に承認

3 日本経済史

　戦後の日本経済は、戦後の民主化政策の後、朝鮮特需⇒神武景気⇒オリンピック景気⇒いざなぎ景気⇒バブル経済などの好景気とその間の不況期を挟んで、高度成長から安定成長へと展開していきました。

　しかし、1990年代以降は、バブル崩壊とその後遺症から長い停滞期を経験することになります。

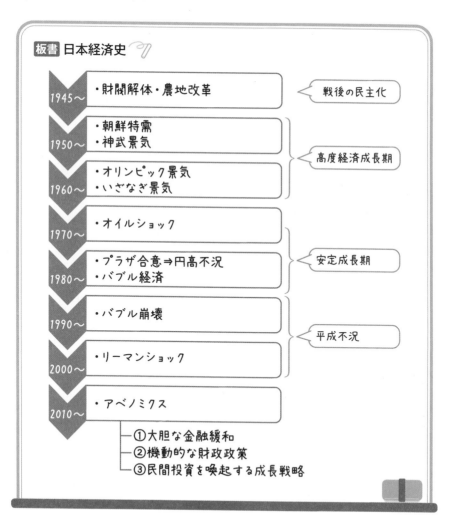

板書 日本経済史

1945〜	・財閥解体・農地改革	戦後の民主化
1950〜	・朝鮮特需 ・神武景気	高度経済成長期
1960〜	・オリンピック景気 ・いざなぎ景気	
1970〜	・オイルショック	安定成長期
1980〜	・プラザ合意⇒円高不況 ・バブル経済	
1990〜	・バブル崩壊	平成不況
2000〜	・リーマンショック	
2010〜	・アベノミクス	

　　　　─①大胆な金融緩和
　　　　─②機動的な財政政策
　　　　─③民間投資を喚起する成長戦略

1　GATTからWTOへ

　1947年、第二次世界大戦の原因ともなったブロック経済の反省から、自由貿易推進のために**GATT**（関税及び貿易に関する一般協定）がアメリカ・イギリスなど先進23カ国によって調印されました。

　戦後の自由貿易は、このGATTを舞台として推進され、多国間貿易交渉（ラウンド）により世界貿易の発展に大きな役割を果たしました。

　しかし、ウルグアイ・ラウンド（1984〜94年）のマラケシュ会議（1994年）において、**WTO**（世界貿易機関）の設立で合意がなされ、1995年にGATTを発展的に解消する形でWTO（世界貿易機関）が設立されました。

　WTO（世界貿易機関）はGATTと異なり**常設の機関**であり、「モノ」の貿易だけでなくサービス貿易や知的所有権に関する国際ルールの確立もその対象としています。また、貿易国間の紛争処理機能も強化されています。

> WTOはGATTを発展的に解消する形で設立された自由貿易推進のための機関です。

2　FTA・EPA

　WTOは多国間主義を掲げ、多国間交渉によるルールの確立を目指していることから合意を形成するまでに時間がかかります。

　そこで、地域内や2カ国間で締結が推進されてきたのが**FTA**、**EPA**です。

❶　FTA

　FTA（自由貿易協定）とは、締結国同士が相互に物品の関税を撤廃したり、サービス貿易の障壁を排除して、貿易拡大を図る取り決めです。

❷ EPA

EPA（経済連携協定）は、FTAに加えて、投資円滑化、経済協力推進、労働市場開放など、経済全般について連携を強化しようとする総合的な協定です。

つまり、EPAの方がより包括的な内容の経済協定ということになります。近年締結された、もしくは推進されている協定はEPAです。代表的なものにTPP（環太平洋戦略的経済連携協定）を挙げることができます。TPPは、2018年12月、（離脱したアメリカを除いた）11カ国の参加により発効し、2023年7月には、イギリスの加盟が承認されています。

テーマ 5　環境問題

教科書　Section 5

ざっくり
テーマ1は こんな話

```
        生産
            ＼ 再商品化
  消費 ──→ 廃棄

  3R ┌ リデュース （発生抑制）
     ├ リユース　 （再使用）
     └ リサイクル （再生利用）
```

国際的な取組みとして地球環境を保護するための条約や地球温暖化の取組みについて勉強していきましょう。国内における取組みとしては、公害対策と循環型社会を形成するための施策を押さえていきます。

1　国際的な取組み　　　　主な条約を押さえよう

1　地球環境保護のための主な条約

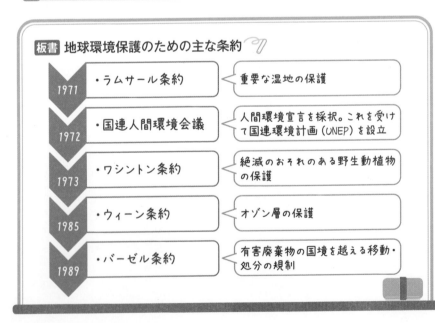

板書 地球環境保護のための主な条約

1971	・ラムサール条約	重要な湿地の保護
1972	・国連人間環境会議	人間環境宣言を採択。これを受けて国連環境計画（UNEP）を設立
1973	・ワシントン条約	絶滅のおそれのある野生動植物の保護
1985	・ウィーン条約	オゾン層の保護
1989	・バーゼル条約	有害廃棄物の国境を越える移動・処分の規制

2 地球温暖化対策

　地球温暖化対策としては、1997年に採択された京都議定書の後の取組みとしてパリ協定が2015年に採択されています。これらの取組みは、各国に温室効果ガスの排出削減義務を課すことにより温暖化を防止しようとするものです。日本も2016年にパリ協定を批准しています。

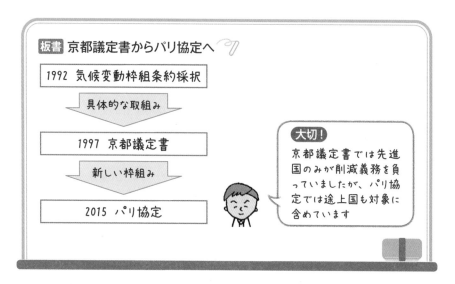

板書 京都議定書からパリ協定へ

1992　気候変動枠組条約採択

　具体的な取組み

1997　京都議定書

　新しい枠組み

2015　パリ協定

大切！
京都議定書では先進国のみが削減義務を負っていましたが、パリ協定では途上国も対象に含めています

3 SDGs（エス・ディー・ジーズ）

　SDGsとは、持続可能な開発目標（Sustainable Development Goals）の略称であり、2001年に策定されたミレニアム開発目標（MDGs）の後継として、2015年9月の国連サミットで加盟国の全会一致で採択された国際目標のことです。環境問題だけでなく、「誰一人取り残さない」持続可能で多様性と包摂性のある社会の実現のため多岐にわたる分野で17のゴール・169のターゲットから構成された国際目標として策定されています。

1 公害問題

　1960年代になって公害が社会問題化したことにより、1967年に公害対策基本法が制定されました。その後、公害問題が鎮静化したことにより、1993年に公害対策基本法を発展的に解消する形で、環境基本法が制定されています。

　また、1997年には、環境影響評価法（環境アセスメント法）が制定されました。この法律は、環境に大きな影響を与える大規模開発事業の実施時に環境への影響を予測・評価し、環境を保全することを目指すものです。

2 循環型社会の形成

　廃棄物の処理の問題など、環境問題の解決のためには「大量生産・大量消費・大量廃棄」型の経済社会から脱却し、生産から流通、消費、廃棄に至るまで物質の効率的な利用やリサイクルを進める「循環型社会」を形成する必要があります。

　そのための基本的な枠組み作りのために2000年に循環型社会形成推進基本法が施行されています。

　同法の特徴として、事業者や国民の排出者責任を明記するだけでなく、排出者ではない生産者（メーカー側）にも製品ライフサイクルの使用後の段階（再利用や廃棄処分）についての責任を負わせた点があります。

　このような生産者（メーカー側）の責任のことを拡大生産者責任といいます。

　この基本法をベースにして、個別分野におけるリサイクル関連法が制定されています。

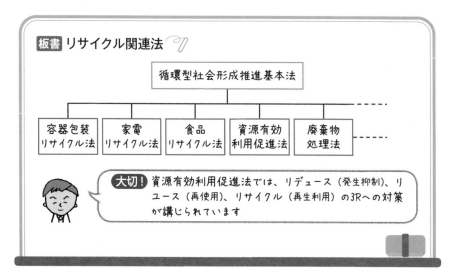

板書 リサイクル関連法

循環型社会形成推進基本法

| 容器包装
リサイクル法 | 家電
リサイクル法 | 食品
リサイクル法 | 資源有効
利用促進法 | 廃棄物
処理法 |

大切！ 資源有効利用促進法では、リデュース（発生抑制）、リユース（再使用）、リサイクル（再生利用）の3Rへの対策が講じられています

テーマ **6** 社会保障

ざっくり
テーマ2は こんな話

弱者を保護するという福祉国家の理念から各種の社会保障の制度が設けられています。試験上重要なのが、公的年金制度、介護保険制度、生活保護制度などです。

1 社会保障制度の歴史と体系　　4種類の区分を押さえる

1 日本の社会保障制度の歴史

　日本における社会保障制度の始まりは、1874年の恤救規則の制定とされていますが、これは権利性の弱いものでした。1922年、わが国で最初の社会保険として健康保険法が制定され、民間企業の被用者を対象とする健康保険制度が整備され始めました。1938年には、自営業者等を対象とする国民健康保険法も制定されました。

　また、1929年には、恤救規則に代わって救護法も制定されています。

　その後、1941年に、労働者を対象とする労働者年金保険法が制定されましたが、1944年には厚生年金保険法と改称されました。

　戦後になると、生活保護法（1946年）、児童福祉法（1947年）、社会福祉事業法（1951年）などが制定され、社会保障制度が整備されてきました。

2 社会保障制度の体系

　社会保障制度は、①社会保険、②公的扶助、③社会福祉、④公衆衛生に区分することができます。

社会保障制度の体系

社会保険	国民が病気、けが、出産、死亡、老齢、失業など生活の困難をもたらすいろいろな事故（保険事故）に遭遇した場合に、一定の給付を行い、その生活の安定を図ることを目的とする強制加入の保険制度
公的扶助	生活に困窮する国民に対して、最低限度の生活を保障し、自立を助けようとする制度（生活保護法等）
社会福祉	障害者、母子家庭など社会生活をする上でさまざまなハンディキャップを負っている国民が、そのハンディキャップを克服して、安心して社会生活を営めるよう、公的な支援を行う制度
公衆衛生	国民が健康に生活できるよう、さまざまな事項についての予防、衛生のための制度（食品衛生、感染症予防、上下水道整備等）

大切! 社会保険としては、医療-健康保険、年金-厚生年金、雇用-雇用保険、労災-労災保険、介護-介護保険など、各分野ごとに保険制度がつくられています

2 個別の社会保障制度　　年金・介護保険を中心に押さえよう

1 公的年金制度

　公的年金制度は、年金給付に必要な財源を後の世代に負担させる世代間扶養の仕組みによる強制加入を原則とする制度です。

　国民年金が全国民を対象として給付を行い（1階部分）、会社員・公務員などに対しては、厚生年金保険が国民年金に上乗せして給付を行う（2階部分）という仕組みとなっています。

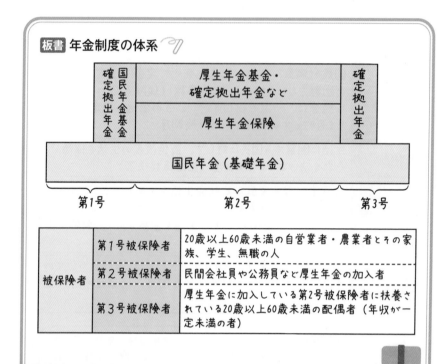

板書 年金制度の体系

		厚生年金基金・確定拠出年金など	
確定拠出年金	国民年金基金	厚生年金保険	確定拠出年金
		国民年金（基礎年金）	

第1号　　　　　　第2号　　　　　　第3号

被保険者	第1号被保険者	20歳以上60歳未満の自営業者・農業者とその家族、学生、無職の人
	第2号被保険者	民間会社員や公務員など厚生年金の加入者
	第3号被保険者	厚生年金に加入している第2号被保険者に扶養されている20歳以上60歳未満の配偶者（年収が一定未満の者）

2 介護保険制度

　1997年に介護保険法が制定され、2000年から介護保険制度がスタートしました。高齢化社会においては誰もが介護を必要とする可能性があり、介護保険は、医療・年金に次ぐ第3の社会保険といわれています。

　原則として65歳以上の者（第1号被保険者）が介護サービスの対象者です。要介護者等に認定されると、レベルによって支給限度額が決まり、その範囲内での約1割の自己負担で公的介護を受けることができます。

　一方、40歳以上の者（第2号被保険者）は保険料の納付義務があり、その保険料と公費で介護保険は運営されています。

346

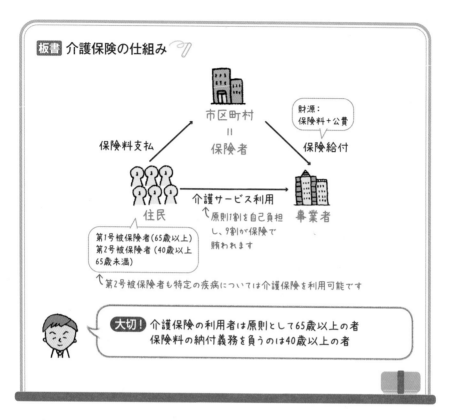

板書 介護保険の仕組み

市区町村
＝
保険者

財源：
保険料＋公費

保険料支払

保険給付

住民

介護サービス利用

事業者

第1号被保険者（65歳以上）
第2号被保険者（40歳以上
65歳未満）

原則1割を自己負担
し、9割が保険で
賄われます

↑第2号被保険者も特定の疾病については介護保険を利用可能です

大切！ 介護保険の利用者は原則として65歳以上の者
保険料の納付義務を負うのは40歳以上の者

3 生活保護制度

　生活保護制度は、生活に困窮する者に対して、その困窮の程度に応じて必要な保護を行い、健康で文化的な最低限度の生活を保障し、その自立を助長する制度です。

　生活保護は、世帯単位で行い（世帯単位の原則）、世帯員全員が、その利用し得る資産・能力その他あらゆるものをその最低限度の生活の維持のために活用することが前提となっています。また、扶養義務者の扶養は生活保護法による保護に優先するとされています。

　保護の内容としては、衣食その他日常生活の費用を賄うための生活扶助の他、教育扶助、住宅扶助、医療扶助などがあります。

テーマ
7

雇用・労働・消費者問題

教科書　Section 7

ざっくり

テーマ3は こんな話

企業

労働条件は
企業と労働者の
契約で決まる

保護　労働
関連法

労働者

まず労働基準法や男女雇用機会均等法な
どの雇用や労働に関連する法令を押さえ
ます。次に、新聞などでよく見かける雇
用や労働に関連する用語も見ていきまし
ょう。さらに、消費者保護における行政
や立法の取組みを学習していきます。

1 雇用・労働関連法令　　主な法律の概要を知っておこう

1 労働基準法

　労働基準法は、1947年に制定された法律で、労働条件に関する基本ルールを定めています。

　たとえば、労働基準法では、労働契約は、期間の定めのないものを除き、原則として「3年」を超える期間について締結してはならないとされています。

なお、労働契約法改正（2012年）により、有期労働契約が反復更新されて、通算して5年を超えた場合は、労働者の申込みにより、無期労働契約に転換させる仕組みが導入されています。

　また、労働基準法では児童使用の規制も設けられており、使用者は、児童が満15歳に達した日以後の最初の3月31日が終了するまでは使用できません（ただし、例外もあります）。

2 男女雇用機会均等法

　男女雇用機会均等法は、1985年に制定され、雇用の分野における男女の

差別をなくし、均等待遇の確保とともに、女性労働者の福祉の増進を図るための法律です。

1997年改正では、女性に対する差別防止の努力義務規定が禁止規定に変更され、ポジティブ・アクションやセクシュアルハラスメントに係る規定を創設するなどの改正がされています。

ポジティブ・アクションとは、積極的に差別を解消する措置をとることをいいます。

2006年改正では、妊娠等を理由とする不利益取扱いの禁止、セクシュアルハラスメント対策の強化などが図られています。

さらに、2016年改正では、マタニティハラスメントの防止措置を講ずることが事業主に義務付けられました。

2 雇用・労働関連用語　用語の意味も押さえておこう！

主な雇用・労働関連用語としては、次のようなものがあります。

フレックスタイム制	一定期間における総労働時間をあらかじめ定めておき、労働者が、その枠内で始業および終業の時刻を自分自身で決定できる制度
ワークシェアリング	従業員1人当たりの労働時間を減らし、その分を他の従業員の雇用の維持や新規の雇用にまわす仕組み
有効求人倍率	公共職業安定所で扱った有効求人数を有効求職者数で割った値。この値が1を上回ると労働需要の方が多いことになる
ニート	就業、就学、職業訓練のいずれもしていない者のこと

3 消費者問題　消費者保護の取組みを押さえよう！

1 消費者行政

増加する消費者問題に対応するために、2009年、**消費者庁が内閣府の外**

局として設置されました。これにより消費者行政の一元化が図られています。

　消費者保護のための機関としては、消費者庁が所管する独立行政法人として国民生活センターが置かれています。さらに各地方公共団体にも消費生活センターが置かれ、専門の相談員が消費者からの相談に対応しています。

2 消費者契約法

　事業者と消費者が締結するあらゆる契約を対象として、消費者保護のための法律として消費者契約法が2000年に制定されています。

　この法律では、不適正な販売方法や契約内容があれば消費者の側から取消しができることや事業者を免責にする不当な条項を無効とすることが定められ、消費者の保護が図られています。

　また、内閣総理大臣が認定した適格消費者団体が、消費者に代わって事業者に対して訴訟等をすることができる消費者団体訴訟制度が2006年に導入されています。

3 特定商取引法

　消費者トラブルが生じやすい販売形態に対する規制として特定商取引法が制定されています。特定商取引法の対象となる取引は、①訪問販売、②通信販売、③電話勧誘販売、④連鎖販売取引、⑤特定継続的役務提供、⑥業務提供誘引販売取引、⑦訪問購入です。

> ④はマルチ商法、⑥は内職モニター商法と一般にいわれている取引です。

　この法律では、通信販売を除いた6種類の取引で締結された契約にはクーリングオフの仕組みが導入されており、消費者は、一定期間内であれば理由の如何を問わず契約を解除することができることになっています。

問1　テーマ1 **1**

一般に小選挙区制は、政治が安定しやすいという長所がある反面、小政党の議席獲得が難しく、死票が多いという問題点が指摘されている。(H21−47−ア)

問2　テーマ1 **2**

政府は、政治腐敗防止のために政治資金規正法の制定を目指したが、国会議員からの反対が強く、まだ成立には至っていない。(H26−47−3)

問3　テーマ2 **1**

アメリカでは、大統領制がとられ、大統領と議会は権力分立の原則が貫かれているため、議会は大統領の不信任を議決することができないし、大統領は議会の解散権、法案の提出権、議会が可決した法案の拒否権のいずれも有していない。

(H23−47−イ)

問4　テーマ3 **2**

財政法の規定では赤字国債の発行は認められていないが、特例法の制定により、政府は赤字国債の発行をしている。(H26−50−ア)

問5　テーマ4 **1**

1990年代後半からの金融自由化により、日本銀行は「唯一の発券銀行」としての地位を2000年代には失った。そのため、各地で地域通貨が発行されるようになった。(H23−49−エ)

問6　テーマ5 **1**

一定の有害廃棄物の国境を越える移動およびその処分の規制について、国際的な枠組みおよび手続等を規定したバーゼル条約があり、日本はこれに加入している。

(R元−53−オ)

問7 テーマ5 **2**

一定の開発事業を行う前に、環境に与える影響を事前に調査・予測・評価する仕組みが「環境影響評価」であり、1970年代以降、いくつかの自治体が環境影響評価条例を制定し、1990年代に国が環境影響評価法を制定した。(H23−53−オ)

問8 テーマ6 **2**

介護保険によるサービスを利用する際には、原則として利用料の１割を自己負担すれば、あとの９割が保険給付によってまかなわれることとされているが、その利用には要介護度ごとに限度額が設けられている。(H21−51−ウ)

問9 テーマ7 **2**

有効求人倍率とは、職業安定所に登録された有効求人数を有効求職数で割った値をいい、この値が0.5を上回れば労働供給の方が多く、反対に0.5を下回れば労働需要の方が多いことを意味する。(H25−51−イ)

解答

問1 ○　小選挙区制についての説明として正しい。

問2 ×　政治資金規正法は1948年に制定され、その後何度も改正され現在に至っている。

問3 ×　大統領は、議会が可決した法案の拒否権は有している。

問4 ○　赤字国債は財政法では発行が認められていないので、発行するためには年度ごとに特例法を定める必要がある。

問5 ×　日本銀行は現在でも唯一の発券銀行である。

問6 ○　バーゼル条約の説明として正しい。日本も1993年批准している。

問7 ○　一定の開発事業を行う前に、環境に与える影響を事前に調査・予測・評価する仕組みが「環境影響評価」であり、1997年に国は環境影響評価法を制定している。また、1976年の川崎市等、複数の自治体で環境影響評価条例が制定されている。

問8 ○　介護保険制度についての正しい説明になっている。

問9 ×　有効求人倍率が「１」を上回れば労働需要の方が多く、反対に下回れば労働供給の方が多いことを意味する。

行政書士法

ざっくり
テーマ1は こんな話

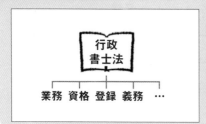

行政書士の資格について規定する行政書士法について学習します。行政書士の業務・資格・登録・義務といった基本になる部分を見ていきます。

1　行政書士法総説

目的・法定業務を押さえよう

1　行政書士法の概要

　行政書士法は、1951年（昭和26年）に成立した行政書士の資格制度の根拠となる法律です。この法律により、行政書士は国家資格として、この法律で規定された業務を営むことが可能となっています。

　行政書士法の構成は次のようになっています。

板書 行政書士法の全体像

行政書士法の構成
- 総則
- 行政書士試験
- 登録
- 行政書士の義務
- 行政書士法人
- 監督
- 行政書士会 日本行政書士会連合会
- 雑則・罰則

大切! 行政書士法は、行政書士の業務内容や資格制度、義務、罰則など行政書士全般に関し規定している法律です。

2 行政書士法の目的（1条）

行政書士法は、行政書士の制度を定め、その業務の適正を図ることによって、①行政に関する手続の円滑な実施に寄与するとともに②国民の利便に資し、もつて③国民の権利利益の実現に資することを目的としています（1条）。

最終目的は、国民の権利利益の実現に資する（役立つ）ことですね。

3 行政書士の業務

行政書士は、他人の依頼を受け報酬を得て、行政書士法に定められた事務（法定業務）を業として行うことができます。

板書 行政書士の法定業務 ✐

※以下の「書類」には電磁的記録も含まれます

行政書士の法定業務

書類作成業務
- 官公署に提出する書類、権利義務に関する書類、事実証明に関する書類の作成
- 契約等に関する書類を代理人として作成

許認可申請の代理
- 許認可申請の代理及び許認可等に関して行われる意見陳述のための手続（聴聞等）の代理
- 許認可等に関する不服申立手続の代理

> 日本行政書士会連合会が実施する研修の課程を修了した行政書士（特定行政書士）に限り行うことが可能です。

相談業務
- 行政書士が作成することができる書類の作成についての相談対応

大切！ ただし、上記の業務に該当していても、その業務を行うことが他の法律において制限されているもの（例えば、他の士業に独占業務として付与されている業務）については、行政書士は行えません。

2 行政書士となる資格

なれる者・なれない者を覚えよう

1 行政書士となる資格を有する者

　行政書士試験に合格をした者は行政書士となる資格を有しますが、それ以外にも行政書士となる資格を有している者がいます。

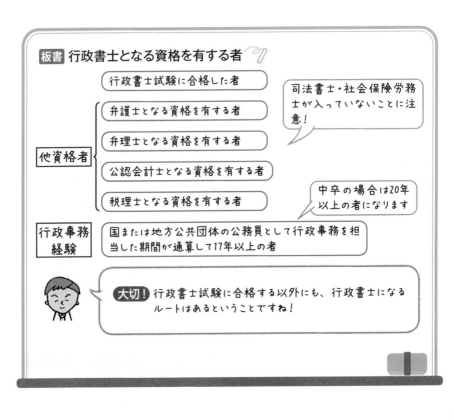

板書 **行政書士となる資格を有する者**

行政書士試験に合格した者

他資格者
- 弁護士となる資格を有する者
- 弁理士となる資格を有する者
- 公認会計士となる資格を有する者
- 税理士となる資格を有する者

司法書士・社会保険労務士が入っていないことに注意！

行政事務経験
国または地方公共団体の公務員として行政事務を担当した期間が通算して17年以上の者

中卒の場合は20年以上の者になります

大切！ 行政書士試験に合格する以外にも、行政書士になるルートはあるということですね！

② 行政書士となることができない者(欠格事由)

行政書士になることができない者(欠格事由)についても規定されています。主な者を挙げると次のような者は行政書士になることができません。

板書 行政書士となることができない者(欠格事由)

①未成年者

②破産手続開始の決定を受けて復権を得ない者

③禁錮以上の刑に処せられ、その執行を終わり、又は執行を受けることがなくなってから3年を経過しない者

④懲戒免職処分を受けた公務員で当該処分の日から3年を経過しない者

⑤行政書士が登録の取消しの処分を受け、当該処分の日から3年を経過しない者

大切! ③に関連して、執行猶予の場合は、執行猶予期間が満了すれば(刑の宣告自体がなかったことになるので)すぐに登録可能です。

---

③ 行政書士試験

行政書士となるためのメインルートは、行政書士試験に合格することです。

行政書士試験は、<u>総務大臣</u>が定めるところにより、毎年一回行われます。

試験の施行に関する事務は、<u>都道府県知事</u>が行うことになっています(3条)。ただし、都道府県知事は、総務大臣の指定する者(<u>指定試験機関</u>)に、行政書士試験の施行に関する事務を行わせることができます(4条1項)。

この規定に基づき、指定試験機関として、「一般財団法人 行政書士試験研究センター」が指定されています。受験願書の送り先になっている所ですね。

行政書士となる資格を有する者が、行政書士となるには、日本行政書士会連合会に備える行政書士名簿に、①住所、②氏名、③生年月日、④事務所の名称及び所在地、⑤その他日本行政書士会連合会の会則で定める事項の登録を受けなければなりません（6条1項）。

　この登録の申請は、登録を受けようとする者が、その事務所の所在地の都道府県行政書士会を経由して、日本行政書士会連合会に対し、行います（6条の2）。

日本行政書士会連合会に対し直接申請するのではなく、都道府県行政書士会を経由して申請します。そして、登録と同時に（かつ当然に）その都道府県行政書士会の会員にもなります（つまり入会は強制です）。

4 行政書士の義務

特に守秘義務が大事

行政書士には次のような義務が課せられています。

板書 行政書士の義務

① 事務所の設置義務 → 2つ以上の事務所を設置することはできません（行政書士法人は除く）

② 業務に関する帳簿の備付け及び保存の義務

③ 誠実に業務を行い、行政書士の信用又は品位を害するような行為をしてはならない義務

④ 報酬の額の掲示義務

⑤ 正当な事由がある場合を除き依頼に応じる義務

⑥ 正当な理由なく、業務上取り扱った事項について知り得た秘密を漏らしてはならない義務（守秘義務）

⑦ 所属する行政書士会及び日本行政書士会連合会の会則を遵守する義務

 大切！ ⑥の守秘義務は、行政書士でなくなった後も及び続けます。

テーマ 2　戸籍法・住民基本台帳法

教科書　Section 2

ざっくり
テーマ2は こんな話

業務関連の法令として戸籍法と住民基本台帳の基本事項について確認していきます。

1　戸籍法

戸籍法の概要を押さえよう

1　戸籍法とは

　日本国民の国籍とその親族的な関係（夫婦、親子、兄弟姉妹等）を戸籍簿に登録し、これを公証（公に証明）する制度を戸籍制度といいます。この戸籍制度の根拠となる法律が戸籍法です。

　戸籍法の歴史は古く、1871年（明治4年）に制定され、その後、家族制度の変遷などを反映して度々改正されています。

2　戸籍法の概要

❶　戸籍事務と戸籍

　戸籍に関する事務は、市町村長が管掌します（戸籍法1条）。

管掌とは、「取り扱う」ことです。この戸籍事務は、地方自治法で学習した「第1号法定受託義務」です。

　市町村長は、市町村の区域内に本籍を定める1つの夫婦及びこれと氏を同じくする子ごとに戸籍を編成します（6条）。

この戸籍をつづって帳簿としますので、これを戸籍簿とよびます。

❷　戸籍の記載と記載内容

　戸籍の記載は、基本的には届出（出生届、婚姻届、離婚届、死亡届など）に基づき、行われます。

　その記載内容は、①本籍、②氏名、③出生の年月日、③戸籍に入った原因及び年月日、④実父母の氏名及び実父母との続柄、⑤養子であるときは、養親の氏名及び養親との続柄、⑤夫婦については、夫又は妻である旨、等です。

2　住民基本台帳法 　　住民基本台帳法の概要を押さえよう

1 　住民基本台帳法とは

　住民基本台帳法は、住民基本台帳の制度を定めて住民の利便を増進するとともに、国及び地方公共団体の行政の合理化に資することを目的として、1967年（昭和42年）に制定された法律です。

2 　住民基本台帳法の概要

❶　住民基本台帳とは

　住民基本台帳とは、市区町村長が、住民の住民票を世帯ごとに編成し作成する帳簿をいいます。

住民票は個人を単位とします。それを世帯ごとに編成して作成されるのが住民基本台帳です。

❷　住民票の記載事項

　住民票には、①氏名、②出生年月日、③男女の別、④世帯主についてはその旨、世帯主でない者については世帯主の氏名及び世帯主との続柄、⑤戸籍の表示、⑥住民となった年月日、⑦個人番号等が記載されます。

個人番号も記載事項です。

CHAPTER 2 　業務関連法令　過去問チェック！

問1 　テーマ1 1

行政書士が作成できる書類は、官公署に提出するものに限られる。(H12-26-ア)

問2 　テーマ1 2

弁護士となる資格を有する者、弁理士となる資格を有する者は、行政書士となる資格を有するが、社会保険労務士となる資格を有する者、公認会計士となる資格を有する者は行政書士となる資格を有しない。(H16-22-1)

問3 　テーマ1 4

行政書士は、行政書士でなくなった後においても、正当な理由がなく、その業務上取り扱った事項について知り得た秘密を漏らしてはならない。(H11-40-3)

問4 　テーマ2 1

戸籍は、市町村の区域内に住所を定める一の夫婦及びこれと氏を同じくする子ごとに、これを編製する。(H4-45-1)

問5 　テーマ2 2

市町村長は、個人を単位とする住民票を世帯ごとに編成して、住民基本台帳を作成しなければならない。(H9-44-1)

解答

問1 × 　官公署に提出するものに限られず、権利義務や事実証明に関する書類の作成もできる（行政書士法1条の2）。

問2 × 　公認会計士となる資格を有する者は行政書士となる資格を有する（行政書士法2条）。他の資格に関しては正しい。

問3 ○ 　（行政書士法19条の3）

問4 × 　「住所」を定めるではなく、「本籍」を定めるが正しい（戸籍法6条）。

問5 ○ 　（住民基本台帳法6条）

テーマ 1 情報通信用語

ざっくり テーマ1は こんな話

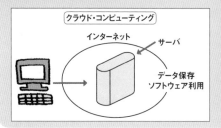

情報通信用語については、深い理解は必要なく、その言葉の用語集レベルの意味を覚えておけば十分です。

1 情報化社会に関する用語 ニュースによく出てくる言葉を押さえておこう

1 マイナンバー制度

　マイナンバー制度とは、個人番号（マイナンバー）を利用して、行政機関等の相互間で情報の連携を効率的に行うための仕組みのことをいいます。

　個人番号（マイナンバー）とは、住民票を有する者を対象に付与される12桁の番号です。マイナンバーは、社会保障、税、災害対策に関する行政手続で利用されます。

> 個人番号カード（マイナンバーカード）の交付を受けることができ、本人確認のための身分証明や電子証明書としても利用可能です。

2 ICT（アイシーティー）

　ICTとは、Information and Communications Technology（＝情報通信技術）の略称です。

　コンピュータやデータ通信に関する技術をまとめた呼び方であり、情報通信技術を全般的に指す言葉として使用されます。

3 デジタルディバイド

デジタルディバイドとは、パソコンやインターネットなどのICT技術を使える人と、そうでない人との間で生じる情報格差や不平等を指す言葉です。

デジタルディバイドは、国内的には、年代間による格差や都市部と地方との間に生じる地域間格差、企業規模による格差など様々な形で現れます。国際間においても、先進国と発展途上国間での格差が生じていると言われています。

4 テレワーク

テレワークとは、ICTを活用することで可能となる場所や時間にとらわれない働き方のことです。在宅勤務やサテライトオフィスでの勤務など企業が行う「雇用型テレワーク」と個人や小さな会社などで行われる在宅ワークやSOHO（ソーホー）などの「自営型テレワーク」があります。

SOHOは、Small Office-Home Officeの略で、小人数のオフィスや家をオフィスとして仕事をすることを指します。

5 その他の用語

アクセシビリティ	情報やサービス、ソフトウェアなどが、どの範囲の人たちに利用可能であるかを表す言葉。特に、高齢者や障害者などハンディを持つ人にとって、どのくらい利用しやすいかということを意味する場合に使われます。
クラウドソーシング	クラウド（crowd＝群衆）とソーシング（sourcing＝調達）を組み合わせた造語であり、ICTを活用して必要なときに必要な人材を調達する仕組みのことです。
デジタルサイネージ	店頭や交通機関などに設置される電子化された看板やポスター及びそれを提供するシステムのことを指します。ネットワークに接続されているので、設置主体の側が見せたい案内や広告を適時に配信することが可能です。
AI（エーアイ）	Artificial Intelligenceの略で、人工知能のことです。
AR（エーアール）	Augmented Realityの略で、拡張現実のことです。コンピュータを使って、現実の風景の中に情報を重ねて表示します。

ビッグデータ	ボリュームが膨大で、従来の技術では管理や処理が難しかったデータの集合のことです。技術の進歩により処理が可能となったため、現在、このデータの活用が積極的に行われています。
5G（ファイブジー）	1〜4Gに続く第5世代の移動通信システムの略称。スマートフォンなどに用いられる高速データ通信を実現する移動体通信の規格のことです。

2 インターネットに関係する用語 知ってそうで知らない言葉に注意！

1 インターネットとは

インターネットは、世界各国のコンピュータをインターネットプロトコル（IP）という共通の規格で相互接続したネットワークのことです。

当初は大学や研究機関などを結ぶ限定的なネットワークでしたが、商用プロバイダが登場し、企業や個人も接続できるようになったことで広く利用されるようになりました。これにより、世界中の人々との間で、コミュニケーションを取ったり、情報の発信や収集をすることが容易になっています。

2 WWW（ワールドワイドウェブ）

インターネット上で情報を発信したり、受信したりするためのしくみの一つです。

ワールドワイドウェブ（World Wide Web）とは「世界規模のくもの巣」を意味する表現で、ウェブサイトを開設しているサーバが世界中にたくさん設置されており、それをリンクさせていることから、世界中の情報がくもの巣状につながっている状態を表しています。

3 IoT（アイオーティー）

Internet of Thingsの略で、「モノのインターネット」とも呼ばれます。自動車、家電、ロボットなどあらゆるモノがインターネットにつながり、情報のやり取りをすることにより、より便利に、より効率的になるなど新たな付

加価値を生み出すものとされています。

4 クラウドコンピューティング

　データやアプリケーション等がネットワーク上のサーバ群（クラウド＝雲）に置かれていて、「どこからでも、必要なときに、必要な機能だけ」利用することができる仕組みのことを指しています。ユーザーは自分のパソコン上にデータやアプリケーション等を保存することなく、インターネットを介して様々なサービスを利用することが可能です。

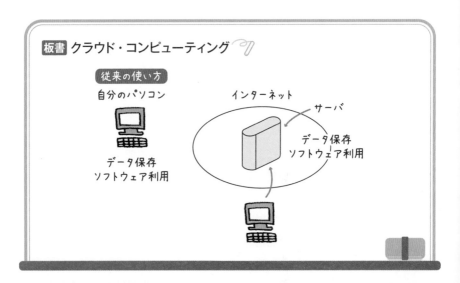

板書 クラウド・コンピューティング

従来の使い方
自分のパソコン　　　　　インターネット　　　サーバ
データ保存　　　　　　　　　　　　データ保存
ソフトウェア利用　　　　　　　　　ソフトウェア利用

5 その他の用語

プロバイダ	インターネットへ接続をしてくれる会社や組織を指します。ISP（インターネットサービスプロバイダ）とも呼ばれます。
サーバ	ウェブサーバ、メールサーバ、ドメインサーバなど、ネットワーク上でサービスや情報を提供するコンピュータのことです。
ブラウザ	ウェブページにアクセスするための玄関口の役割を果たすソフトウェアのことです。Chrome（クローム）、Edge（エッジ）、Safari（サファリ）などが有名です。

SNS（エスエヌエス）	Social Networking Service（ソーシャル・ネットワーキング・サービス）の略。友達などと呼ばれる利用者同士が、相互にネットワークを介してつながって、文章や写真、動画などで自分を表現したり、コミュニケーションするサービスのことです。フェイスブックやX（旧ツイッター）などが有名です。
SaaS（サースまたはサーズ）	Software as a Serviceの略であり、サーバ側で稼働しているソフトウェアの機能を、ネットワークを通じて利用者の必要に応じて提供する仕組みのことを指します。

3 情報セキュリティに関係する用語 ちょっと専門的な用語も押さえよう！

1 情報セキュリティとは

　情報に対して、認められた人だけがアクセスできるという情報の機密性、情報が破壊されないという完全性、情報を必要なときに利用できるという可用性を確保することを情報セキュリティといいます。

2 コンピュータウイルス

　電子メール等の手段を用いてパソコンに侵入し、パソコンに害を与えたり、利用者に不利益を生じさせる、悪意を持ったプログラムの総称です。

　パソコン内の情報を許可なく外部に送信し、情報を盗んだり、ファイルやソフトウェア等のパソコン内のデータを破壊、パソコンの利用を妨害するなどのさまざまな種類のウイルスが存在しています。

3 電子署名

　ネットワークの世界において、紙文書における印かんやサインの役割を果たすものです。電子的なデータに付け加えられる暗号化の手続きにより、本人により作成されたこと、改ざんが行われていないことを確認できるものです。

4 生体認証

　生体認証とは、バイオメトリクス認証とも呼び、指紋や声紋、虹彩などの人間の身体や行動の特徴を使って、個人を認証する技術のことです。

スパムメール	知らない相手から送られてくる、望んでいない商品の宣伝や不必要な情報などの電子メールのことです。
マルウェア	コンピュータやその利用者に被害を与えることを目的とする悪意あるソフトウェアの総称であり、具体的には、コンピュータウイルスやワームなどのことを指します。
二段階認証	アカウントのIDとパスワードを入力して認証した後、さらに別の認証（2段階目の認証）を必要とする仕組みのことであり、二重にチェックすることでセキュリティを高めることができるとされるものです。
フィッシング	送信元を偽ったメールを送って偽のウェブサイトに誘導し、暗証番号やパスワード、クレジットカード情報などを詐取しようとすることを指します。

テーマ 2 情報公開法

ざっくり
テーマ1は こんな話

教科書　Section 2

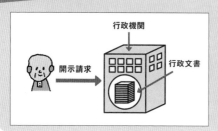

情報公開法の目的と対象となる機関、開示の対象となる文書を押さえておきましょう。

1 情報公開法の概要

目的と対象機関を押さえよう

1 情報公開法の目的

　国の行政機関が保有する情報の開示請求の手続を定めた法律が、2000年に施行された**情報公開法**です。正式名称を「行政機関の保有する情報の公開に関する法律」といいます。

　本法の目的規定（1条）では、「国民主権の理念」という憲法上の基本原理を根拠として、国民に「行政文書の開示を請求する権利」を付与しています。

　その目的として、「行政運営の公開を図ること」と「政府の国民に対する説明責任（アカウンタビリティ）の確保」を挙げ、さらに「公正で民主的な行政の推進に資すること」を挙げています。

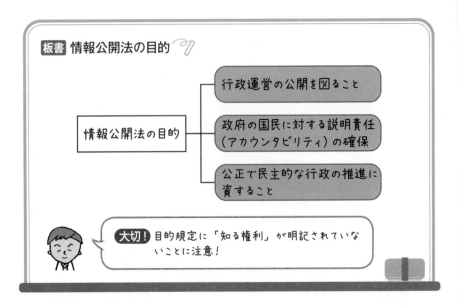

2 対象となる機関

　情報公開法の対象となる行政機関は、国の行政機関と会計検査院です。

　国会や裁判所、地方公共団体は対象になりません。また、独立行政法人も本法の対象にはなりません。

2　開示請求　　　　　　　　　　　　　　開示対象と請求手続を押さえよう

1 開示対象

　本法において開示対象となるのは「行政文書」です。

　この「行政文書」とは、「行政機関の職員が職務上作成しまたは取得した文書・図画・電磁的記録で、組織的に用いるものとして当該行政機関が保有しているもの」をいいます。

制定当初の情報公開法には、行政文書の管理に関する規定も存在していました。しかし、2009年に公文書管理法が制定されたことで削除されています。

2 行政文書の開示請求

　誰でも行政機関の長に対して、行政文書の開示請求をすることができます（3条）。個人・法人や国籍の有無を問わず開示請求権が認められています。

外国人でも開示請求は可能です。

　開示請求があった場合、行政機関の長は、その文書に不開示情報が含まれている場合を除き、開示をしなければなりません（5条）。

　開示請求があった場合には、行政機関の長は、原則として、開示請求があった日から30日以内に開示決定等をしなければなりません。

不開示情報となっているのは、個人情報、法人情報、国の安全等に関する情報などです。

　開示決定や不開示決定等の処分については、審査請求をすることができます（18条）。審査請求を受けた審査庁は、原則として情報公開・個人情報保護審査会に諮問する必要があります（19条）。

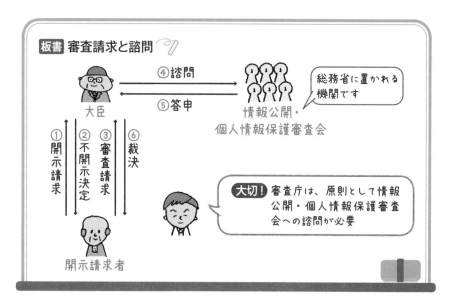

板書 審査請求と諮問

④諮問
⑤答申

総務省に置かれる機関です

大臣

情報公開・個人情報保護審査会

①開示請求
②不開示決定
③審査請求
⑥裁決

大切！ 審査庁は、原則として情報公開・個人情報保護審査会への諮問が必要

開示請求者

テーマ 3 個人情報保護

教科書　Section 3

ざっくり
テーマ2は こんな話

個別の規定自体に大きな変更はありませんが、個人情報関連3法を1本化する大きな改正がされています。

---

1 個人情報保護法総説　個人情報保護法に一本化

1 個人情報関連3法を統合

これまで個人情報保護法制については、民間事業者については個人情報保護法、行政機関については行政機関個人情報保護法、独立行政法人については独立行政法人等個人情報保護法と法律が対象ごとに制定されていました(個人情報関連3法)。また、地方公共団体については条例での規律に委ねる形を採っていました。

2021年、デジタル社会の形成を図るための関係法律の整備の一環として、個人情報保護法を改正する形で個人情報関連3法を一本化すると共に、地方公共団体の制度についても全国的な共通ルールが定められています。さらに、個人情報保護に関する所管を個人情報保護委員会に一元化しました。

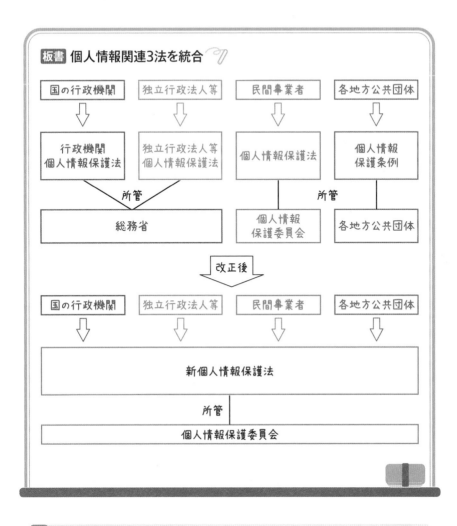

板書 個人情報関連3法を統合

| 国の行政機関 | 独立行政法人等 | 民間事業者 | 各地方公共団体 |

↓

| 行政機関
個人情報保護法 | 独立行政法人等
個人情報保護法 | 個人情報保護法 | 個人情報
保護条例 |

所管 ──── 所管

| 総務省 | 個人情報
保護委員会 | 各地方公共団体 |

↓ 改正後

| 国の行政機関 | 独立行政法人等 | 民間事業者 | 各地方公共団体 |

↓

| 新個人情報保護法 |

所管

| 個人情報保護委員会 |

2 個人情報保護法の目的

個人情報保護法では、個人情報の適正な取り扱いに関し、基本理念及び政府による基本方針の作成その他の個人情報の保護に関する施策の基本となる事項を定め、個人情報を取り扱う事業者や行政機関等の義務を定めるとともに、個人情報保護委員会を設置することにより、「個人情報の有用性に配慮しつつ、個人の権利利益を保護すること」を目的とすることが明文で規定されています。

3 個人情報保護法に共通する用語の定義

❶ 個人情報

　個人情報とは、生存する個人に関する情報であって、(a) 特定の個人を識別できるもの、または (b) 個人識別符号が含まれるものをいいます。

(a) 特定の個人を識別できるもの

　氏名、生年月日、住所、顔写真などにより特定の個人を識別できるものに加えて、他の情報と容易に照合でき、それによって特定の個人を識別できるものも含みます。

(b) 個人識別符号

　顔、指紋、DNAなど特定の個人の身体の一部の特徴を電子的に利用するために変換した符号やマイナンバー、免許証番号、基礎年金番号など対象者ごとに割り振られる公的な番号を指します。

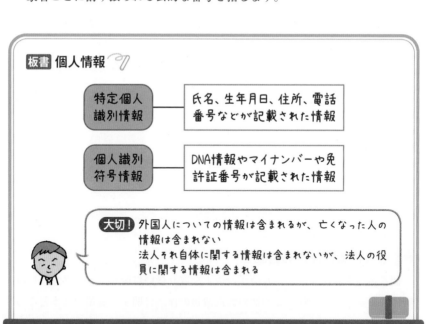

板書 個人情報

| 特定個人識別情報 | — | 氏名、生年月日、住所、電話番号などが記載された情報 |
| 個人識別符号情報 | — | DNA情報やマイナンバーや免許証番号が記載された情報 |

大切！外国人についての情報は含まれるが、亡くなった人の情報は含まれない
法人それ自体に関する情報は含まれないが、法人の役員に関する情報は含まれる

❷ 要配慮個人情報

　要配慮個人情報とは、個人に関する情報の中でも、人種、信条、病歴など不当な差別・偏見が生じる可能性がある個人情報のことです。

個人情報のうちでも、いわゆるセンシティブ情報といわれるものについて「要配慮個人情報」と定義した上で、権利保護を強化しています。

❸ 仮名加工情報

　仮名加工情報とは、個人情報について一部削除、個人識別符号の全部の削除などの措置を講じて、他の情報と照合しない限り特定の個人を識別することができないように個人情報を加工して得られる個人に関する情報をいいます。

「仮名加工情報」は元の個人情報が復元できるものであってもよいとされていますが、次の「匿名加工情報」は元の個人情報が復元できないものであることが必要とされています。

❹ 匿名加工情報

　匿名加工情報とは、特定の個人を識別することができないように個人情報に加工を施し、個人情報を復元できないようにした情報のことをいいます。

たとえば、個人の医療情報について、特定の個人を識別できる情報を全て削除し、医療技術の発展や創薬研究などに役立てる情報として活用するような場合における加工された情報のことです。

2　個人情報取扱事業者の義務　　民間事業者の義務

❶ 定義規定

❶ 個人情報データベース等

　個人情報データベース等とは、個人情報を含む情報の集合物であって、(a)特定の個人情報を電子計算機を用いて検索することができるように体系的に構成したもの、(b) 特定の個人情報を容易に検索することができるように体

系的に構成したものとして政令で定めるもののことです。

したがって、コンピューター処理された情報はもちろん含まれますが、紙ベースの情報でも目次や索引などを持つことで検索が容易になっていれば（b）に該当して、含まれることになります。

❷ 個人情報取扱事業者

個人情報データベース等を事業の用に供している者をいう。

営利、非営利は問いません。
ただし、国の機関や、地方公共団体、独立行政法人、地方独立行政法人は除外されます。

❸ 個人データ、保有個人データ

個人データとは、個人情報データベース等を構成する個人情報をいいます。

保有個人データとは、個人情報取扱事業者が、開示、内容の訂正・追加・削除、利用の停止・消去・第三者への提供の停止を行うことのできる権限を有する個人データです。

保有個人データには、その存否が明らかになることにより公益その他の利益が害されるものとして政令で定めるものは除外されますが、短期保有のデータは含まれます。

板書 個人データに類する用語の関係

個人情報

①生存する個人に関する情報で、特定の個人を識別できるもの
②生存する個人に関する情報で、個人識別符号が含まれるもの

個人情報データベース等

個人情報を含む情報の集合体であり、特定の個人を検索できるよう体系的に構成されたデータ

個人データ

個人情報データベース等を構成している個人情報

保有個人データ

個人情報取扱事業者が、開示、内容の訂正、追加、削除、利用の停止、消去、第三者への提供の停止を行うことのできる権限を有する個人データ

大切! 個人情報 > 個人データ > 保有個人データ

2 個人情報取扱事業者の義務

❶ 個人情報に関する義務

　個人情報取扱事業者は、個人情報を取り扱うに当たっては、その**利用の目的（利用目的）をできる限り特定**しなければなりません。

　また、個人情報取扱事業者には、**あらかじめ本人の同意**を得ないで、特定された利用目的の達成に必要な範囲を超えて、個人情報を取り扱ってはならない義務が課されています。

　さらに、個人情報取扱事業者は、偽りその他不正の手段により個人情報を

取得してはならず、要配慮個人情報を取得する場合には、原則として、本人の事前の同意が必要です。

❷ 個人データに関する義務

　個人情報取扱事業者は、その取り扱う個人データの漏えい、滅失、き損の防止その他の個人データの安全管理のために必要かつ適切な措置を講じなければなりません。

　さらに、個人情報取扱事業者は、その従業者に個人データを取り扱わせるにあたっては、当該個人データの安全管理が図られるよう、従業者に対して必要かつ適切な監督を行わなければならない義務も課せられています。

　また、個人情報取扱事業者は、個人データを第三者に提供する際には、本人の事前の同意を得る必要があります。

❸ 保有個人データに関する義務

　個人情報取扱事業者は、本人から、当人の保有個人データの開示を求められたときは、本人に対し、書面により遅滞なく開示しなければなりません。

開示請求以外にも、訂正請求、利用停止等の請求も可能です

3 行政機関等の義務　　旧行政機関個人情報保護法の内容とほぼ同じ

1 個人情報保護法への統合

　国の行政機関における個人情報保護は、「(旧) 行政機関個人情報保護法」で規律されていましたが、2021年に「(旧) 行政機関個人情報保護法」が廃止され、「(新) 個人情報保護法」に統合一本化されました。

　また、「(新) 個人情報保護法」では、独立行政法人等における個人情報の保護についても「行政機関等の義務」として、国の行政機関と同じ規定が適用されています。

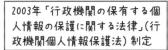

板書 **行政機関についての個人情報保護の法制の変遷**

| 1988年「行政機関の保有する電子計算機処理に係る個人情報の保護に関する法律」が制定 | ← | 電子計算機処理された情報のみが対象。訂正請求権・罰則規定なし |

↓

| 2003年「行政機関の保有する個人情報の保護に関する法律」(行政機関個人情報保護法)制定 | ← | 紙ベースの情報も適用対象訂正請求権・罰則規定あり |

↓

| 2021年「行政機関個人情報保護法」が廃止され、「個人情報保護法」に統合一本化する法改正 | ← | 用語の定義や名称を統一 |

大切！ （新）個人情報保護法における規律は、（旧）行政機関個人情報保護法の内容をほぼ引き継いでいます。

2 定義規定

❶ 保有個人情報

保有個人情報とは、行政機関の職員が職務上作成し、または取得した個人情報であって、当該行政機関の職員が組織的に利用するものとして、当該行政機関が保有しているものをいいます。

保有個人情報は、行政文書に記録されているものに限られます。この「行政文書」の概念は情報公開法と同じです。

❷ 個人情報ファイル

個人情報ファイルとは、保有個人情報を含む情報の集合物であって、①一定の事務の目的を達成するために特定の保有個人情報を電子計算機を用いて検索することができるように体系的に構成したもの、②一定の事務の目的を

達成するために氏名、生年月日、その他の記述等により特定の保有個人情報を容易に検索することができるように体系的に構成したものを指します。

名称は異なりますが、個人情報保護法における「個人情報データベース等」とほぼ同様の概念です

3 行政機関等における個人情報の取扱い

　行政機関は、個人情報を保有するにあたり、法令の定める所掌事務または業務を遂行するため必要な場合に限り、かつ、利用の目的をできる限り特定しなければなりません。

　さらに、このように利用目的を特定した上で、利用目的の達成に必要な範囲を超えて個人情報を保有してはならないとされています。

　また、行政機関が本人から直接書面で個人情報を取得する際には、原則として、事前に本人に対して利用目的を明示する必要があります。

4 保有個人情報の開示請求等

　誰でも行政機関の長等に対し、行政機関等の保有する自己を本人とする保有個人情報の開示を請求することができます。

　そして、開示請求を受けた行政機関の長は、不開示情報が含まれている場合を除き、保有個人情報を開示しなければなりません。

　不開示決定等に不服のある者は、行政機関の長に対して審査請求をすることができます。

審査請求を受けた行政機関の長（審査庁）は、原則として情報公開・個人情報保護審査会に諮問する必要があります。この審査請求の手続については、情報公開法と同じです。

4 個人情報保護委員会　　　個人情報に関する所管を一元化

1 所管を個人情報保護委員会に一元化

　（旧）個人情報保護法下においても個人情報保護委員会は設置されていましたが、当時は国の行政機関や独立行政法人等についての所管は総務省にありました。（新）個人情報保護法では、分かれていた個人情報に関する所管を個人情報保護委員会に一元化しています。

2 組織と所掌事務

　個人情報保護委員会は、内閣府の外局として設置され、内閣総理大臣の所轄に属します。

　委員長および委員8人をもって組織され、委員長および委員は、両議院の同意を得て、内閣総理大臣が任命します。

　その所掌事務としては、①個人情報の保護に関する基本方針の策定・推進、②個人情報等の取扱いに関する監督などを担います。

> 個人情報保護委員会は、マイナンバー（個人番号）の適正な取り扱いを図るための業務も行っています

5 地方公共団体への適用　　　条例での規律から法律による規律へ

　地方公共団体における個人情報保護については、これまでは各地方公共団体の条例による規律に委ねられてきました。しかし、2021年個人情報保護法改正（施行2023年4月1日）により、地方公共団体における個人情報保護についても、共通となるルールが法律で定められました。

　基本的には、地方公共団体の機関および地方独立行政法人に対しても、国と同じ規律が適用されることになります。

　個人情報保護委員会は、地方公共団体における個人情報の取扱い等に対しても、国の行政機関に対する監視に準じた措置を行うことになります。一方、

地方公共団体も、個人情報の取扱い等に関し、個人情報保護委員会に対し、助言その他の必要な支援を求めることが可能です。

なお、保有個人情報の開示等の手続、審査請求の手続について、法律に反しない限りで条例により必要な事項を定めることは可能となっています。

CHAPTER 3　情報通信・個人情報保護　過去問チェック！

問1　テーマ1 2

クッキー（cookie）とは、ブラウザにデータとして蓄積されている閲覧先リストを指す。ウェブ・サーバーとブラウザ間でやり取りされる通信プロトコルの一種でもあるが、一般的には、利用者がどのようなサイトを訪れたかに関する情報をいう。（H29−56−ウ）

問2　テーマ3 1

「個人情報の保護に関する法律（個人情報保護法）」は、個人情報の有用性に配慮しつつ、個人の権利利益を保護することを目的とする旨を明文で定めている。（H22−56−イ）

問3　テーマ3 3

個人情報保護法の保有個人情報が記録されている「行政文書」は、情報公開法のそれと同じ概念である。（H23−55−ア）

問4　テーマ3 4

個人情報保護委員会は、総務大臣、経済産業大臣および厚生労働大臣の共管である。（R元−57−1）

解答

問1　○

問2　○　（個人情報保護法1条）

問3　○　（個人情報保護法60条1項）

問4　×　内閣総理大臣の所轄に属する（個人情報保護法130条2項）。

テーマ
1

文章理解

ざっくり
テーマ1は こんな話

教科書　Section 1

14問中、3問出題される文章理解は、国語の読解問題です。題材として出題されるのは論説文です。
ここでは出題の傾向だけを見ておけば十分でしょう。

1　並べ替え問題

接続詞や指示語がポイント

　並べ替え問題は、題材となる原文をバラバラにした上で、肢ア～肢オに配置し、それらを正しい順序に並べ替えたものを選択肢1～5の中から選ぶものです。

近年の行政書士試験では、最も頻出度の高い形式です。

基礎知識

CH 4
文章理解

例題

　次のア～オの文章は、一連の文章をバラバラにしたものである。正しい順序は1～5のうちどれか。

ア　そのときは思わなかったが、年齢を重ねると分かるようになった………
イ　しかし、20代の頃は………していた
ウ　………………
エ　確かに、………
オ　………………

1　ア　ウ　イ　オ　エ
2　イ　ウ　ア　エ　オ
3　ウ　オ　イ　ア　エ
4　エ　イ　ア　オ　ウ
5　エ　ア　ウ　イ　オ

空欄補充問題は、本文の一部に空欄があり、そこに入る語句を選択肢から選ぶ形式の問題です。

> 空欄の数は、1個の場合も複数個の場合もあります。
> 複数個の場合は、正しい語句の組み合わせを選択することになります。

例題

本文中の空欄 ア ～ ウ に入る言葉の組合せとして適当なものはどれか。

…………間接的なものではなく、 ア 的なものといえる。………………………
………自分の体験したことを基にその イ を活かして今度は失敗しないように
……………結局、一般論としては分かるけれども ウ の事例においては
………………………………………………………。

	ア	イ	ウ
1	直接	○○	○○
2	直接	経験	個別
3	○○	○○	○○
4	○○	経験	○○
5	○○	○○	個別

脱文挿入問題は、題材となった原文に本来存在している文章が抜き出された形で提示されており、本文中の空欄のどこに入るのが適切かを解答していく問題です。

挿入すべき脱文が1つの場合もあれば、2つ以上の場合もあります。

例題

　次の枠内のＡおよびＢの文章は、本文の空欄　ア　〜　エ　のいずれかにあてはまる。その組合せとして適当なものはどれか。

Ａ　また、○○○という例にも見られるように、普段から動物と接している我々にとってはごく自然なことといえる
Ｂ　それは、………………だからなのである

本文

　確かに、………………特殊なことに見られるかもしれない。　ア
　しかし、例えば、………………のように、ごく当たり前のことなのです。
　イ
　さらに、これら以外にも………………という例も同じことなのかもしれない。
　ウ
　結局のところ、………………なのです。　エ

	Ａ	Ｂ
1	ア	ウ
2	ア	イ
3	イ	ア
4	イ	エ
5	ウ	エ

索 引

memo

memo

memo

執筆者

早川兼紹

　慶應義塾大学文学部卒。
　長年の大手資格試験予備校での講師経験により培った
受験指導のノウハウを生かして教材制作・講師派遣の㈱
FirstRiver を設立し、現在同社代表取締役。
　主な著書には、『みんなが欲しかった！　公務員 憲法
の教科書＆問題集』『同 民法の教科書＆問題集』『同 行
政法の教科書＆問題集』（TAC 出版）などがある。

編集協力
滝澤ななみ

装丁
黒瀬章夫

イラスト
matsu（マツモト　ナオコ）

みんなが欲しかった！行政書士シリーズ

2025年度版
みんなが欲しかった！行政書士　合格へのはじめの一歩

（2019年度版　2018年11月11日　初版　第1刷発行）
2024年11月11日　初　版　第1刷発行

編　著　者　　ＴＡＣ　株　式　会　社
　　　　　　　　　　　　　　　　（行政書士講座）
発　行　者　　多　田　敏　男
発　行　所　　ＴＡＣ株式会社　出版事業部
　　　　　　　　　　　　　　　　（ＴＡＣ出版）

　　　　　　　〒101-8383
　　　　　　　東京都千代田区神田三崎町3-2-18
　　　　　　　電話 03(5276)9492（営業）
　　　　　　　FAX 03(5276)9674
　　　　　　　https://shuppan.tac-school.co.jp

組　　　版　　株式会社　グ　ラ　フ　ト
印　　　刷　　株式会社　光　　　　邦
製　　　本　　東京美術紙工協業組合

© TAC 2024　　　Printed in Japan　　　ISBN 978-4-300-11471-1
　　　　　　　　　　　　　　　　　　　　N.D.C. 327

行政書士講座のご案内

出題可能性の高い予想問題が満載

全国公開模試

2025年 合格目標

TACでは本試験さながらの雰囲気を味わえ、出題可能性の高い予想問題をそろえた公開模擬試験を実施いたします。コンピュータ診断による分野別の得点や平均点に加え、総合の偏差値や個人別成績アドバイスなどを盛り込んだ成績表(成績表はWebにて閲覧)で、全国の受験生の中における自分の位置付けを知ることができます。

TAC全国公開模試の3大特長

1 厳選された予想問題と充実の解答解説

TACでは出題可能性の高い予想問題をこの全国公開模試にご用意いたします。全国公開模試受験後は内容が充実した解答解説を活用して、弱点補強にも役立ちます。

2 全国レベルでの自己診断

TACの全国公開模試は全国各地のTAC各校舎と自宅受験で実施しますので、全国レベルでの自己診断が可能です。

※実施会場等の詳細は、2025年7月頃にTACホームページにてご案内予定です。お申込み前に必ずご確認ください。

3 本試験を擬似体験

本試験同様の緊迫した雰囲気の中で、真の実力が発揮できるかどうかを擬似体験しておくことは、本試験で120%の実力を発揮するためにも非常に重要なことです。

高い的中率を誇る問題が勢揃い!

2025年9月・10月 実施予定!

2025年度版 行政書士試験対策書籍のご案内

TAC出版では、独学用、およびスクール学習の副教材として、各種対策書籍を取り揃えています。
学習の各段階に対応していますので、あなたのステップに応じて、合格に向けてご活用ください！

※装丁、書籍名、刊行内容は変更することがあります

入門書

『みんなが欲しかった！
行政書士
合格へのはじめの一歩』
A5判
● フルカラーでよくわかる、本気でやさしい入門書！資格や試験の概要、学習プランなどの「オリエンテーション編」と科目別の「入門講義編」を収録。

基本書

『みんなが欲しかった！
行政書士の教科書』
A5判
● こだわりの板書でイメージをつかみやすい、独学者のことを徹底的に考えた最強にわかりやすいフルカラーの教科書。分冊で持ち運びにも便利。

問題集

『みんなが欲しかった！
行政書士の問題集』
A5判
● 過去問題8割、オリジナル問題2割で構成された、得点力をアップする良問を厳選した問題集。

総まとめ

『みんなが欲しかった！
行政書士の最重要論点150』
B6判
● 見開き2ページが1論点で構成された、試験によく出る論点を図表で整理した総まとめ。

判例集

『みんなが欲しかった！
行政書士の判例集』
B6判
● 試験によく出る重要判例を厳選して収録。最重要判例には事案を整理した関係図付き。

過去問

『みんなが欲しかった！
行政書士の5年過去問題集』
A5判
● 過去5年分の本試験問題を、TAC講師陣の詳細な解説とともに収録。各問題に出題意図を明示。

一問一答式

『みんなが欲しかった！
行政書士の肢別問題集』
B6判
● 選択肢を重要度ランクとともに体系的に並べ替え、1問1答式で過去問を攻略できる問題集。

記述対策

『みんなが欲しかった！
行政書士の40字記述式問題集』
A5判
● 解法テクニックと過去＋予想問題を1冊に集約した、40字記述式対策の1冊。多肢選択式問題も収録。

書籍の正誤に関するご確認とお問合せについて

書籍の記載内容に誤りではないかと思われる箇所がございましたら、以下の手順にてご確認とお問合せを
してくださいますよう、お願い申し上げます。
なお、正誤のお問合せ以外の書籍内容に関する解説および受験指導などは、一切行っておりません。
そのようなお問合せにつきましては、お答えいたしかねますので、あらかじめご了承ください。

1 「Cyber Book Store」にて正誤表を確認する

TAC出版書籍販売サイト「Cyber Book Store」の
トップページ内「正誤表」コーナーにて、正誤表をご確認ください。

CYBER TAC出版書籍販売サイト
BOOK STORE

URL：https://bookstore.tac-school.co.jp/

2 1 の正誤表がない、あるいは正誤表に該当箇所の記載がない
⇒ 下記①、②のどちらかの方法で文書にて問合せをする

★ご注意ください★

お電話でのお問合せは、お受けいたしません。
①、②のどちらの方法でも、お問合せの際には、「お名前」とともに、
「対象の書籍名（○級・第○回対策も含む）およびその版数（第○版・○○年度版など）」
「お問合せ該当箇所の頁数と行数」
「誤りと思われる記載」
「正しいとお考えになる記載とその根拠」
を明記してください。
なお、回答までに1週間前後を要する場合もございます。あらかじめご了承ください。

---

① ウェブページ「Cyber Book Store」内の「お問合せフォーム」より問合せをする

【お問合せフォームアドレス】

https://bookstore.tac-school.co.jp/inquiry/

---

② メールにより問合せをする

【メール宛先　TAC出版】

syuppan-h@tac-school.co.jp

※土日祝日はお問合せ対応をおこなっておりません。
※正誤のお問合せ対応は、該当書籍の改訂版刊行月末日までといたします。

乱丁・落丁による交換は、該当書籍の改訂版刊行月末日までといたします。なお、書籍の在庫状況等
により、お受けできない場合もございます。
また、各種本試験の実施の延期、中止を理由とした本書の返品はお受けいたしません。返金もいたし
かねますので、あらかじめご了承くださいますようお願い申し上げます。

（2022年7月現在）